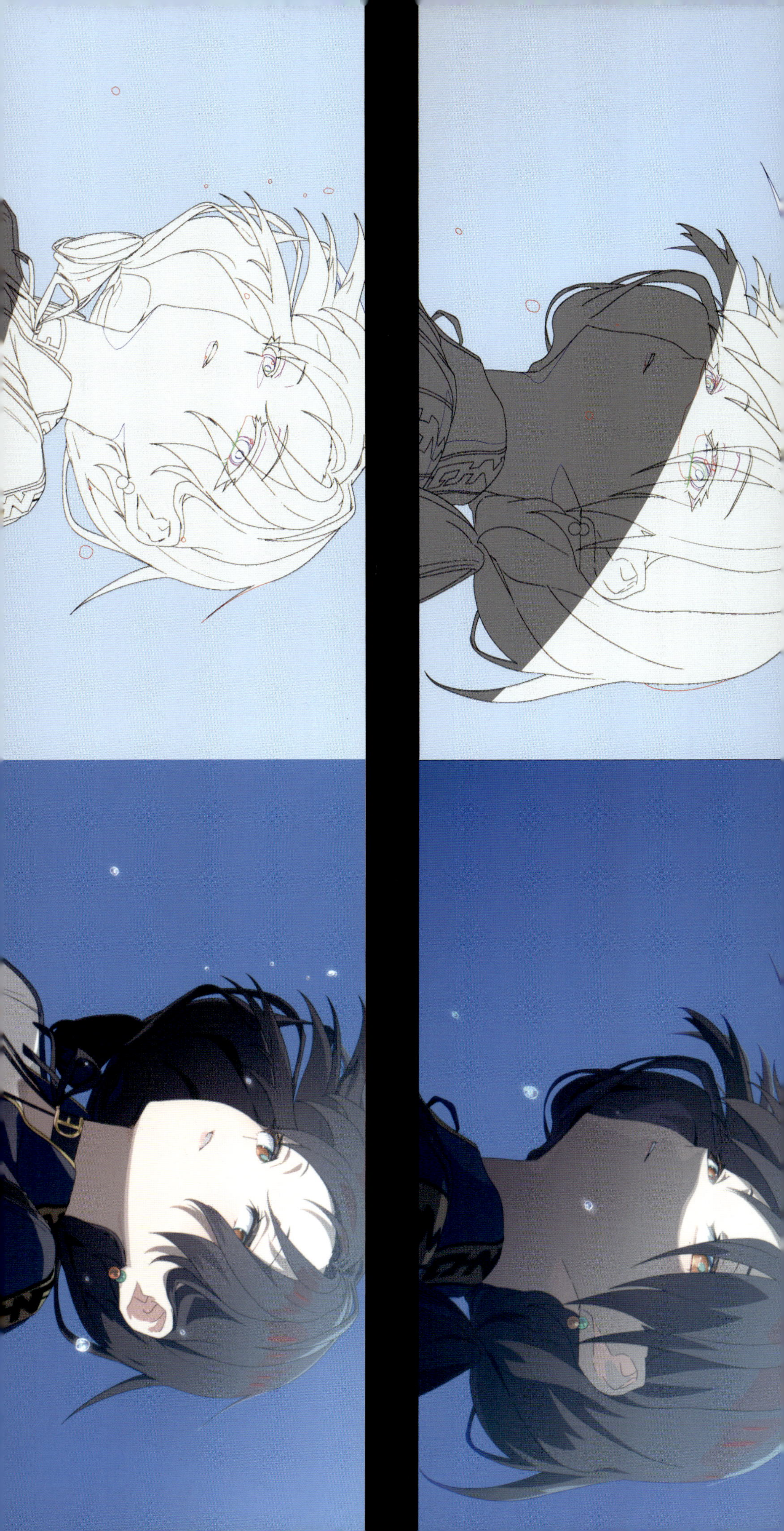

은빛 해일 화영

Argent Waves Hwayoung

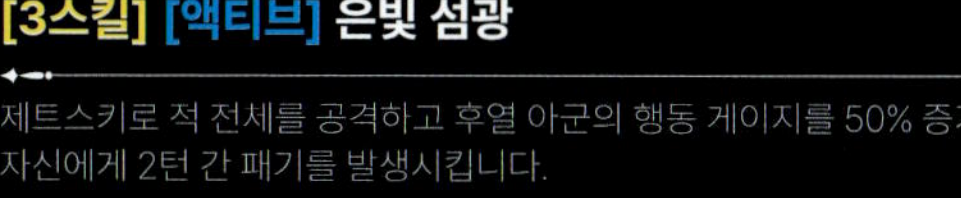

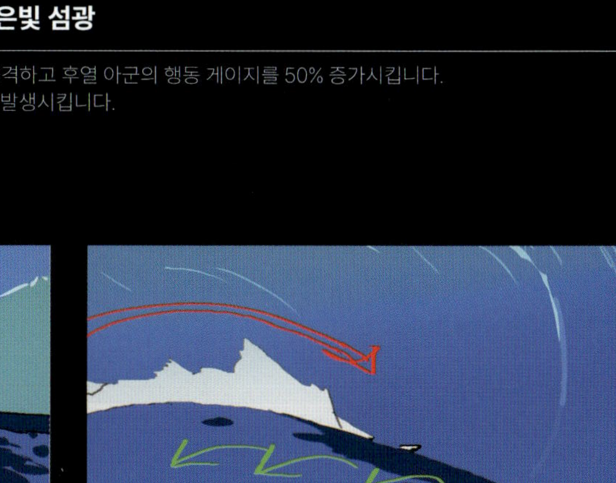

낙월 Nahkwol
[3스킬] [액티브] 영혼 삼키기
강력한 주술로 적 전체를 공격하여 강화효과를 전부 해제한 뒤 2턴 간 구속을 발생시키고
스킬 쿨타임을 1턴 증가시킵니다.
구속: 자신의 턴이 아니라면 추가 스킬, 반격, 협공이 발생하지 않습니다. 영웅에게만 적용됩니다.

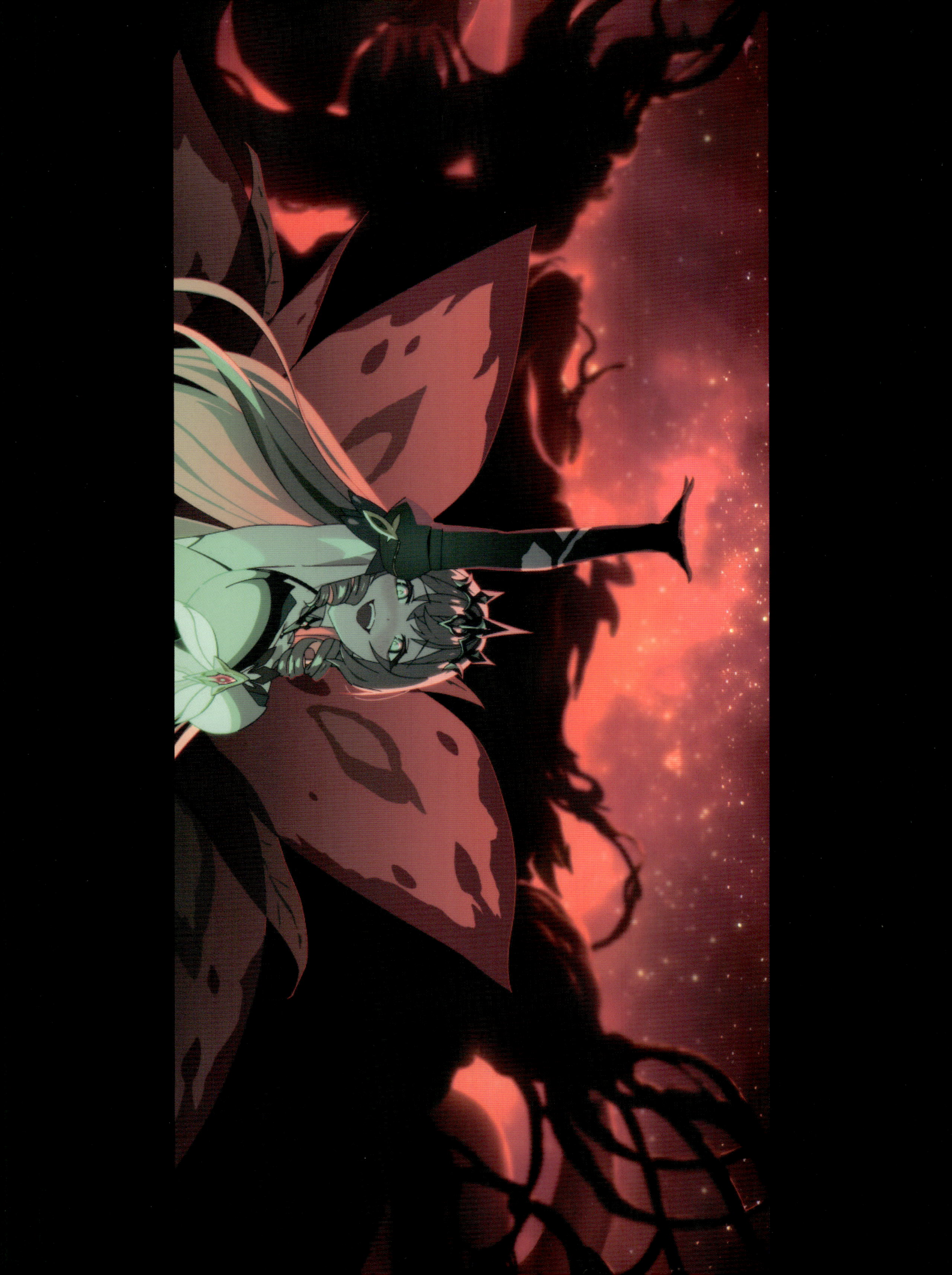

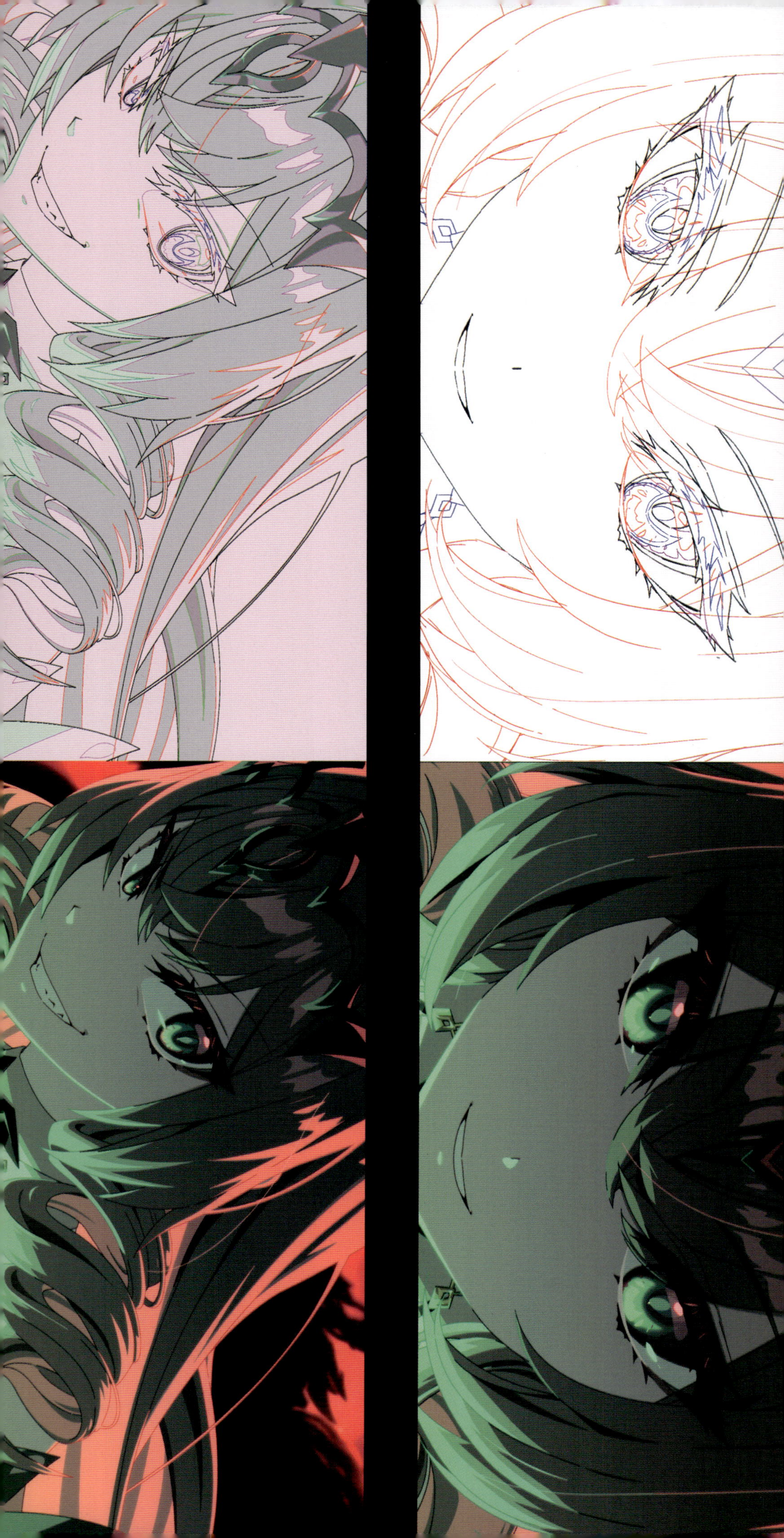

화원의 리디카 — Blooming Lidica

[3스킬] [액티브] 환희의 열매

꽃으로 적을 공격하고 자신에게 스킬 대미지 무효 1회를 발생시킵니다.
대상의 방어력을 50% 관통합니다. 자신의 속도가 대상의 속도보다 높을수록 방어력을 관통하며,
최대 100%까지 증가합니다. 자신의 최대 생명력에 비례해 피해량이 증가합니다.
이 공격은 치명타가 발생하지 않습니다.

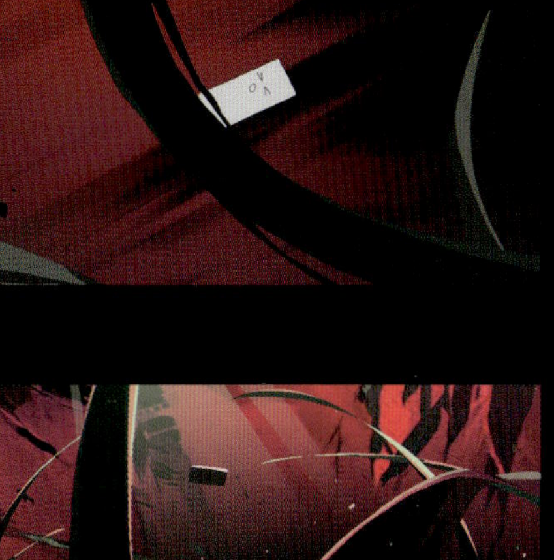
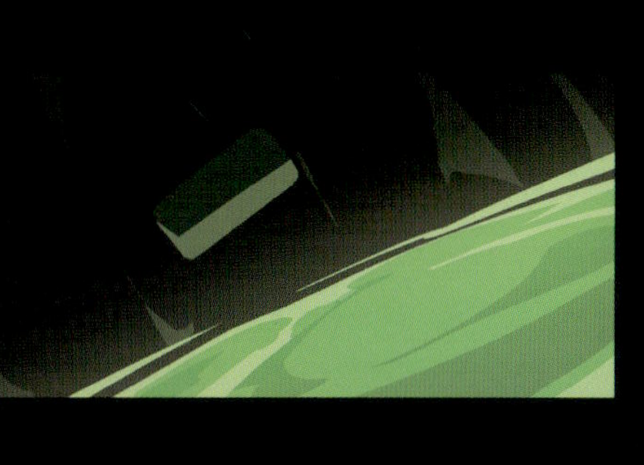

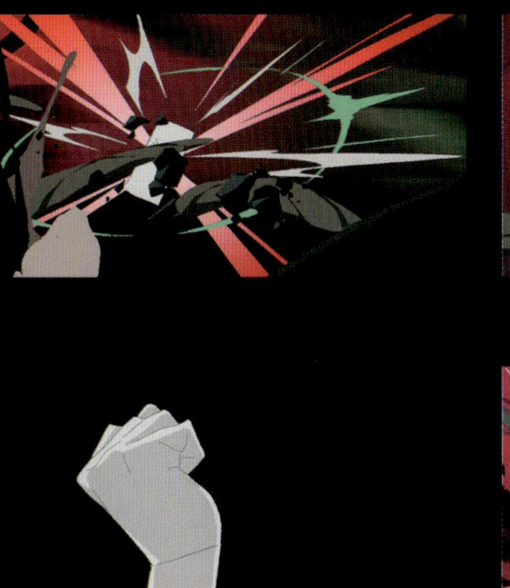

어린 세나 Young Senya

[2스킬] [패시브] 괴롭히지 마세요!

첫 전투 시작 시 투지를 30(40) 획득하고 자신을 제외한 전열 아군이 자연 속성이라면 투지를 추가로 40 획득한 후 대상에게 각별한 우정을 발생시킵니다. 피격 시 투지를 20 획득하고 투지가 최대라면 모두 소모하여 자신의 약화효과를 전부 해제한 후 도와줘!를 사용합니다.

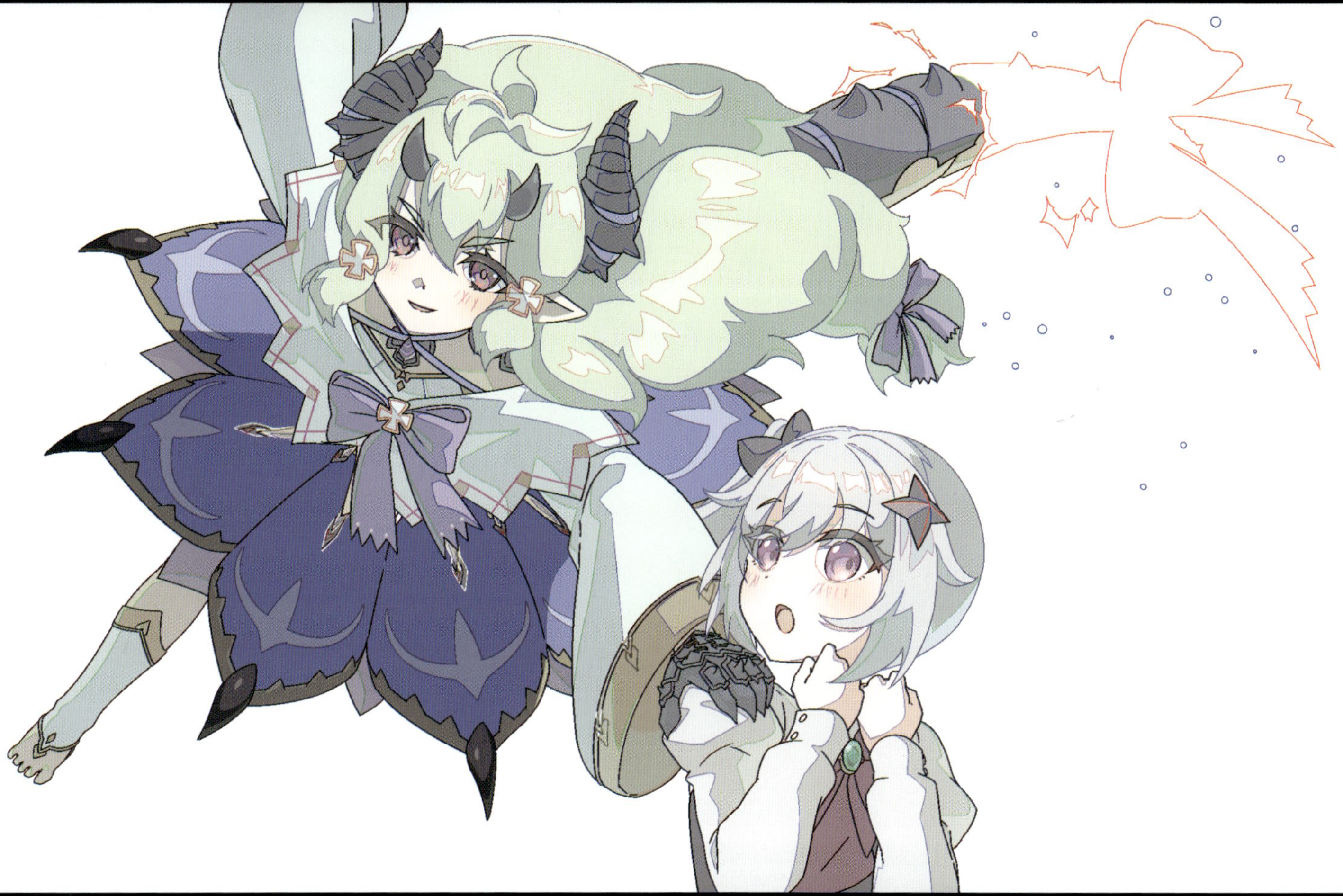

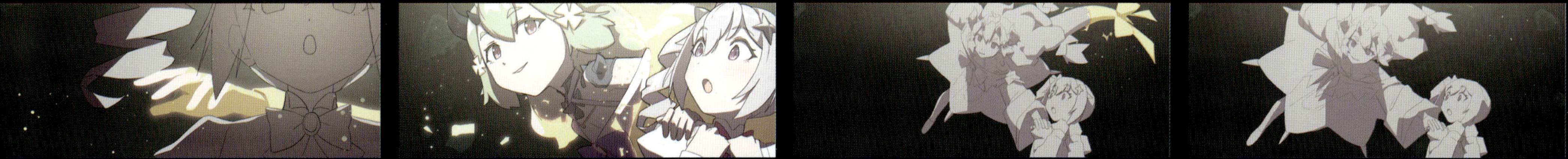

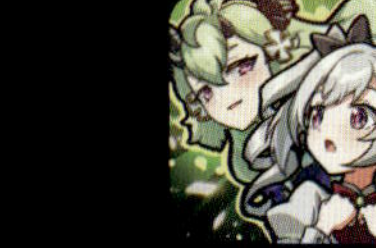

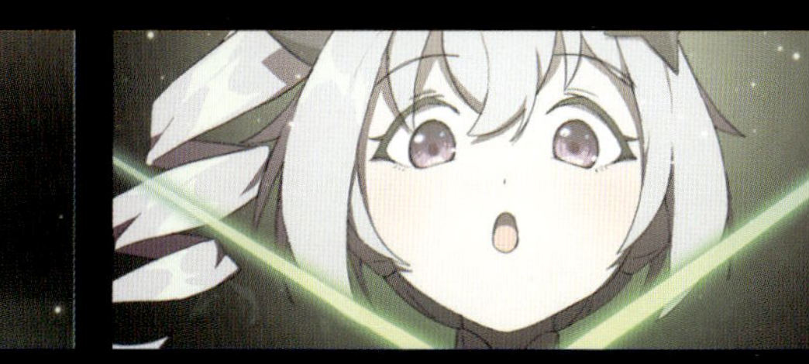

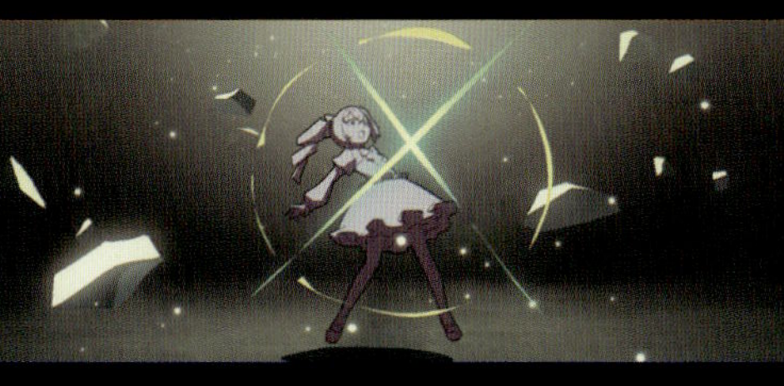

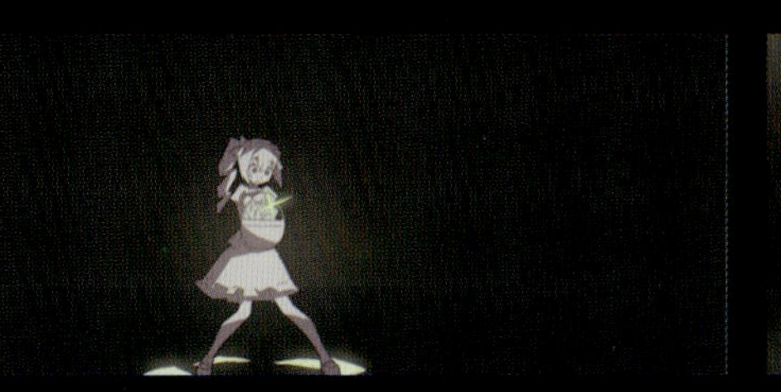

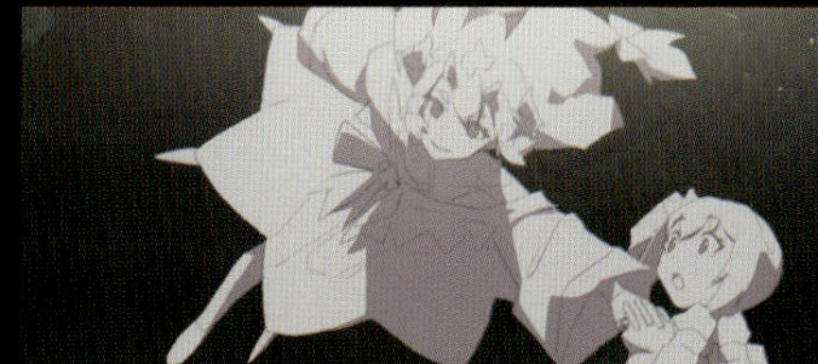

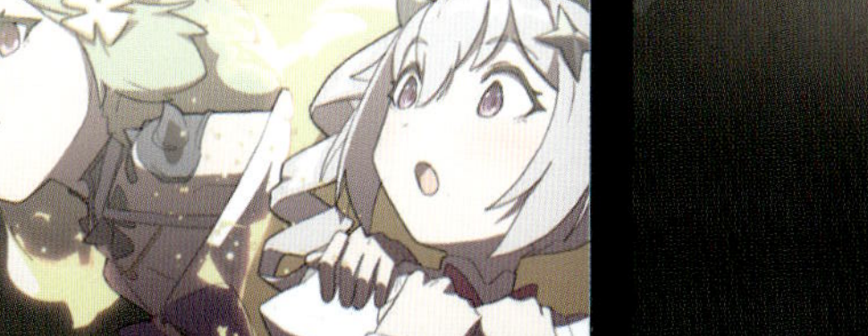

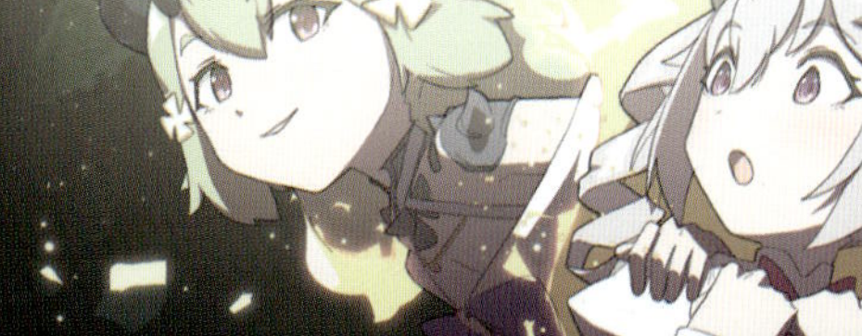

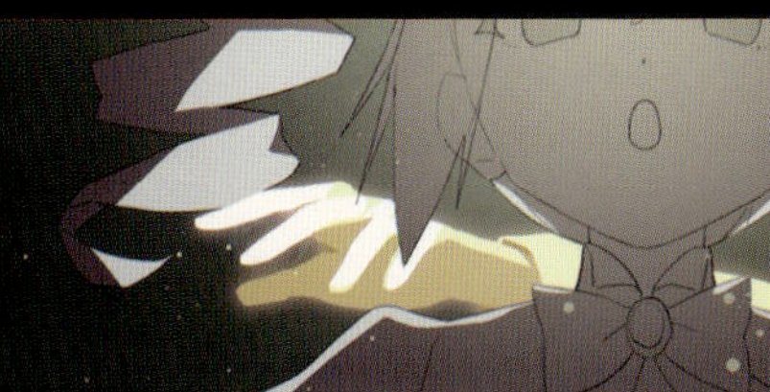

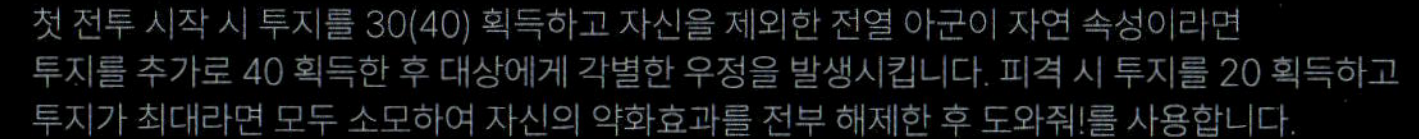

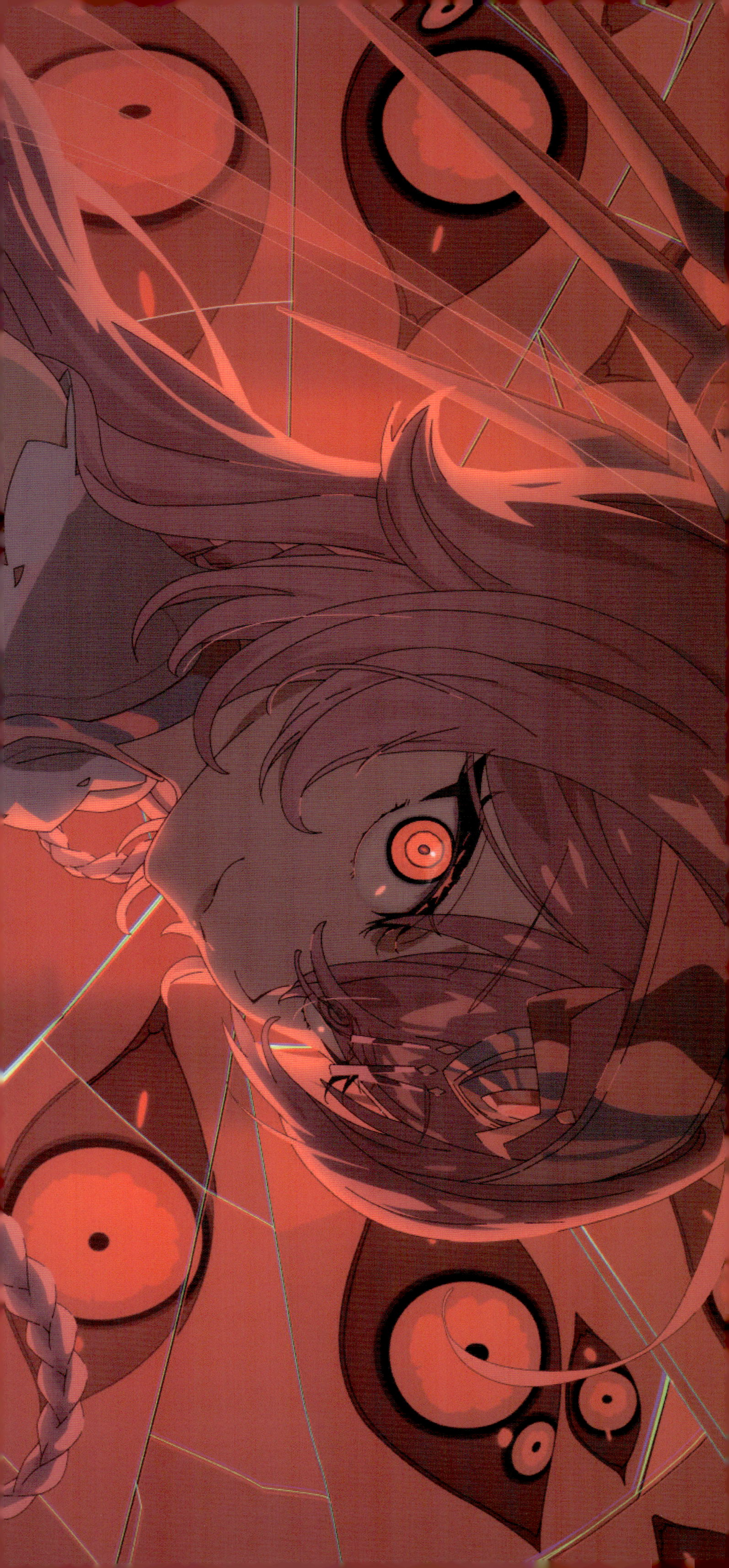

호반의 마녀 테네브리아

Witch of the Mere Tenebria

[3스킬] [액티브] 심연의 거울

적 전체를 거울 너머의 시간에 가둬 강화효과를 2개 해제한 후
2턴 간 차단, 1턴 간 무작위 약화효과를 발생시킵니다.
자신의 행동 게이지를 50% 증가시킵니다.

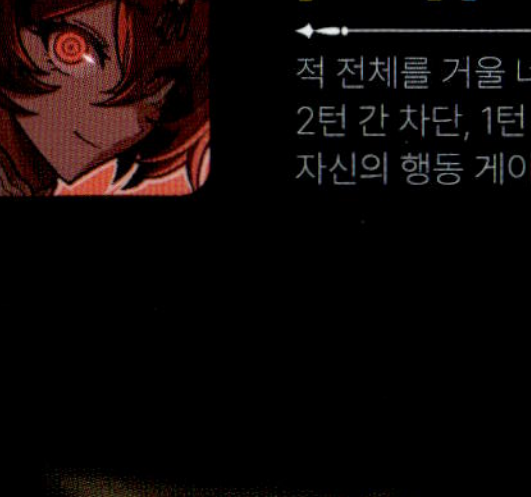

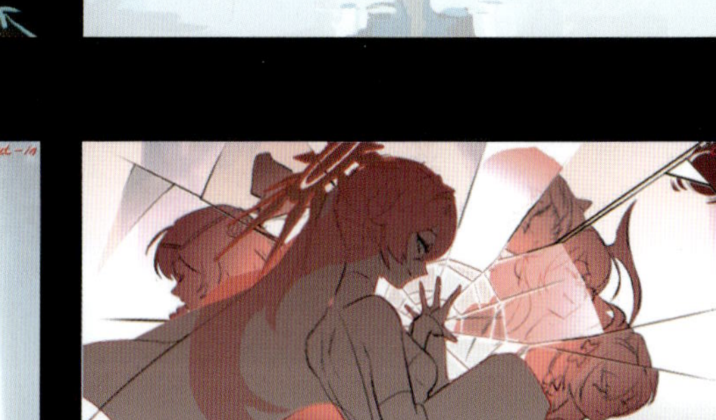

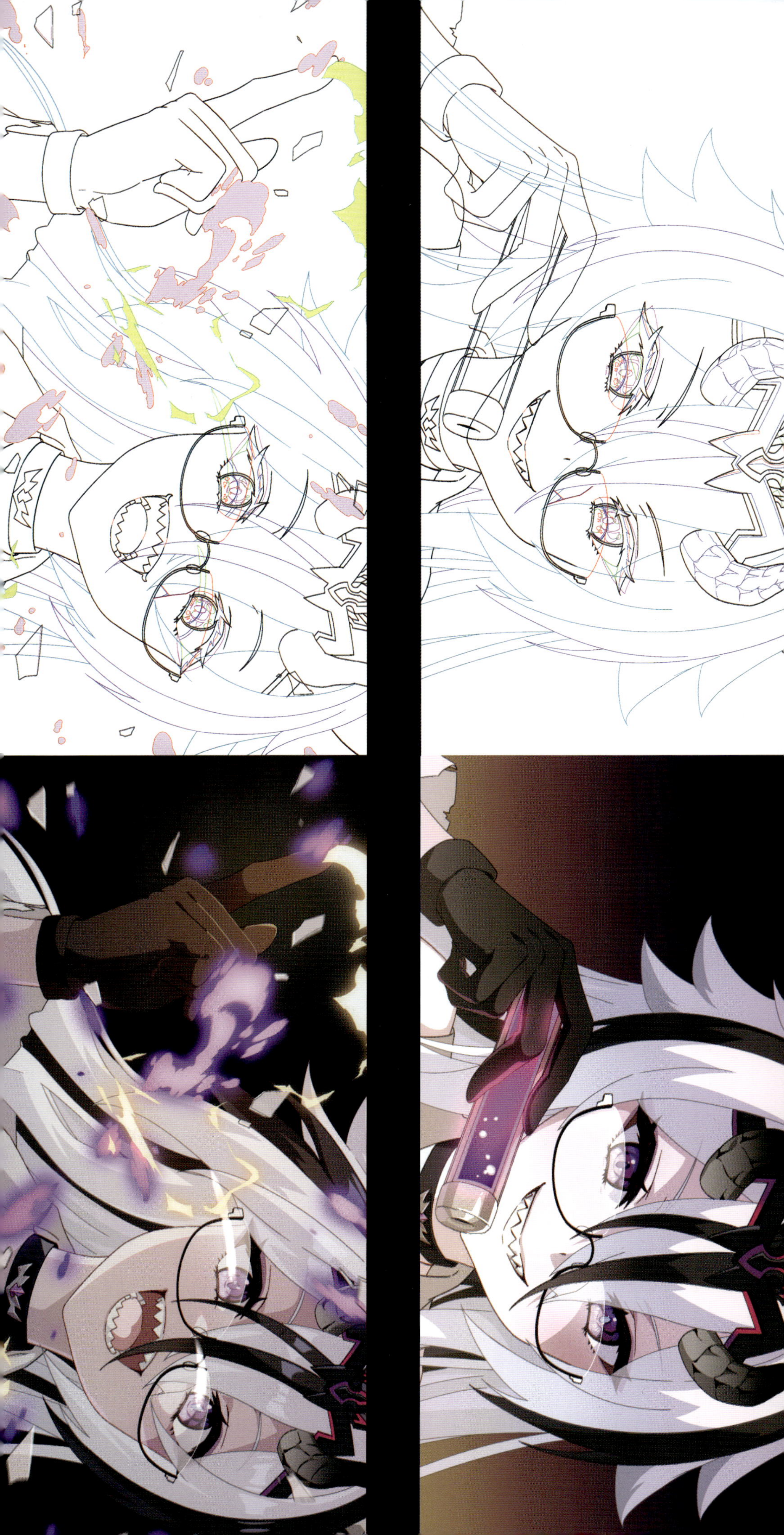

비탄의 로제 · Wretched Rose

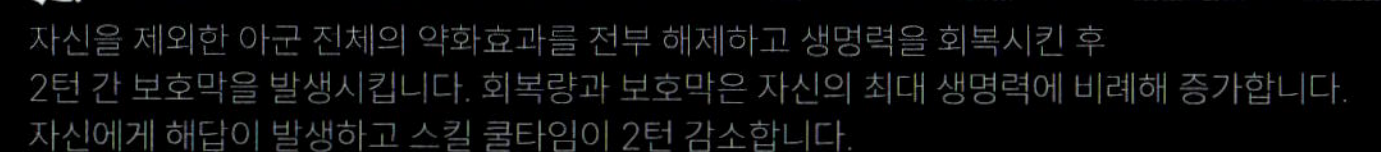

자신을 제외한 아군 진체의 약화효과를 전부 해제하고 생명력을 회복시킨 후
2턴 간 보호막을 발생시킵니다. 회복량과 보호막은 자신의 최대 생명력에 비례해 증가합니다.
자신에게 해답이 발생하고 스킬 쿨타임이 2턴 감소합니다.

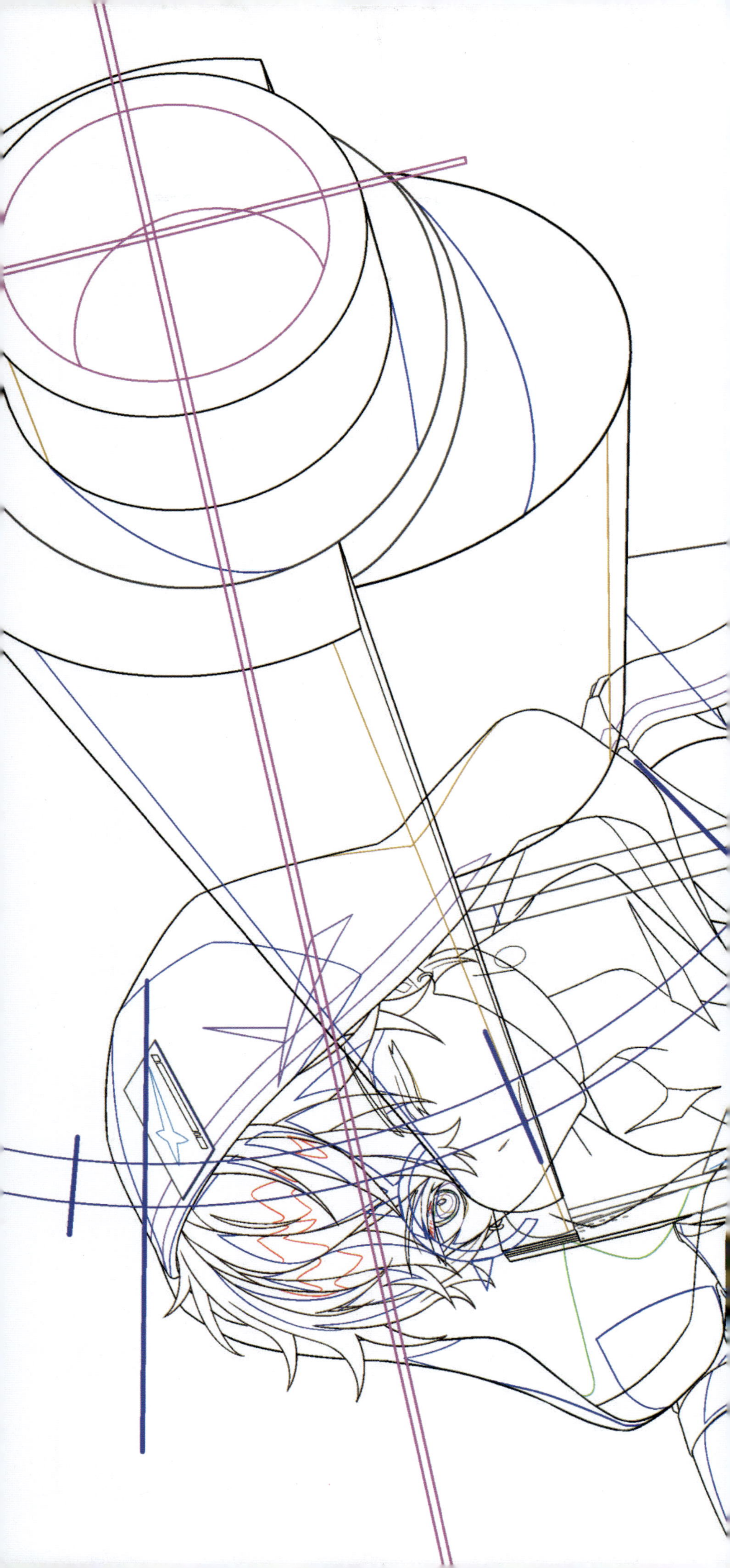

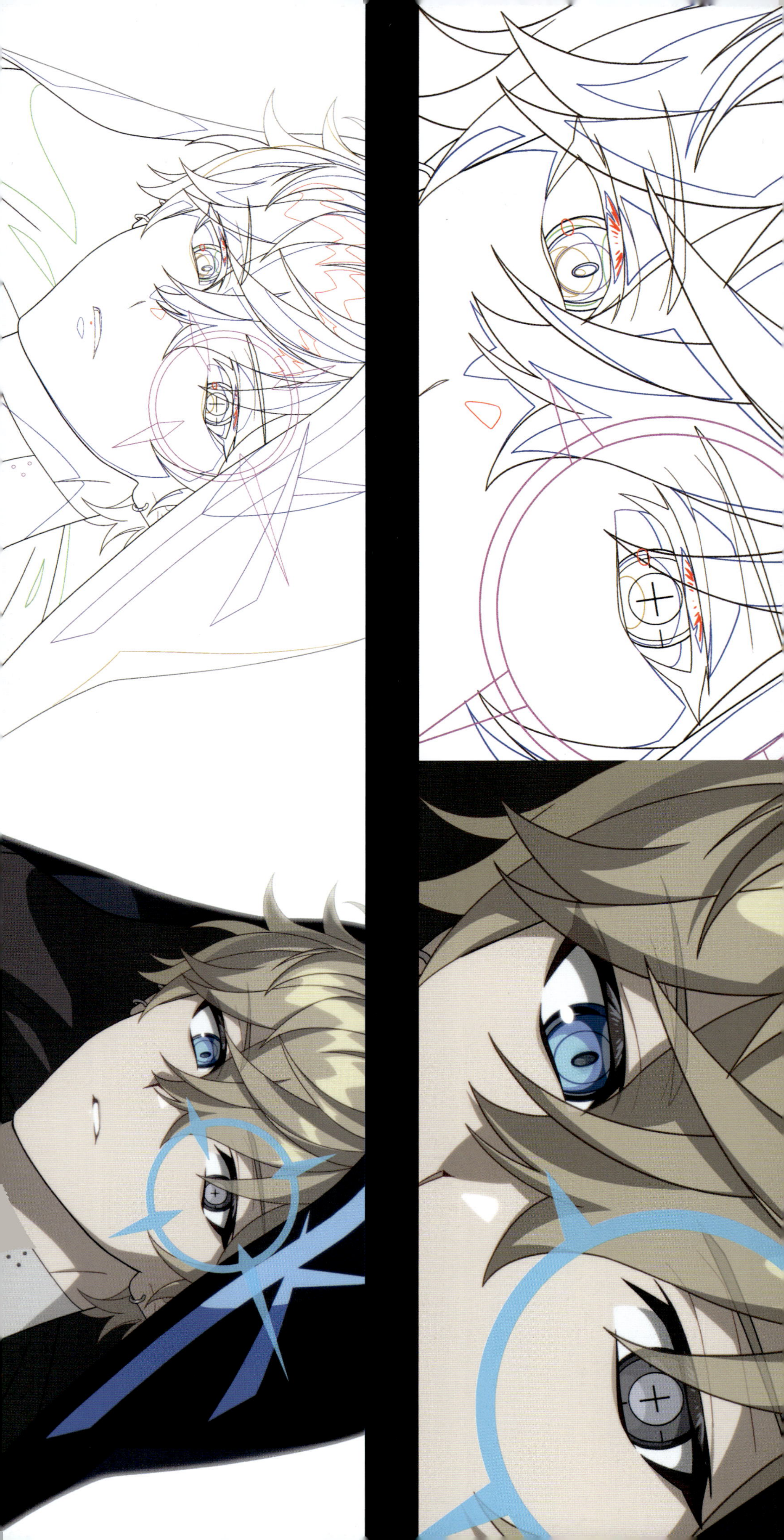

서풍의 처형자 슈리

Westwind Executioner Schuri

[3스킬] [액티브] 무자비한 집행

적 전체를 공격하여 각각 75%(100%) 확률로 2턴 간 화상을 발생시키고
턴 종료 시 대상의 화상과 폭탄을 격폭시킵니다.

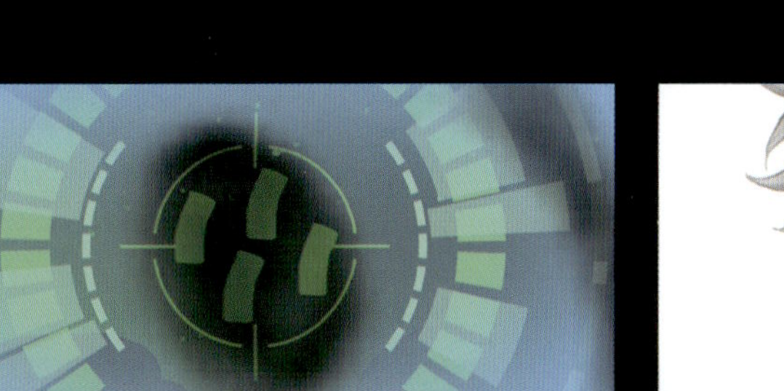

토라미 Tori

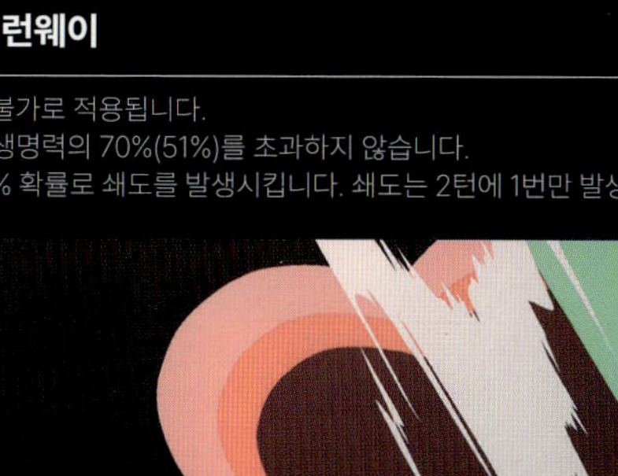

[3스킬] [액티브] 망상 끝의 런웨이

자신에게 발생하는 강화효과가 해제불가로 적용됩니다.
피격 시 한 번에 받는 피해량이 최대 생명력의 70%(51%)를 초과하지 않습니다.
턴 시작 시 자신의 강화효과 수 X 20% 확률로 쇄도를 발생시킵니다. 쇄도는 2턴에 1번만 발생합니다.

cut.in
cut.in
cut.in

천칭의 주인 Lady of the Scales

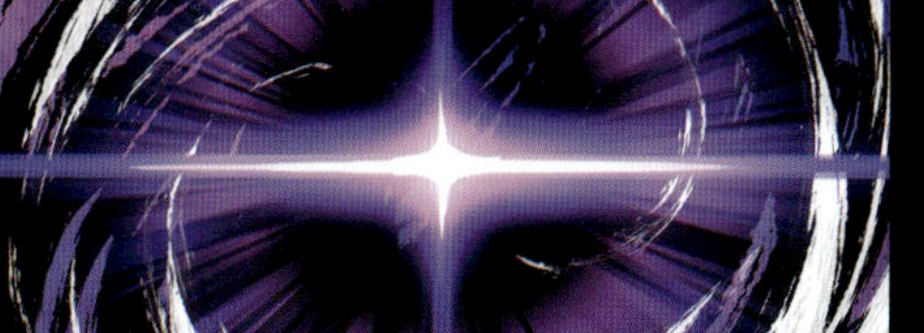

[3스킬] [액티브] 자비의 손길

여신의 권능으로 아군 전체의 행동 게이지를 15%(25%) 증가시킵니다.
제물 아군의 현재 생명력을 20% 소모하여 나머지 아군 전체에게 2턴 간 풍요를 발생시킵니다.

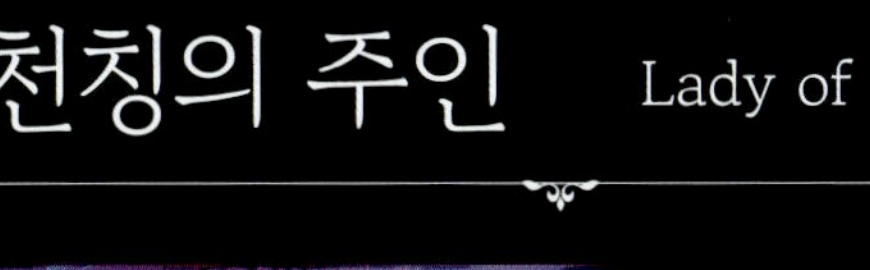

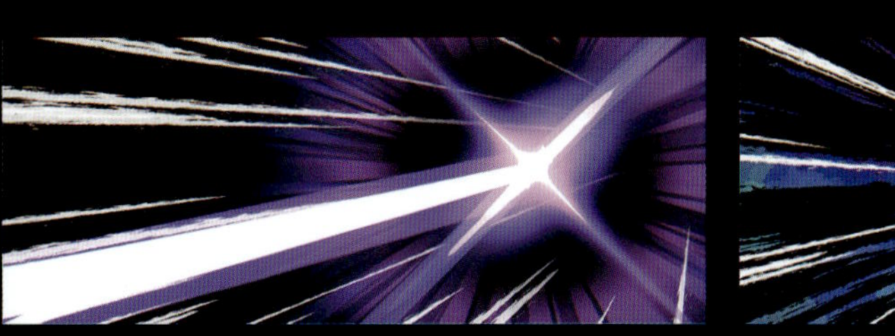

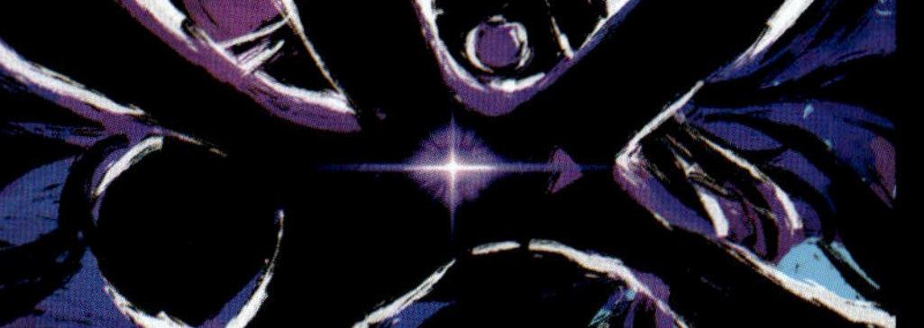

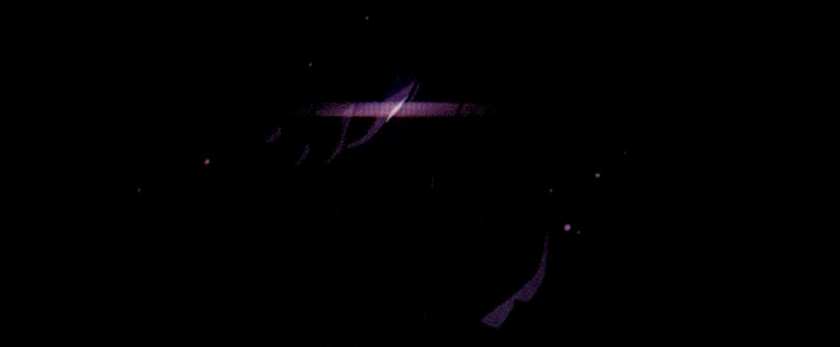

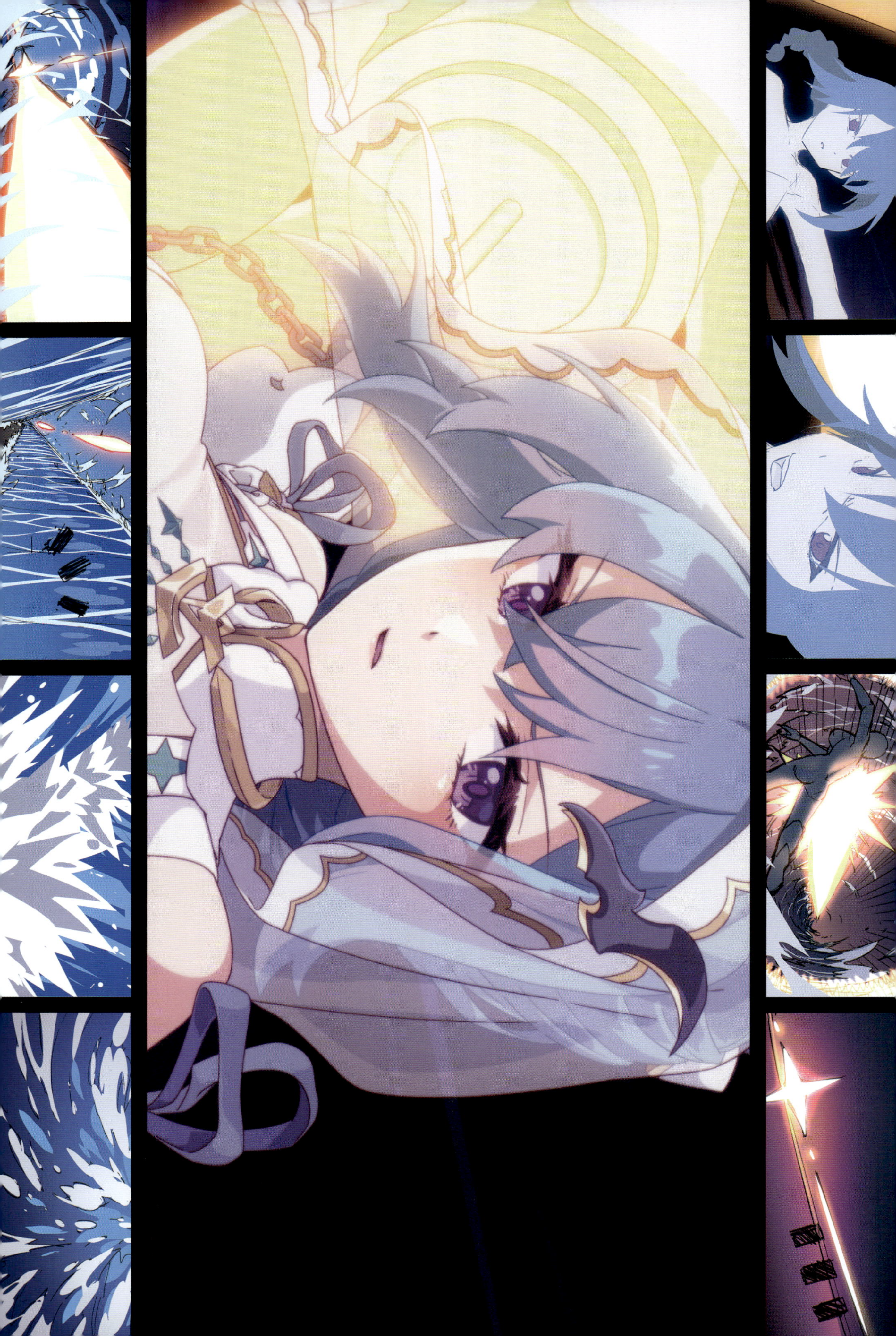

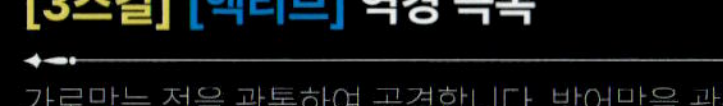

용의 반려 셰나
Dragon Bride Senya

[3스킬] [액티브] 역경 극복

가로막는 적을 관통하여 공격합니다. 방어막을 관통하며, 치명타가 발생하지 않습니다.
자신의 최대 생명력에 비례해 피해량이 증가합니다.
자신이 단죄의 맹세 상태라면 적 전체를 공격합니다.

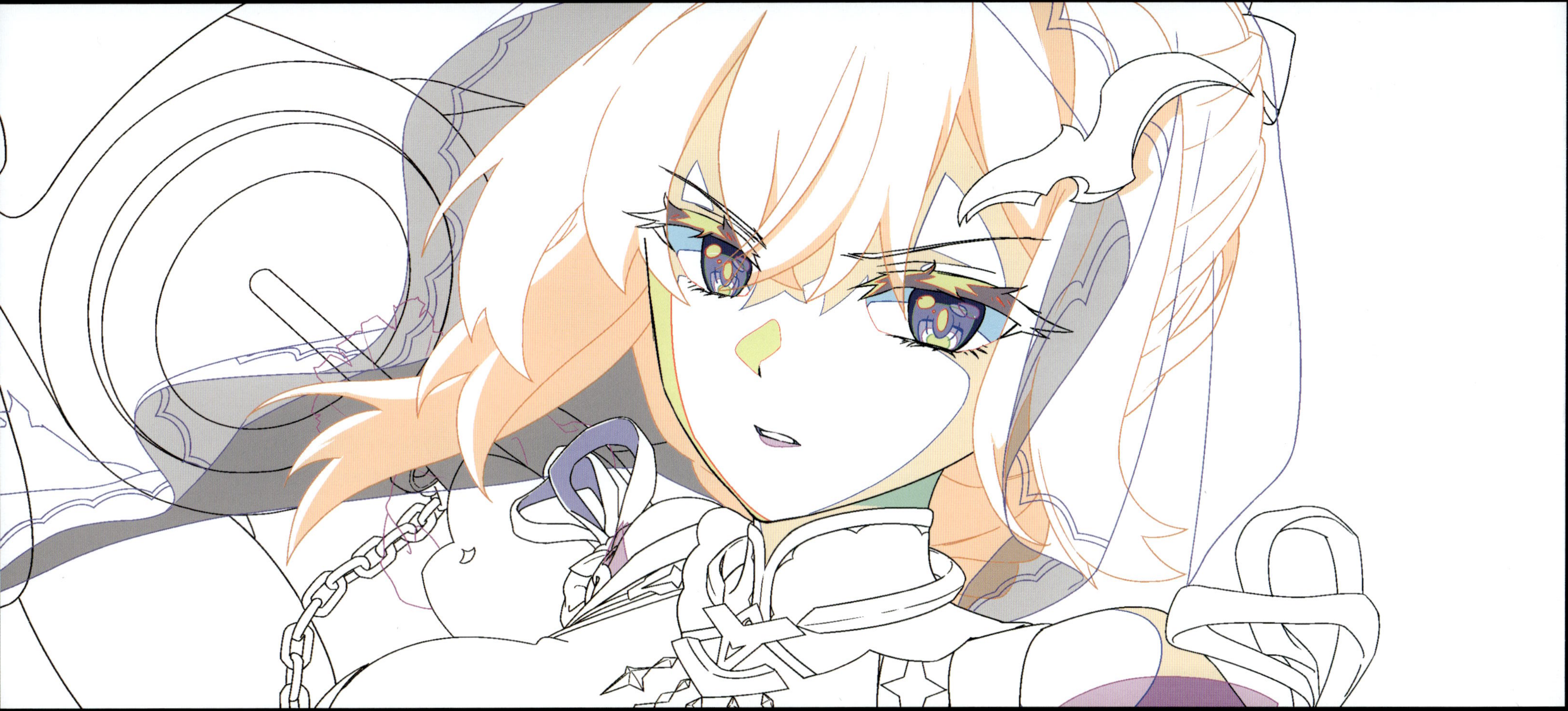

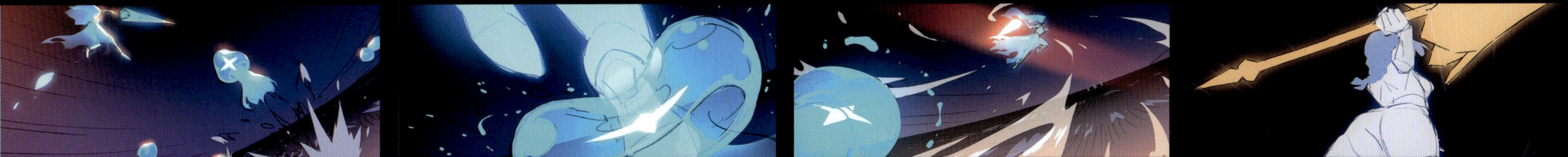

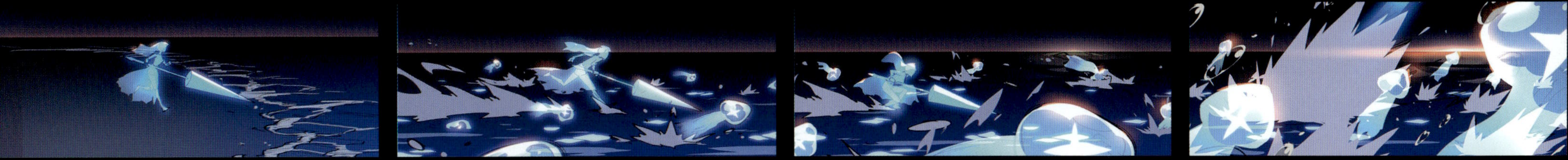

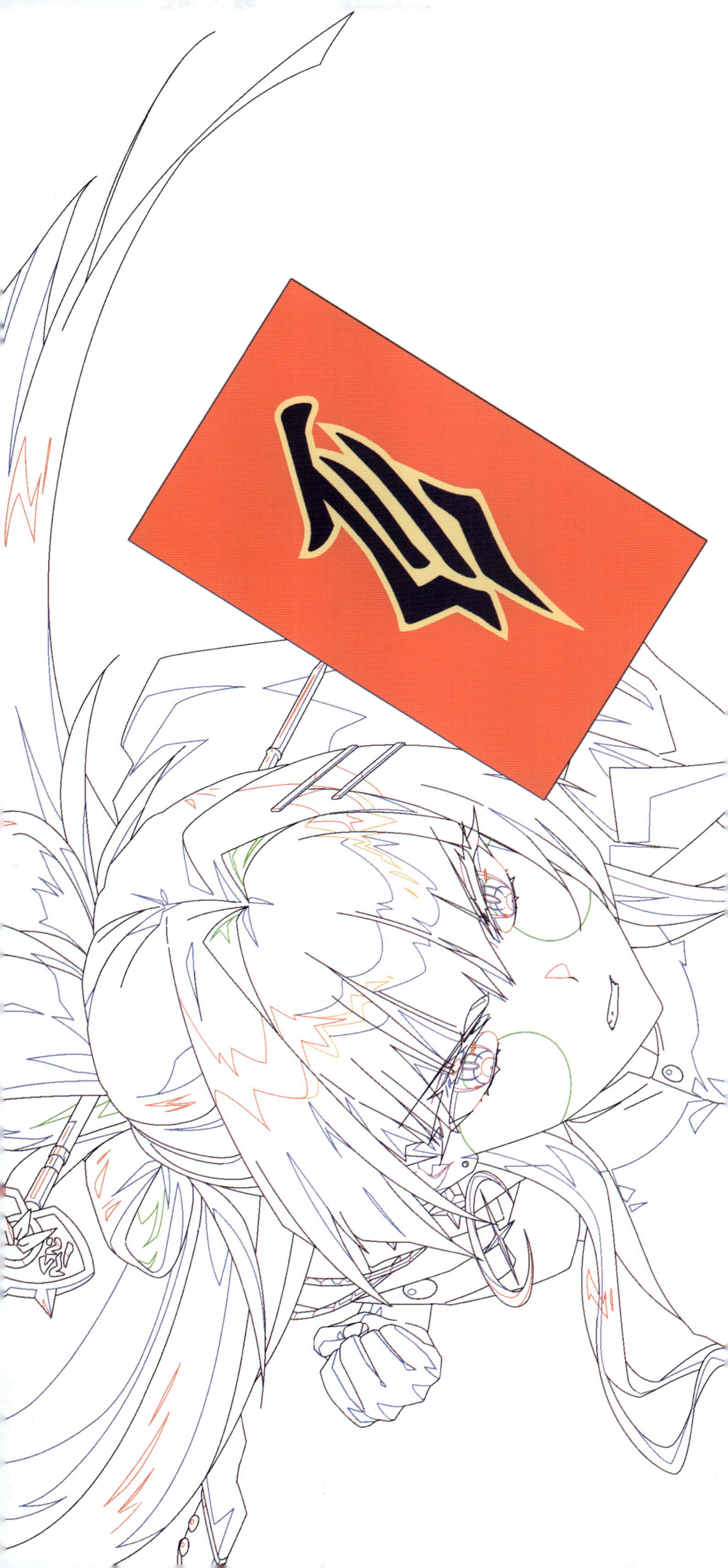

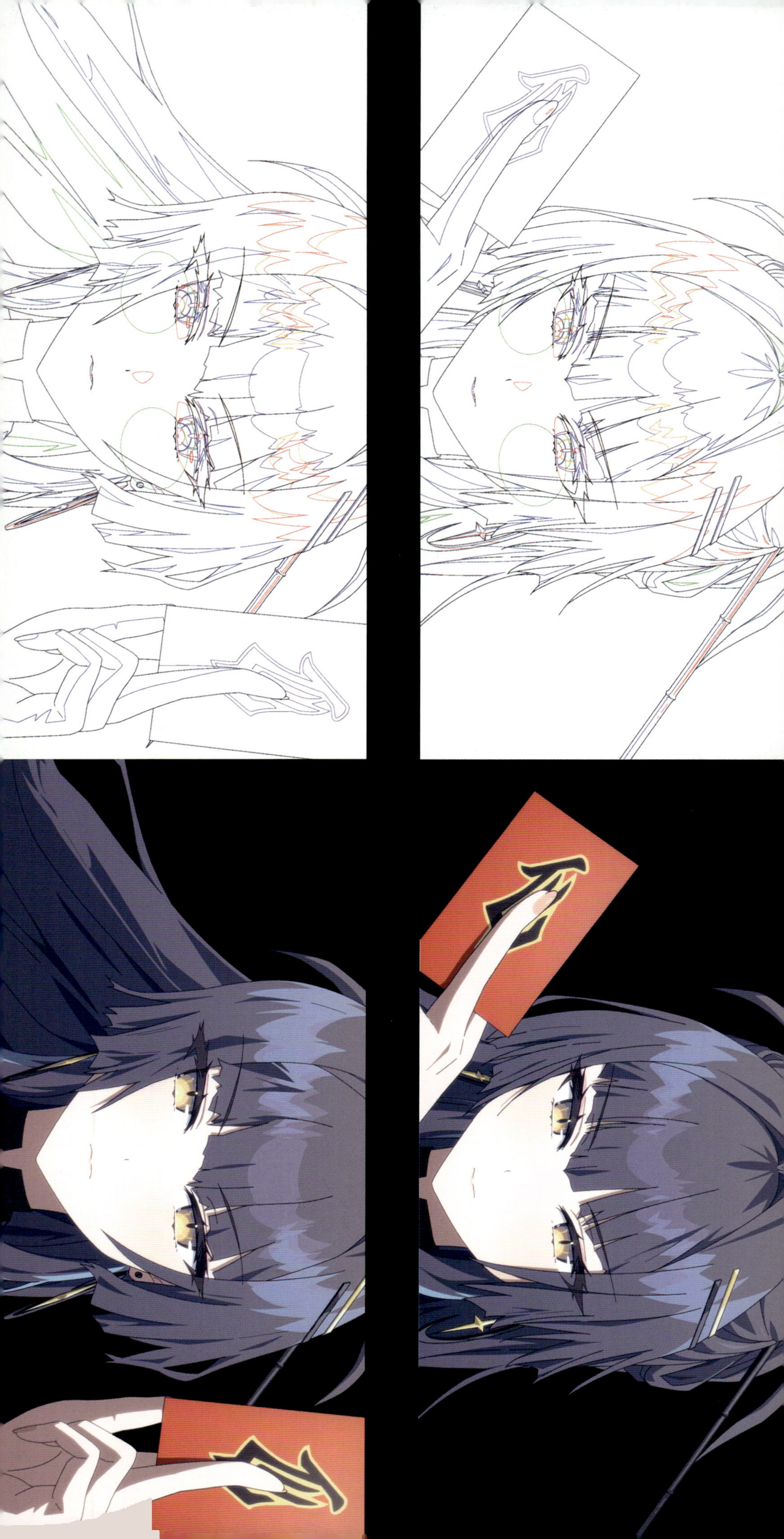

풍기위원 아리아   Disciplinary Prefect Aria

[3스킬] [액티브] 서운

자비 없는 철권으로 적을 공격하고 이 스킬의 방어력 관통을 35% 증가시킵니다.
관통 증가는 최대 2회 중첩됩니다.
명중 시 치명타가 발생합니다. 자신의 최대 생명력에 비례해 피해량과 보호막이 증가합니다.

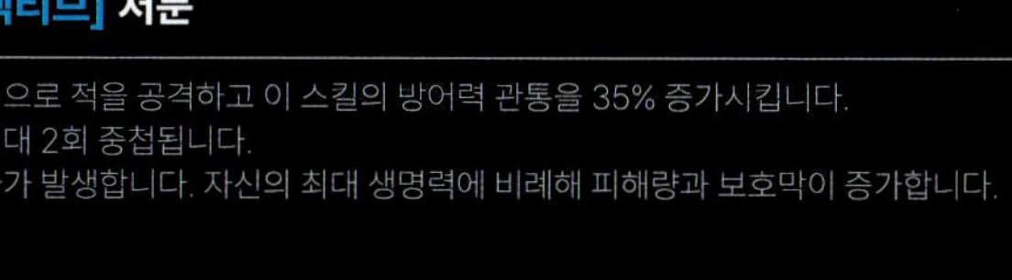

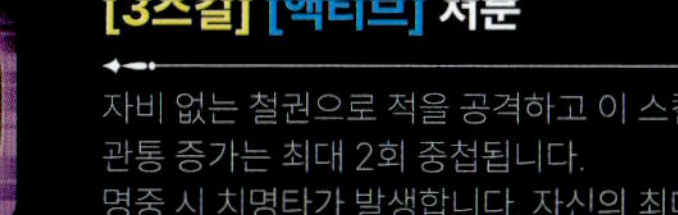
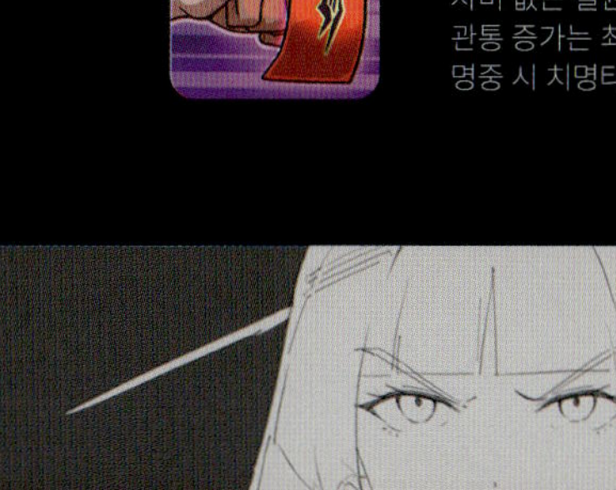

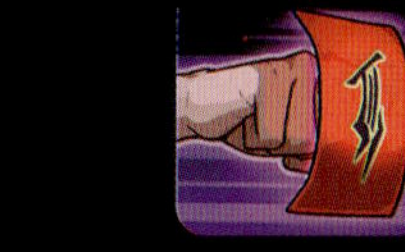

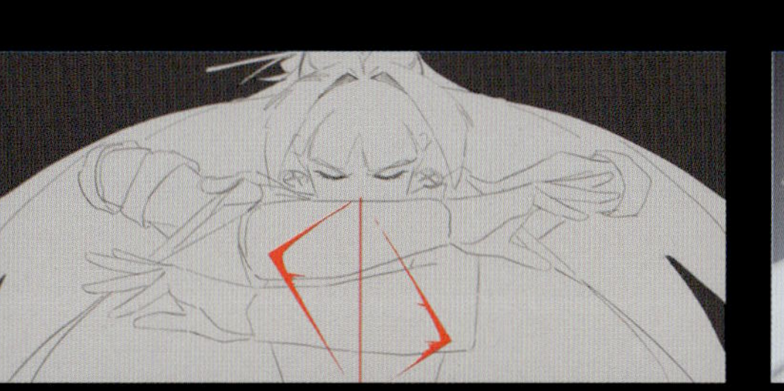

소악마 루아

Hellion Lua

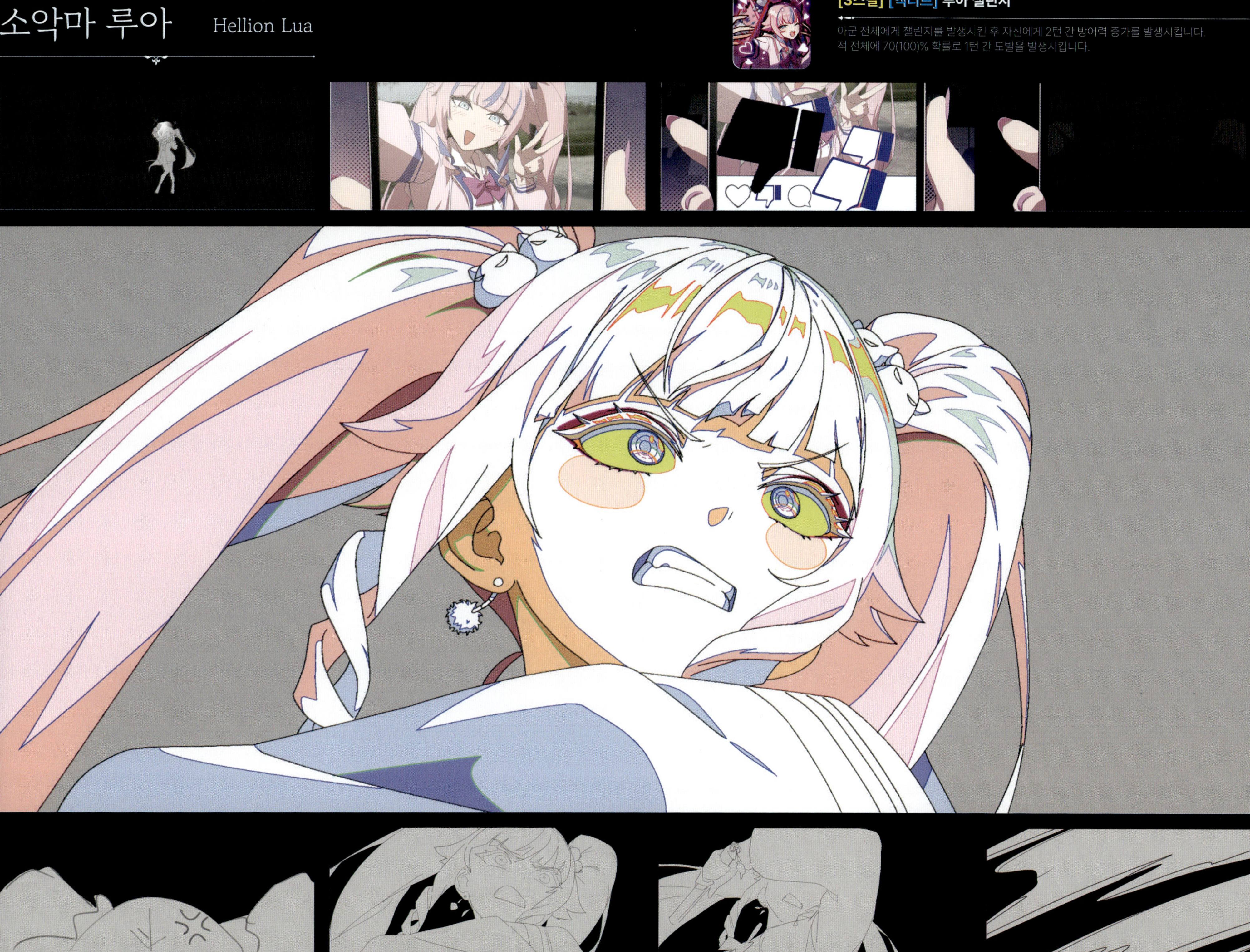

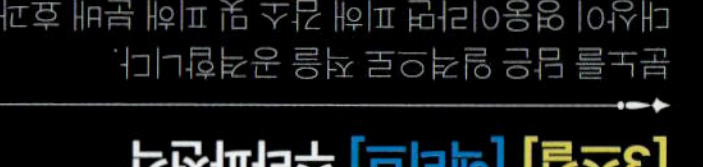
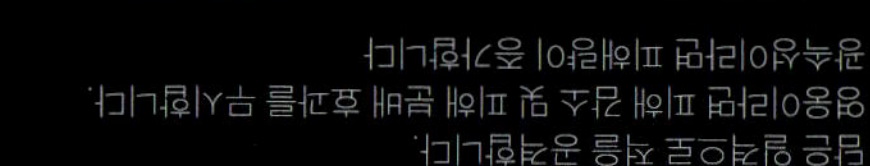
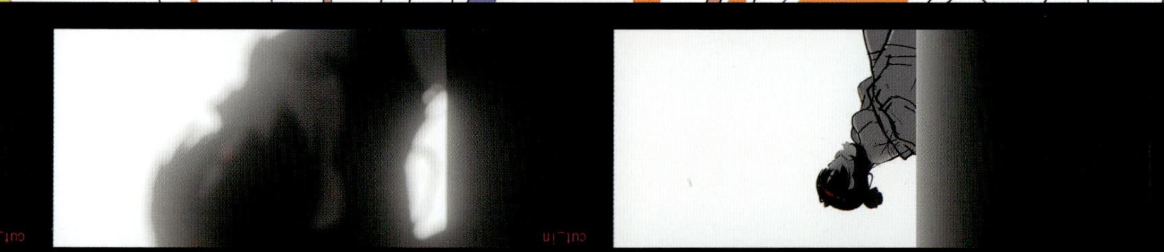

방관자 화영

Bystander Hwayoung

[3스킬] [액티브] 수라파천각

분노를 담은 일격으로 적을 공격합니다.
대상이 영웅이라면 피해 감소 및 피해 분배 효과를 무시합니다.
대상이 광속성이라면 피해량이 증가합니다

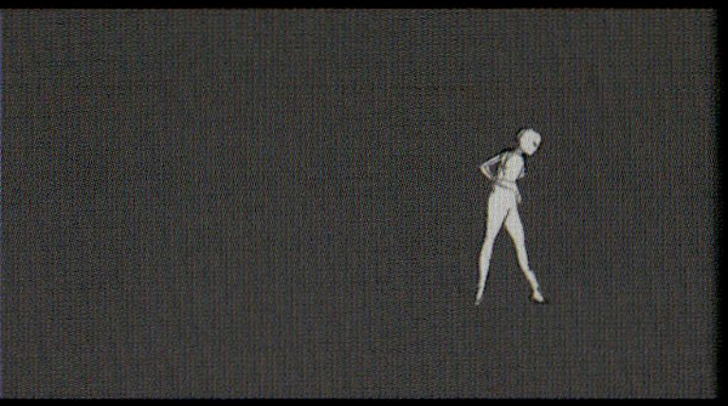

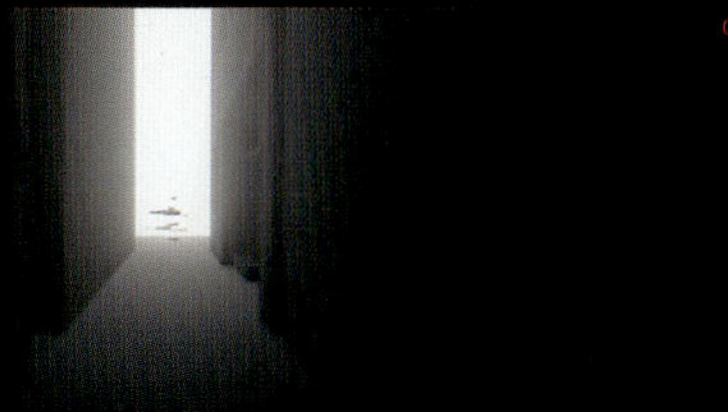

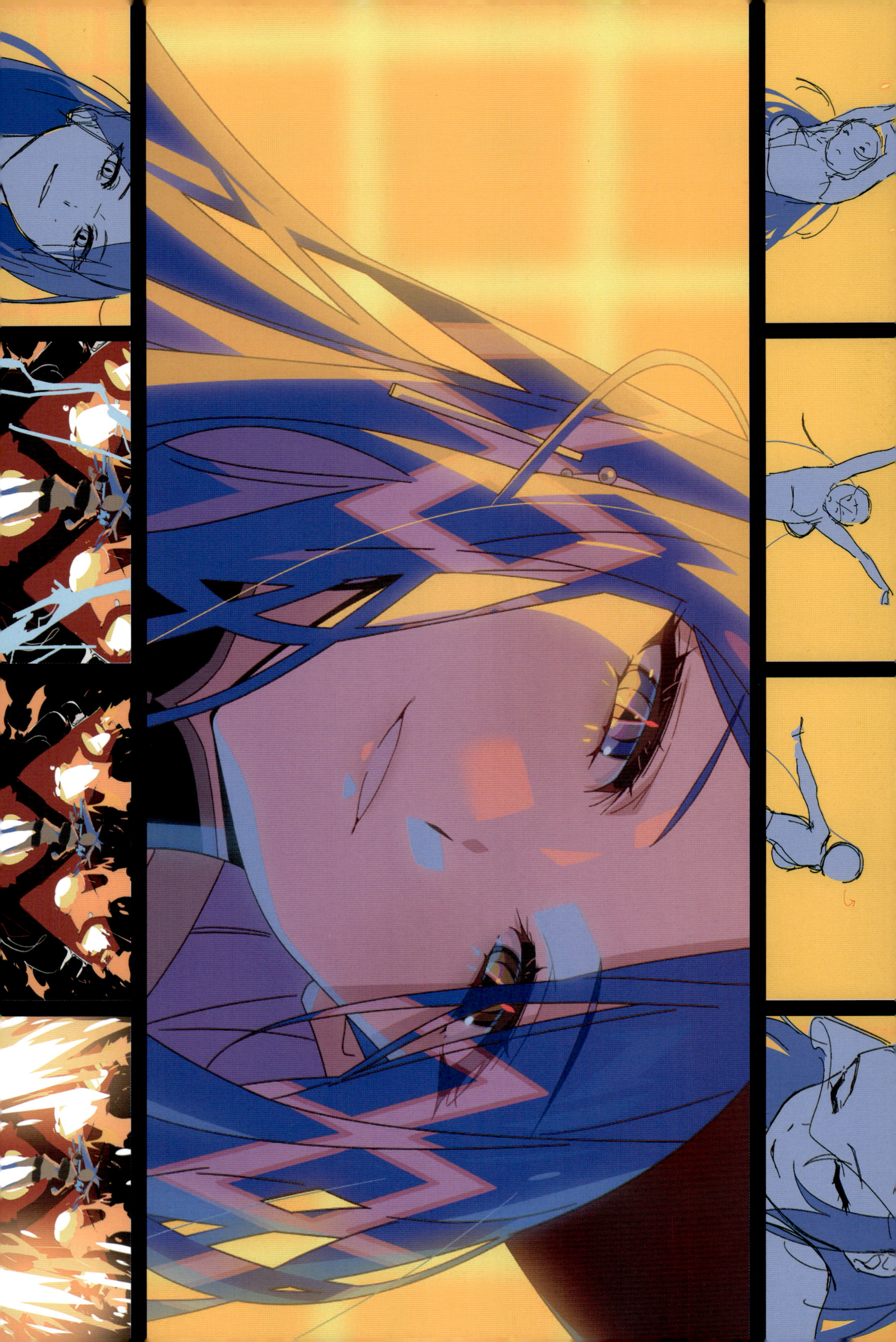

고독한 늑대 페이라

Lone Wolf Peira

[3스킬] [액티브] 굼벵이 사냥

아군 전체의 약화효과를 2개 해제한 후 암속성 아군에게 3턴 간 폭주를 발생시킵니다.
자신을 제외한 아군 전체에게 속공을 발생시킵니다.
폭주(해제 불가): 회피와 속도가 20% 증가합니다.

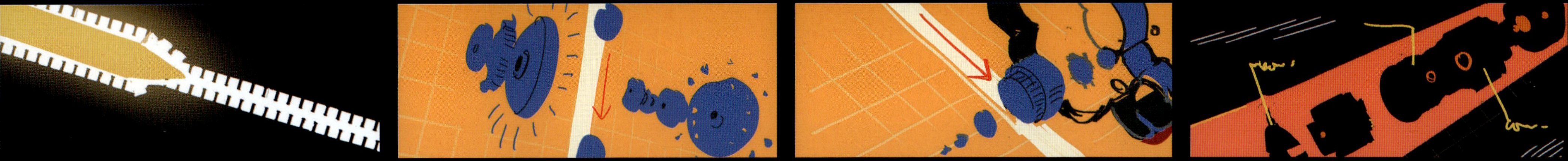

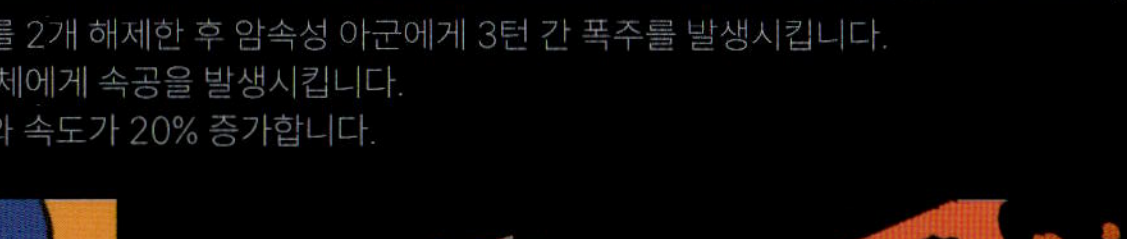

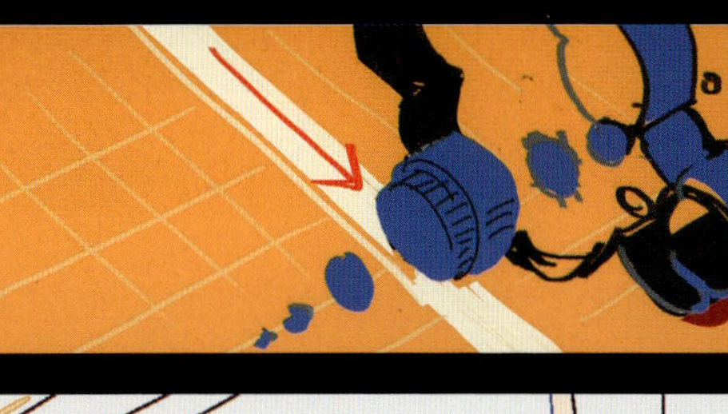

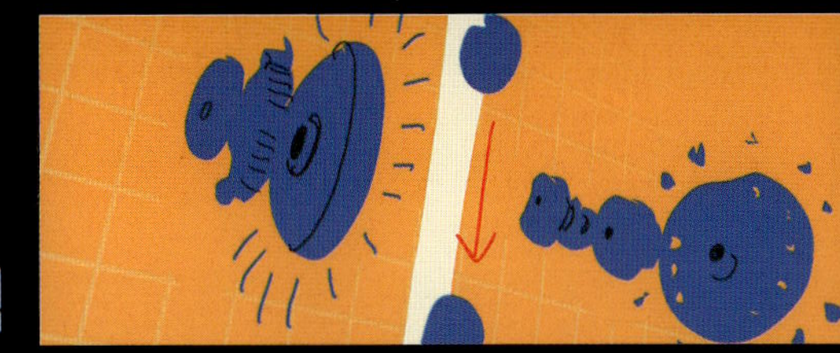

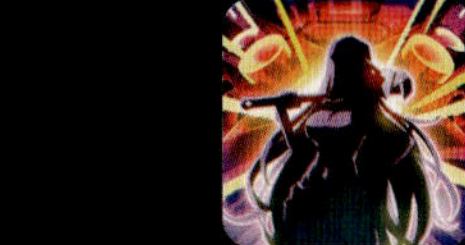

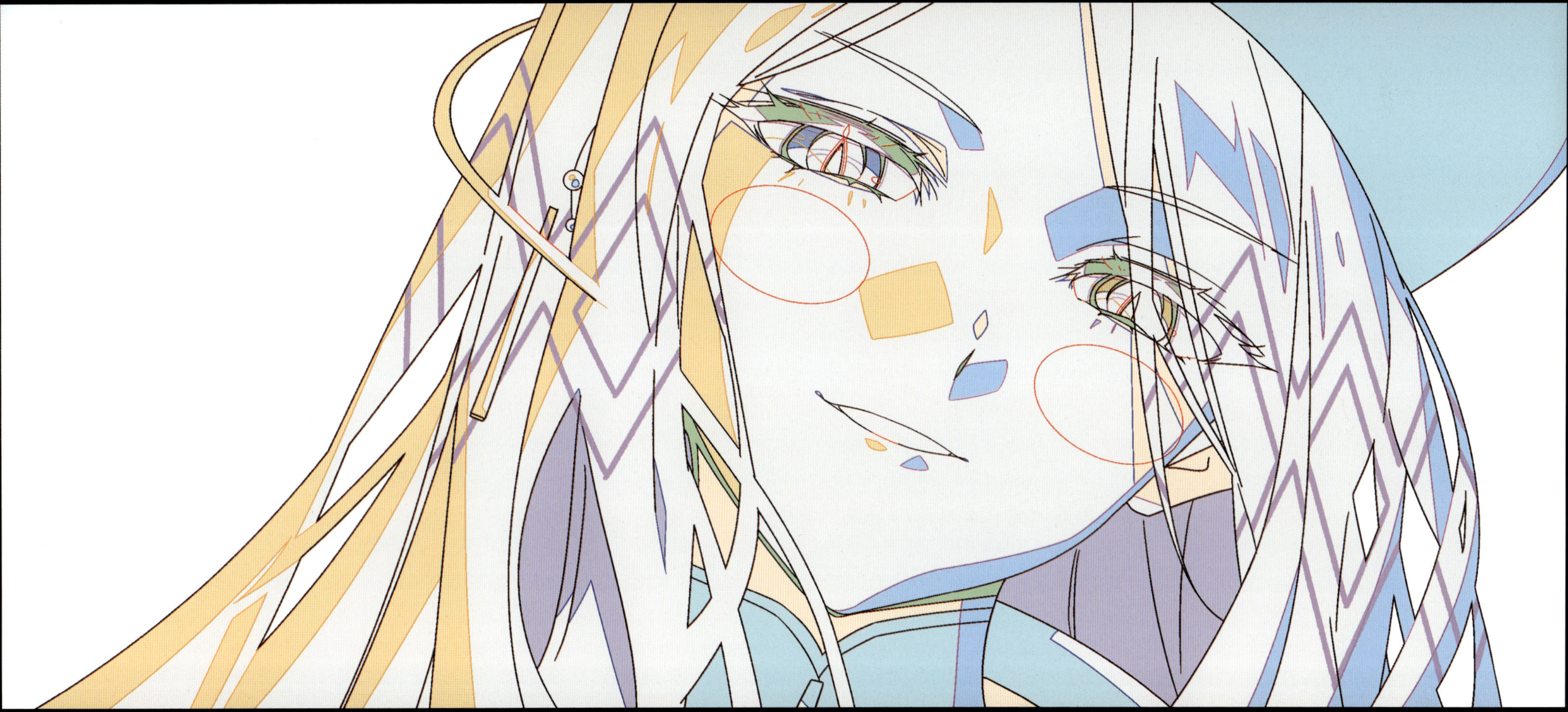

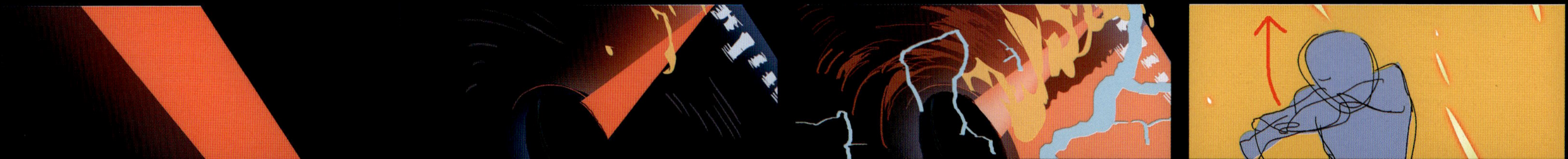

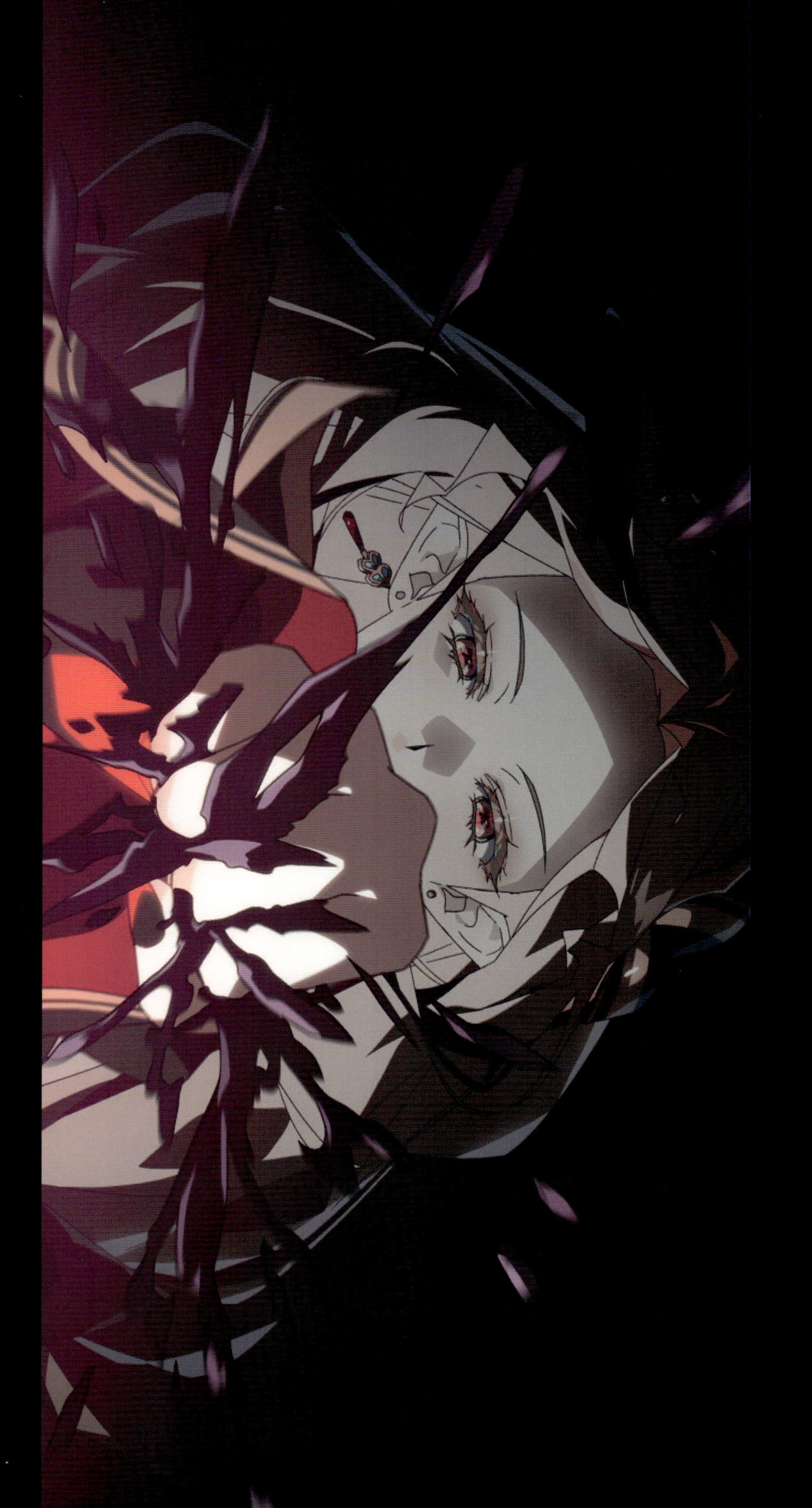

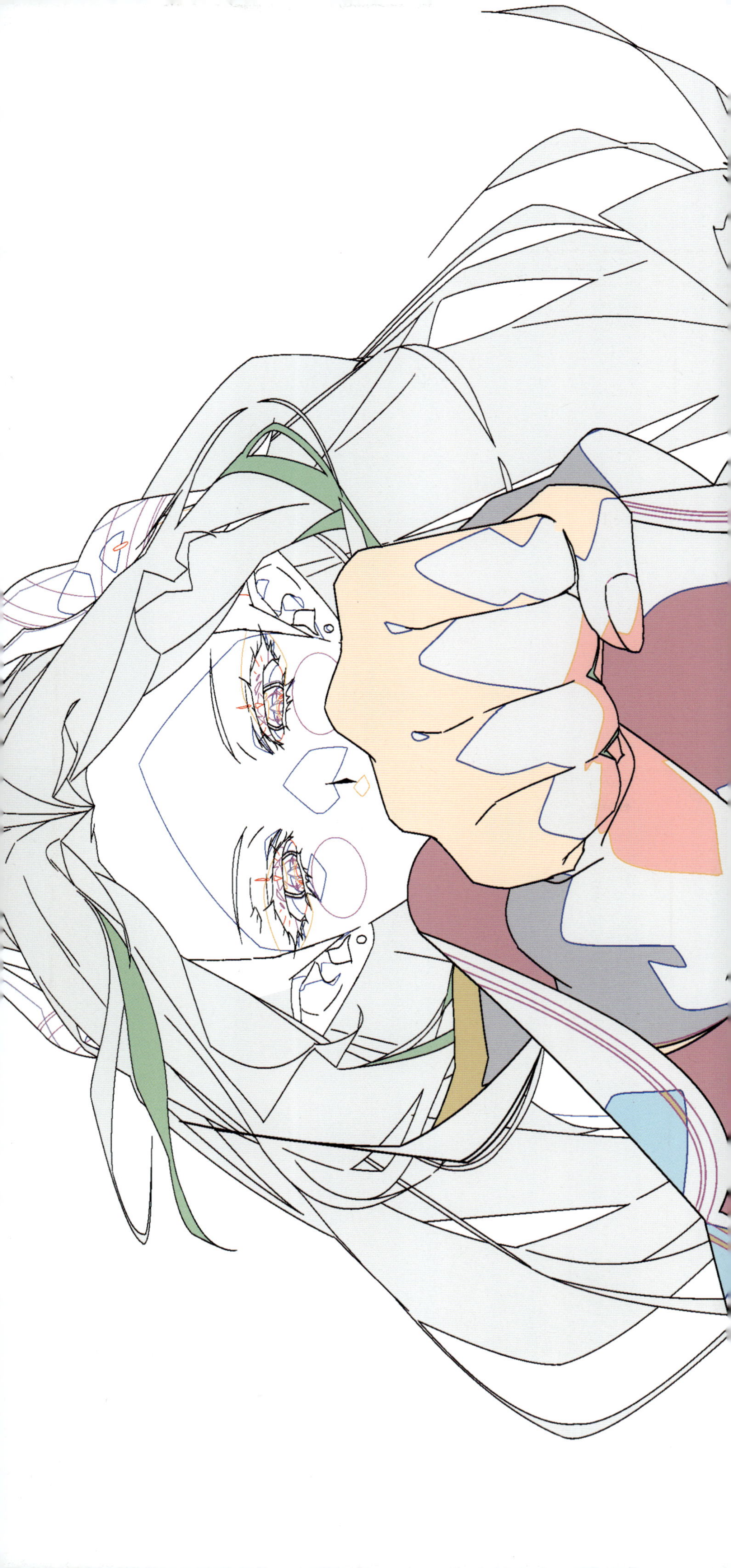

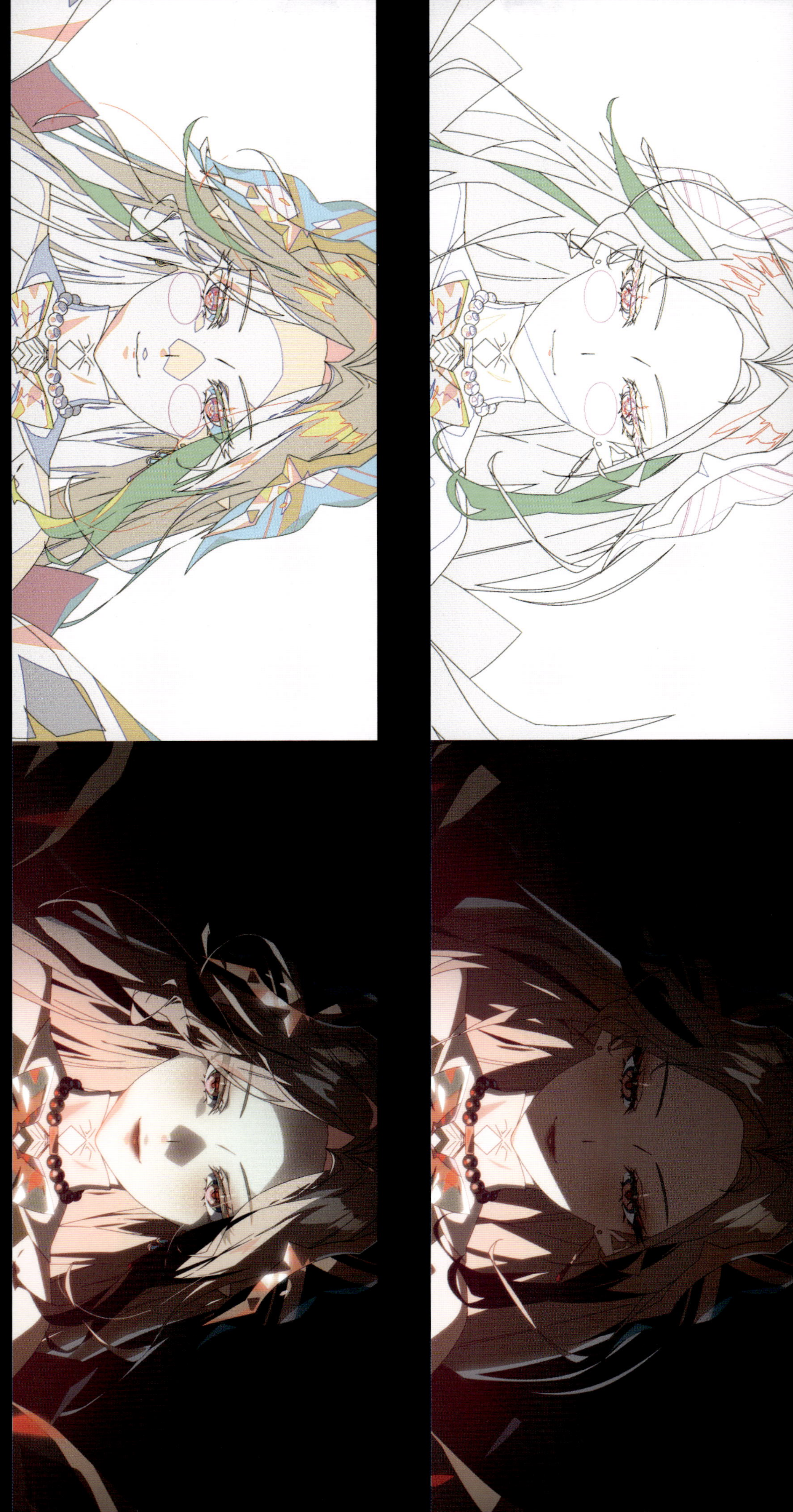

하르세티 Harsetti

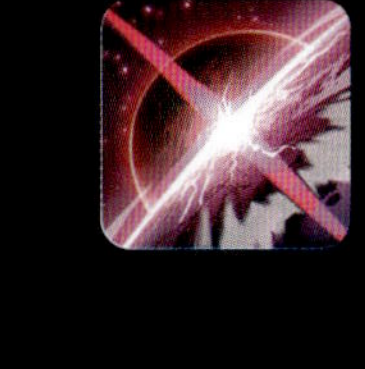

[3스킬] [액티브] 체크메이트

적 전체를 공격하여 강화효과를 2턴 감소시키고 각각 75% 확률로 강화불가를 발생시킵니다.
대상의 방어력을 관통합니다. 집중 최대 시 모두 소모하여 피해량이 증가합니다.
자신의 최대 생명력에 비례해 피해량이 증가합니다.

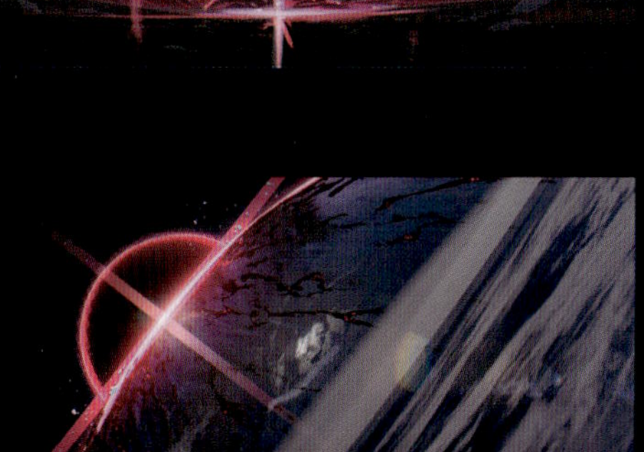
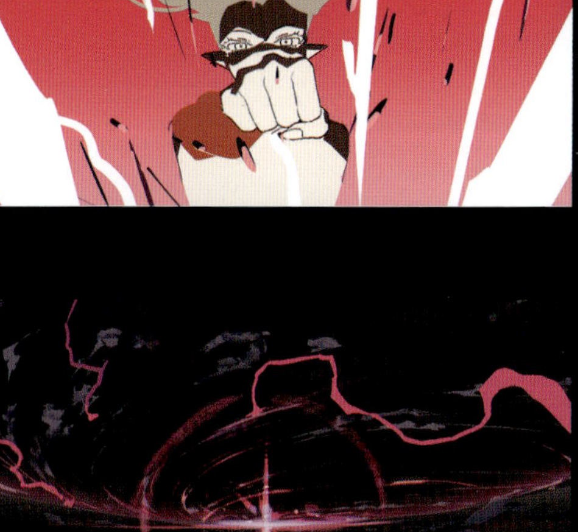

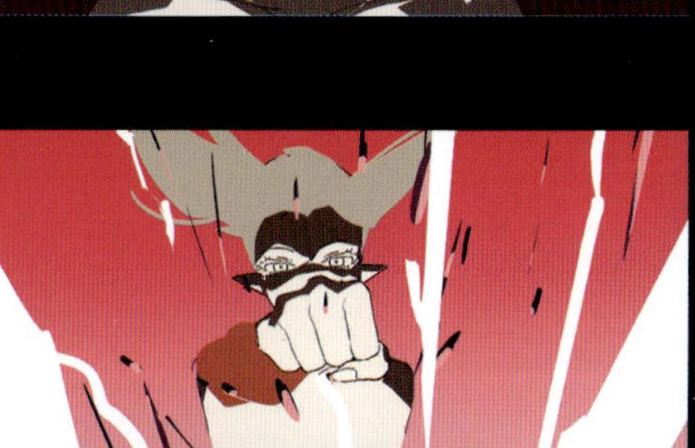
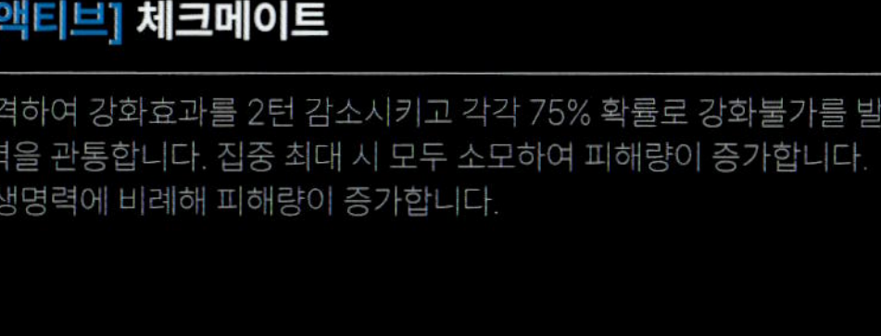

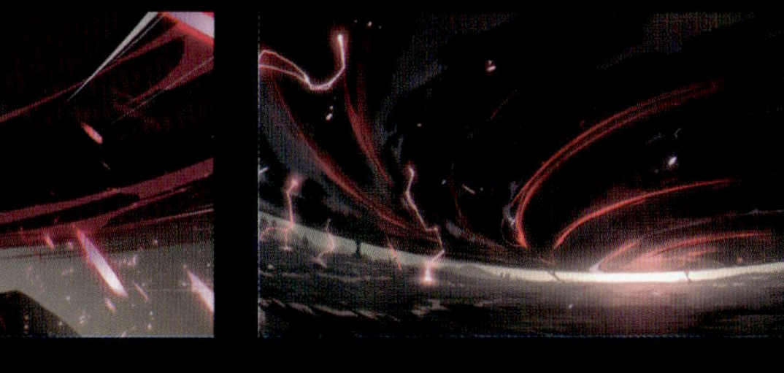

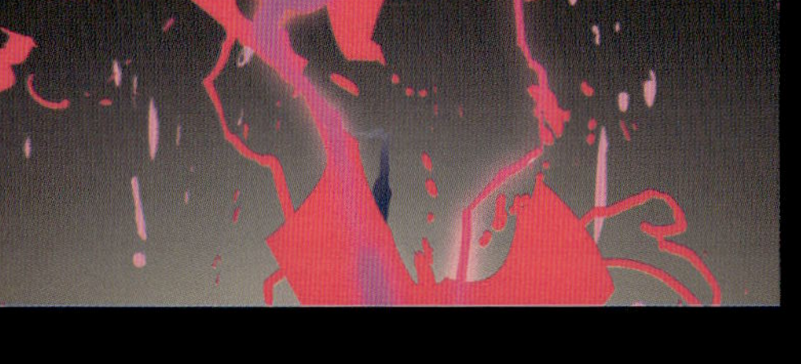

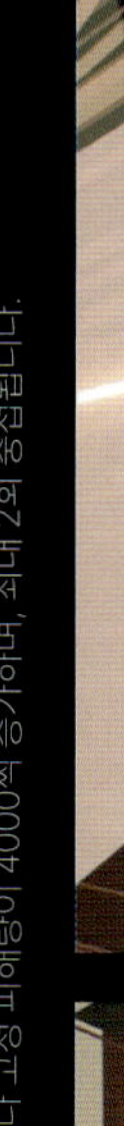

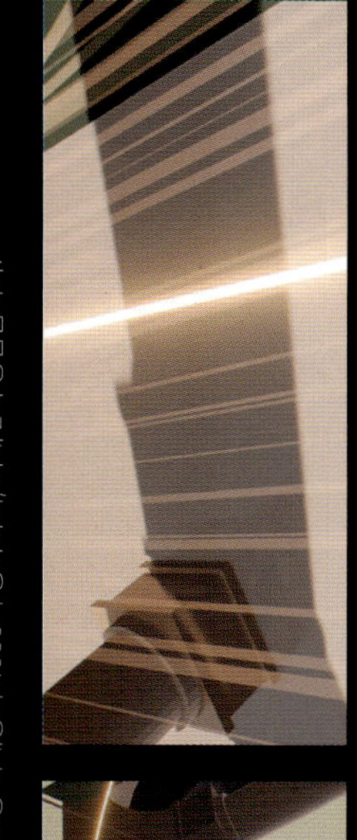

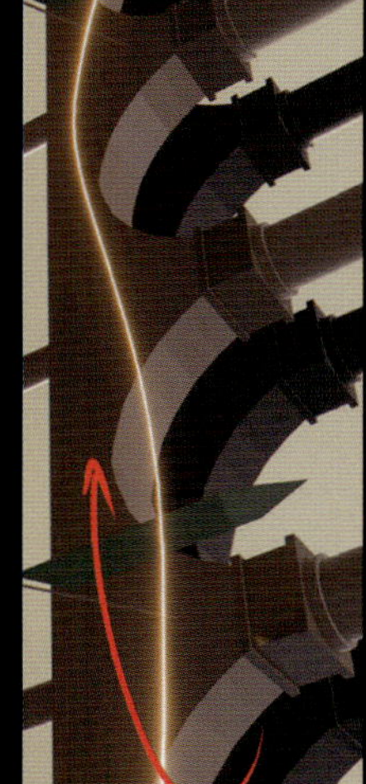

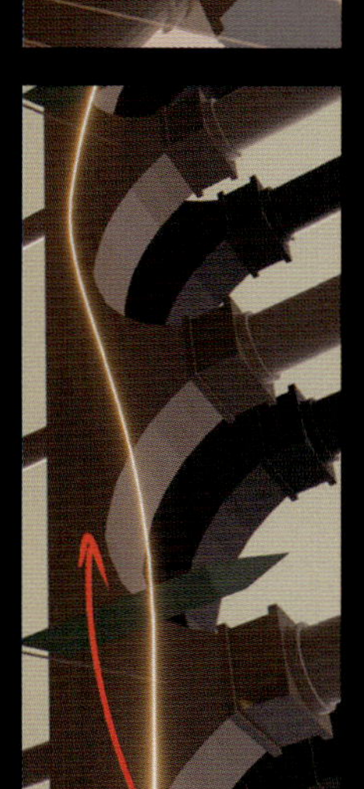

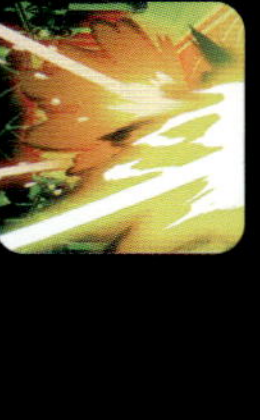

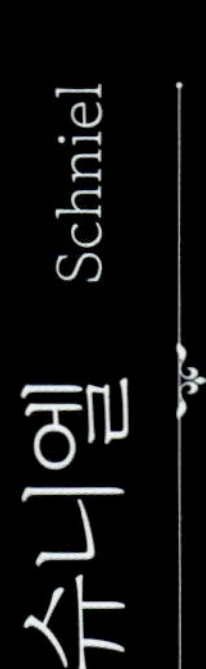

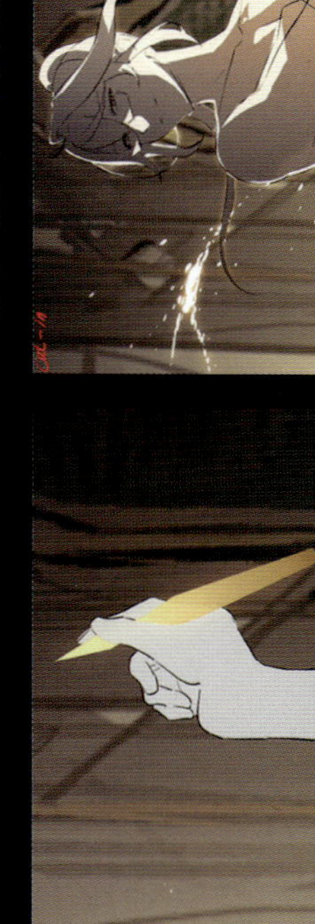

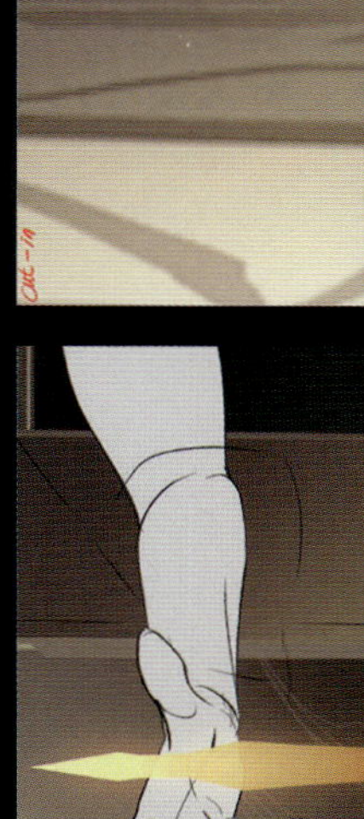

슈니엘 Schniel

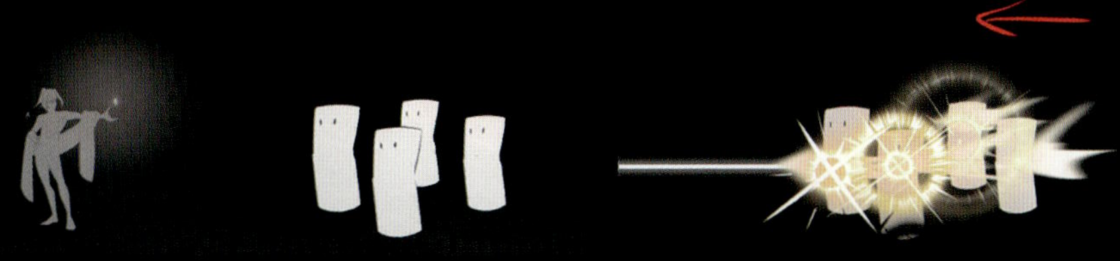

[3스킬] [액티브] 슬슬 나가주면 좋겠어

적 전체를 공격하고 자신의 행동 게이지를 35%(50%) 증가시킵니다.
명중 시 4000의 고정 피해를 발생시킵니다.
이 스킬은 사용할 때마다 고정 피해량이 4000씩 증가하며, 최대 2회 중첩됩니다.

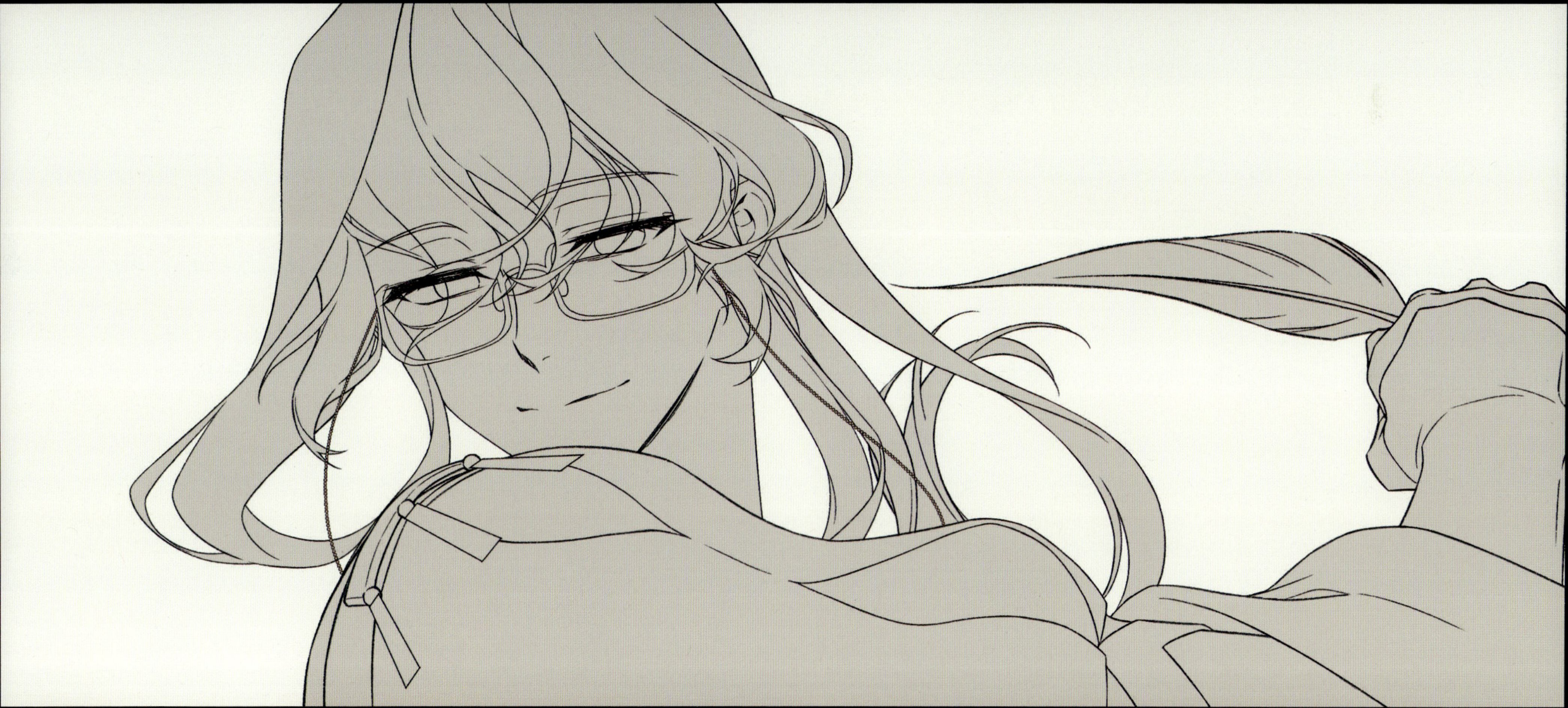

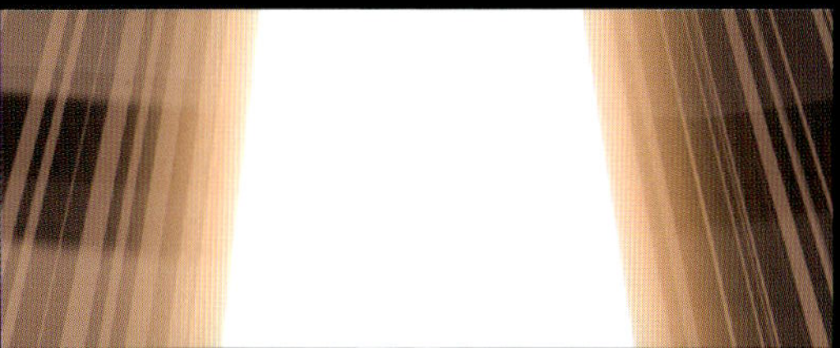

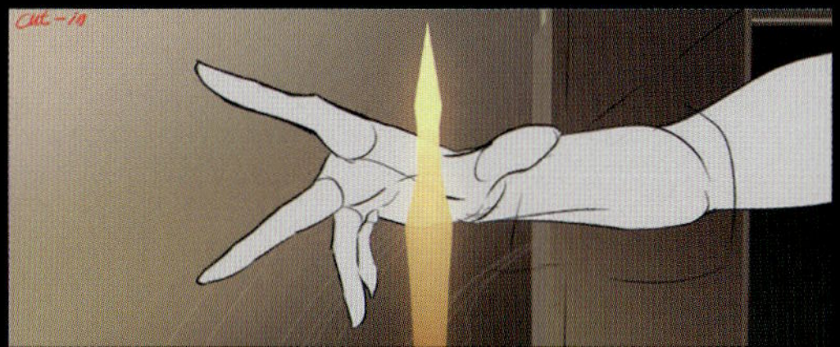

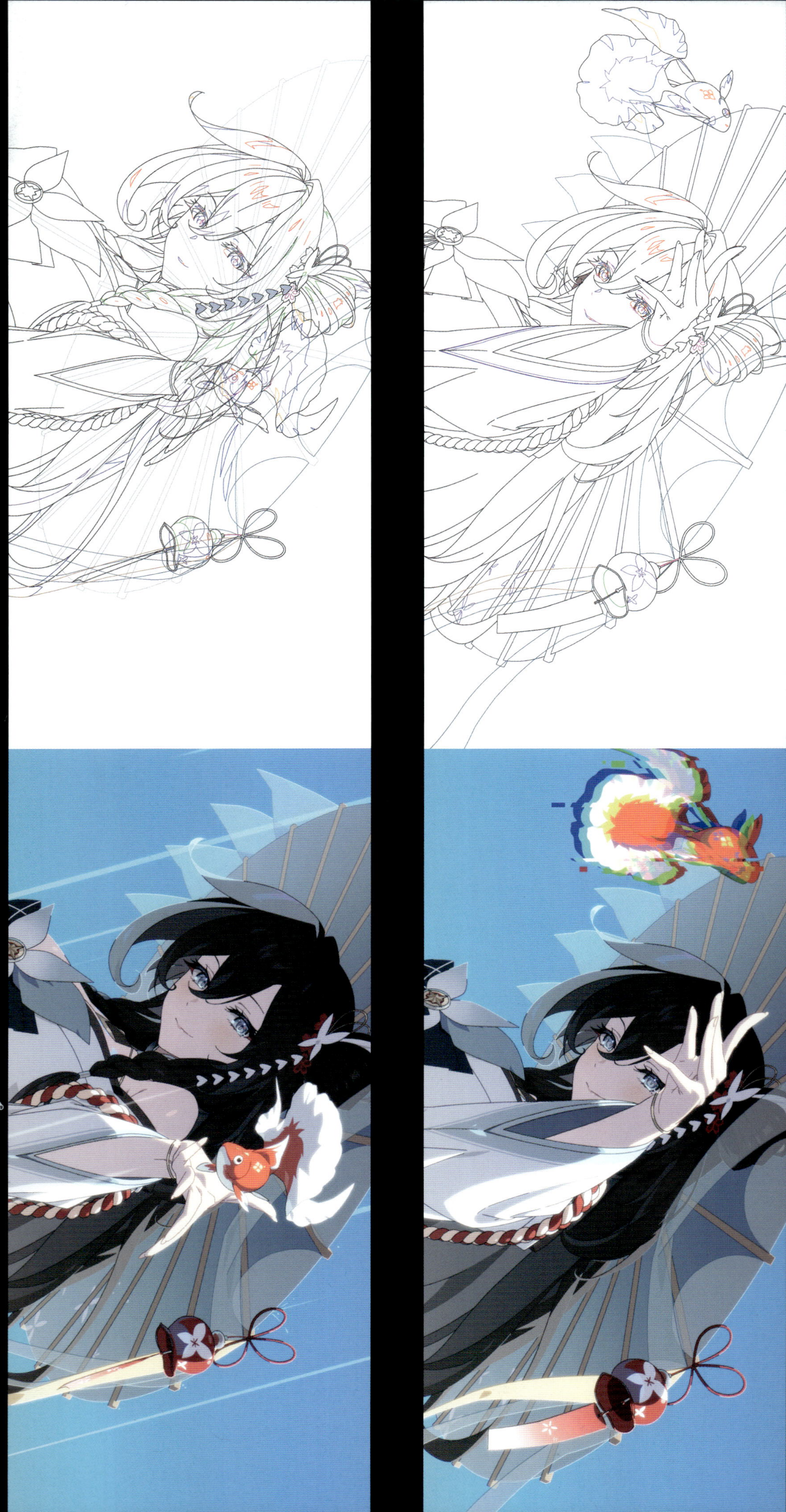

한낮의 유영 플랑

Afternoon Soak Flan

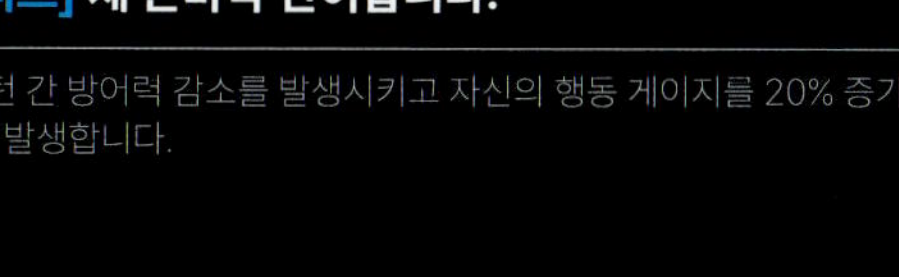

[3스킬] [액티브] 제 손바닥 안이랍니다.

적을 공격하여 2턴 간 방어력 감소를 발생시키고 자신의 행동 게이지를 20% 증가시킵니다.
명중 시 치명타가 발생합니다.

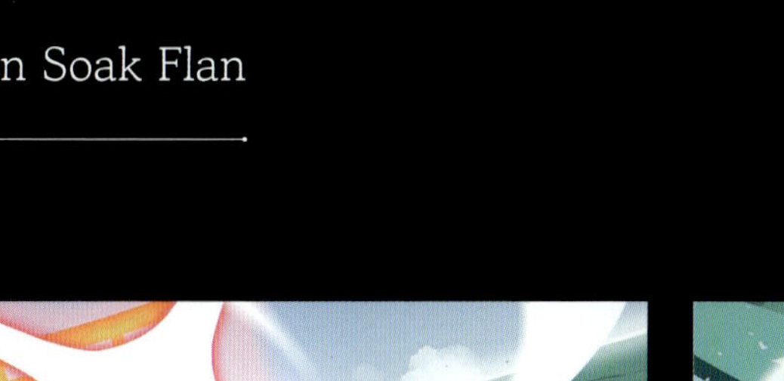

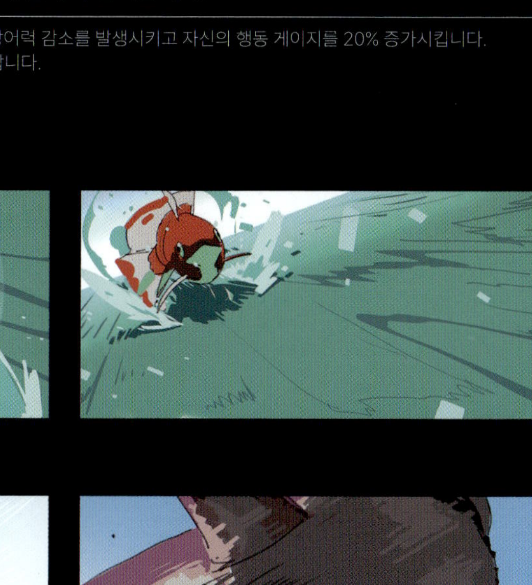

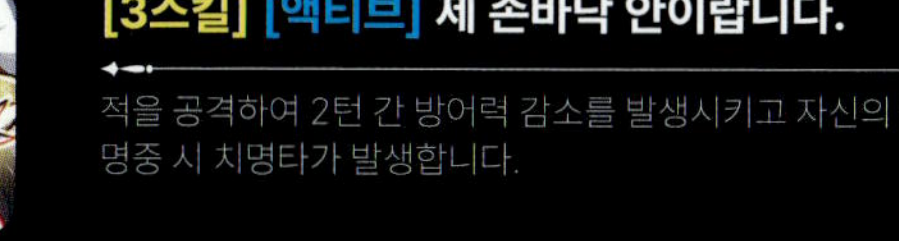

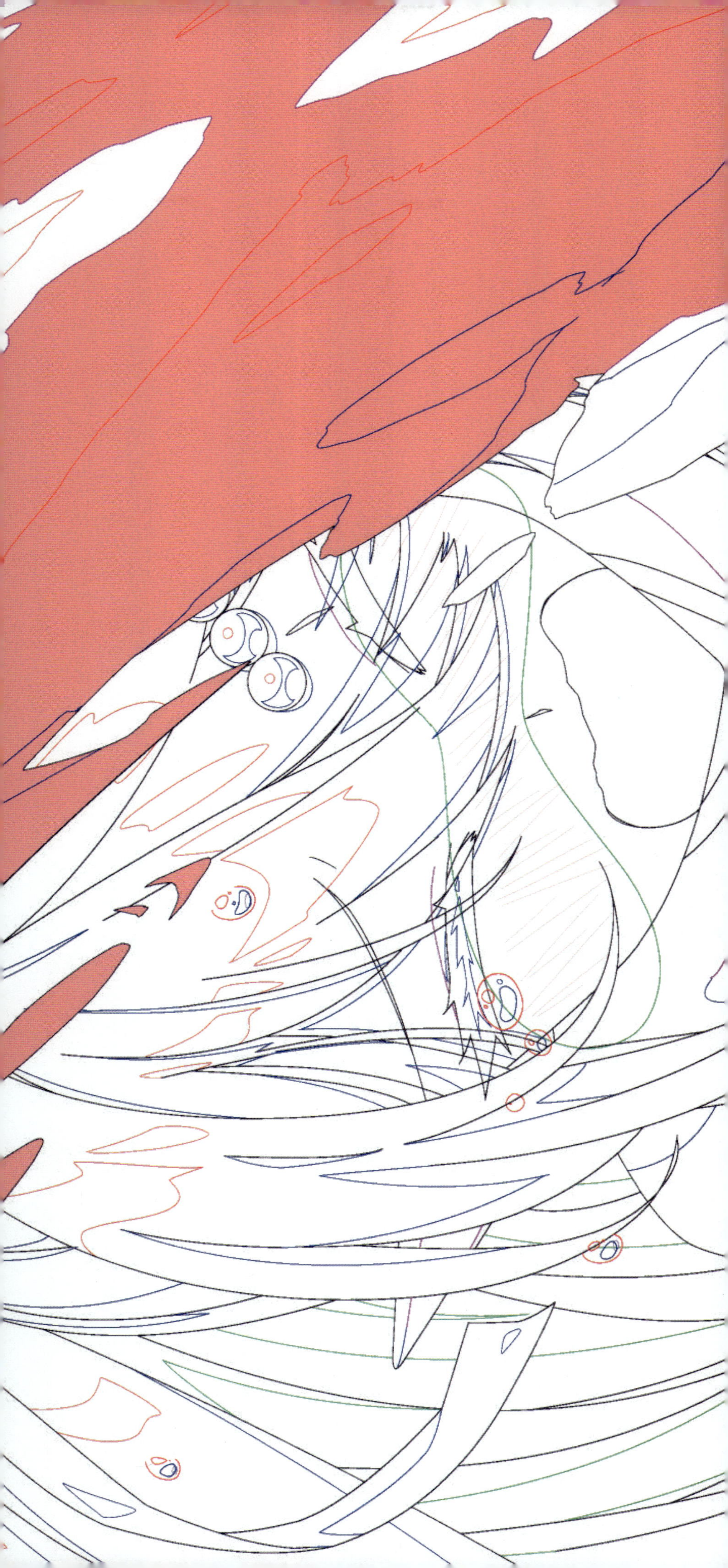

축제의 에다　Festive Eda

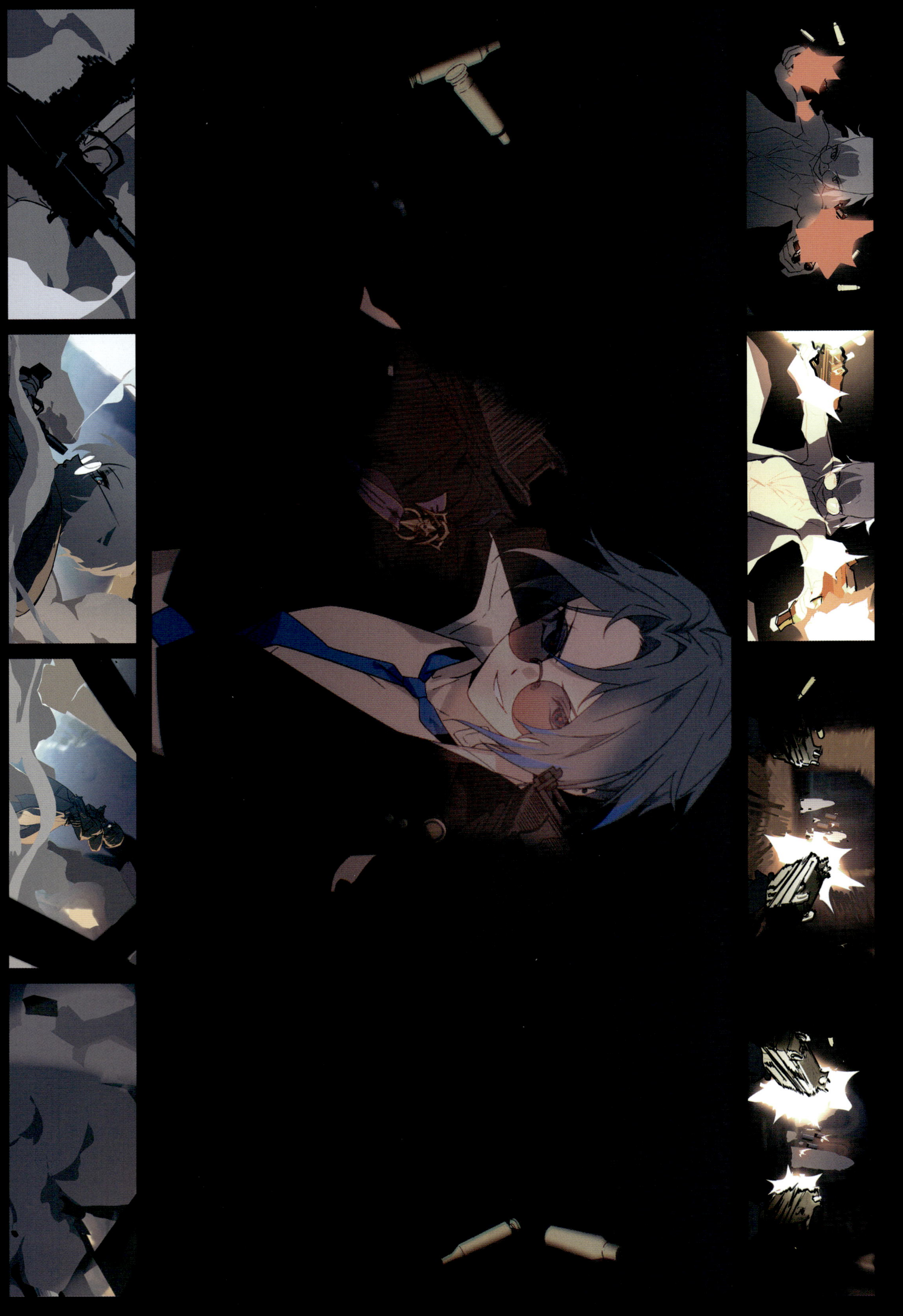

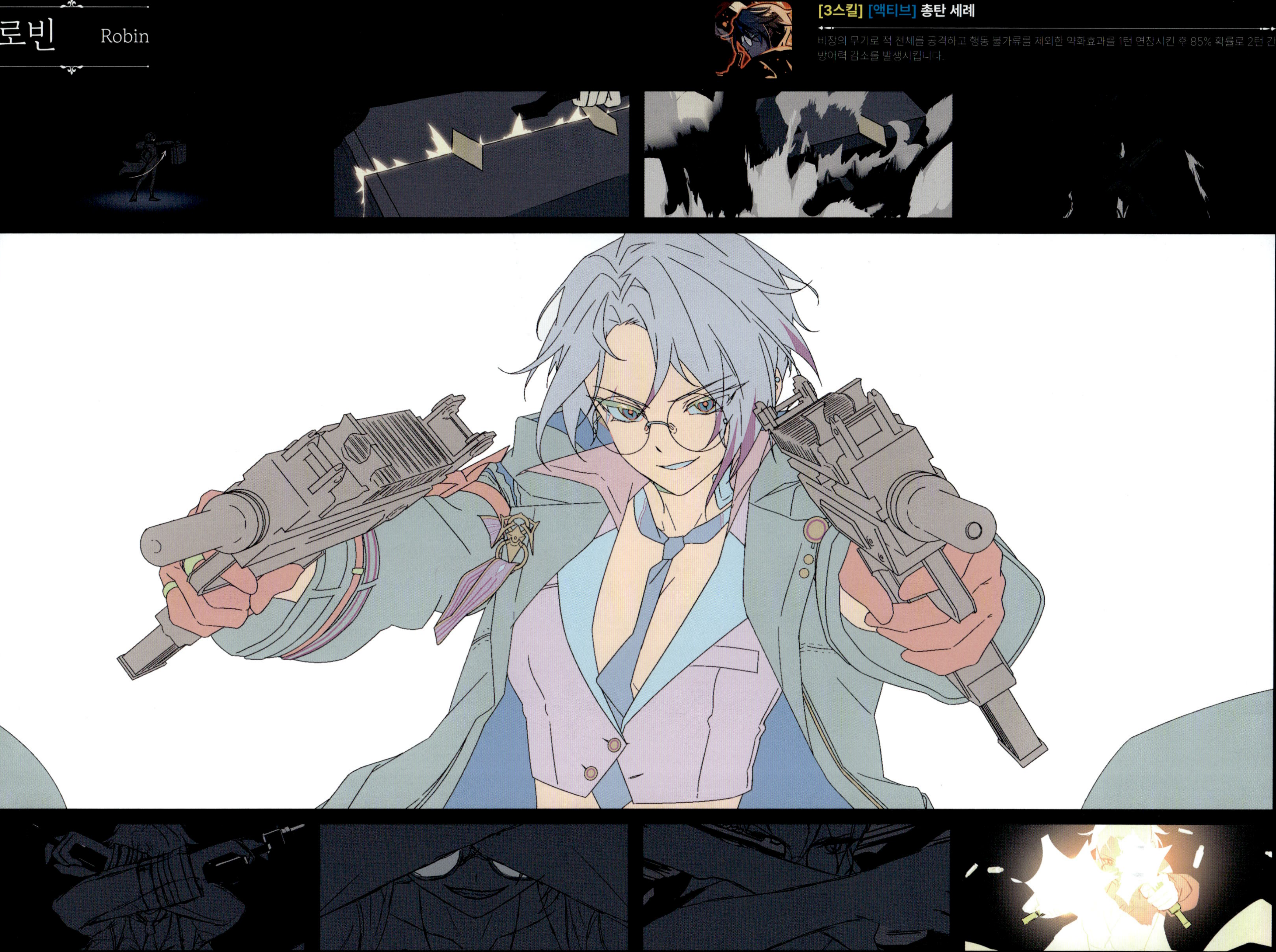

로빈 Robin
[3스킬] [액티브] 총탄 세례
비장의 무기로 적 전체를 공격하고 행동 불가류를 제외한 약화효과를 1턴 연장시킨 후 85% 확률로 2턴 간 방어력 감소를 발생시킵니다.

리나크 Rinak

[3스킬] [액티브] 어설픈 마무리

날렵하게 적을 공격합니다. 대상의 방어력을 관통하며, 치명타가 발생하지 않습니다. 공격 후 실수로 방범 센서를 건드려 자신의 강화효과가 전부 해제되고 1턴 간 기절이 발생하며 적 전체에게 7000의 고정 피해가 발생합니다. 효과저항이 무시됩니다.

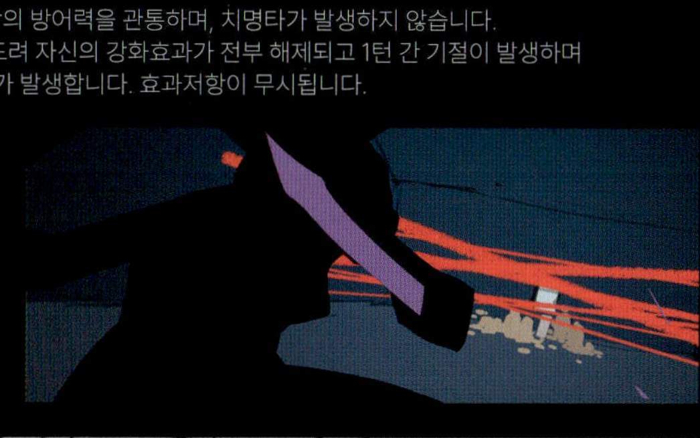

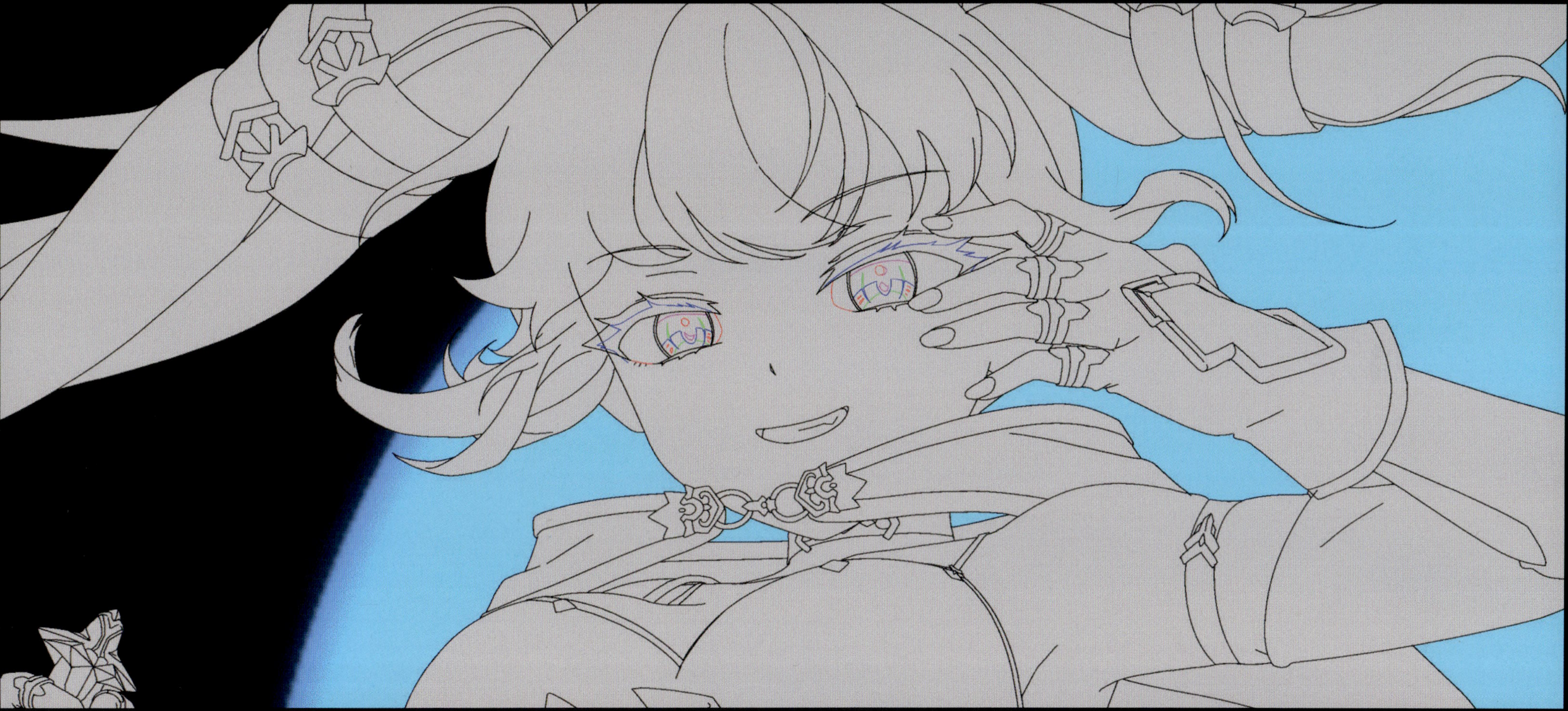

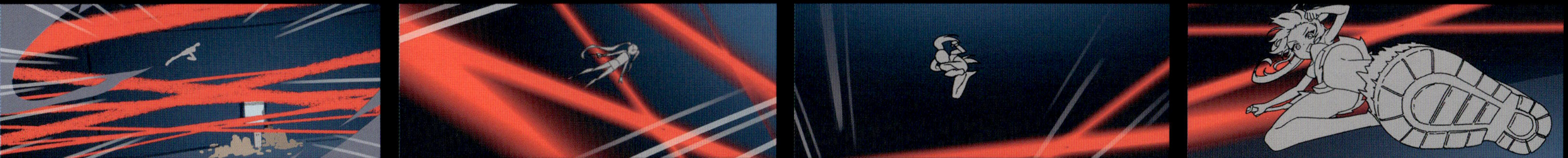

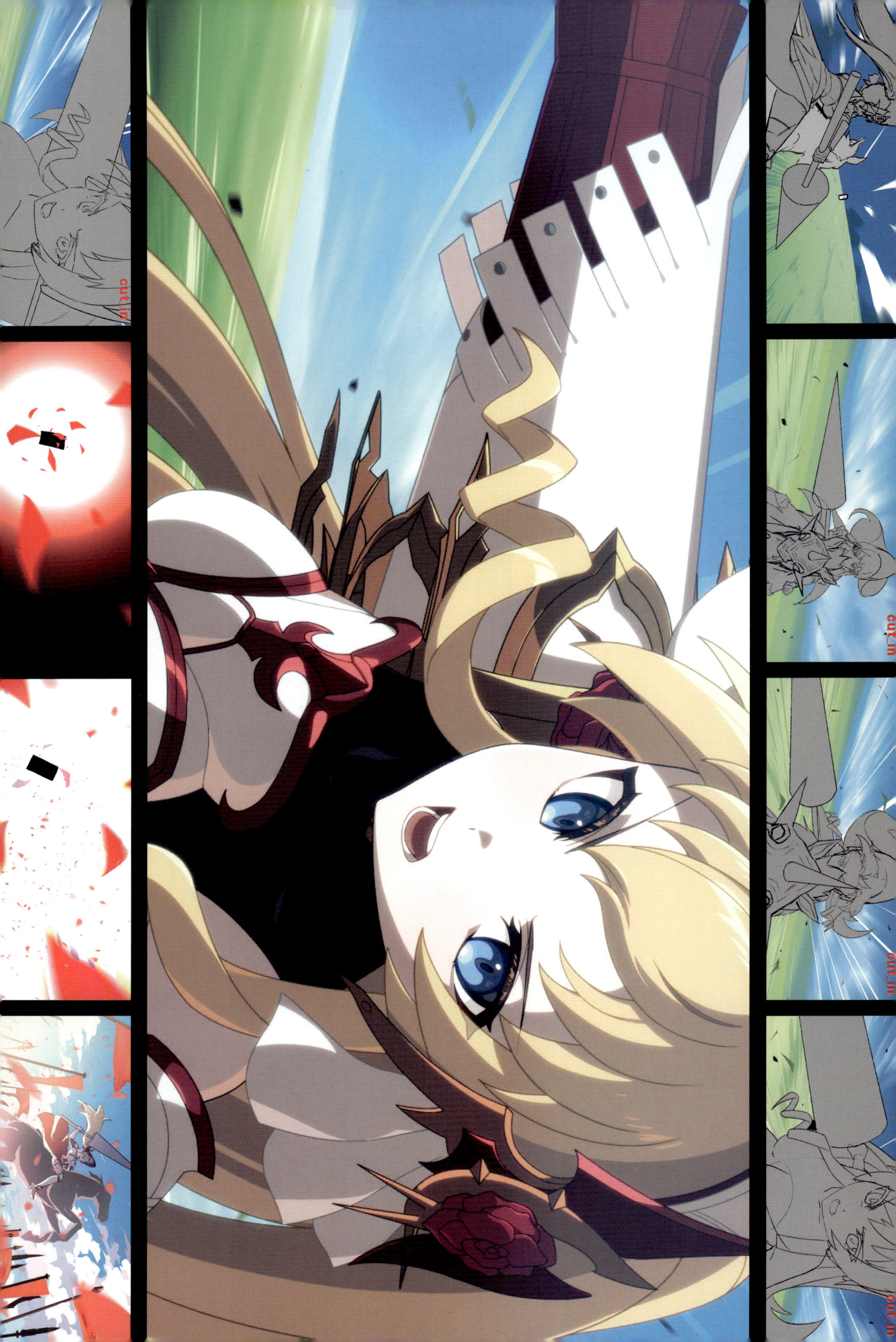

비토리카 Victorika

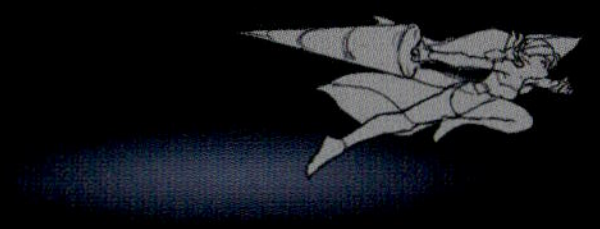

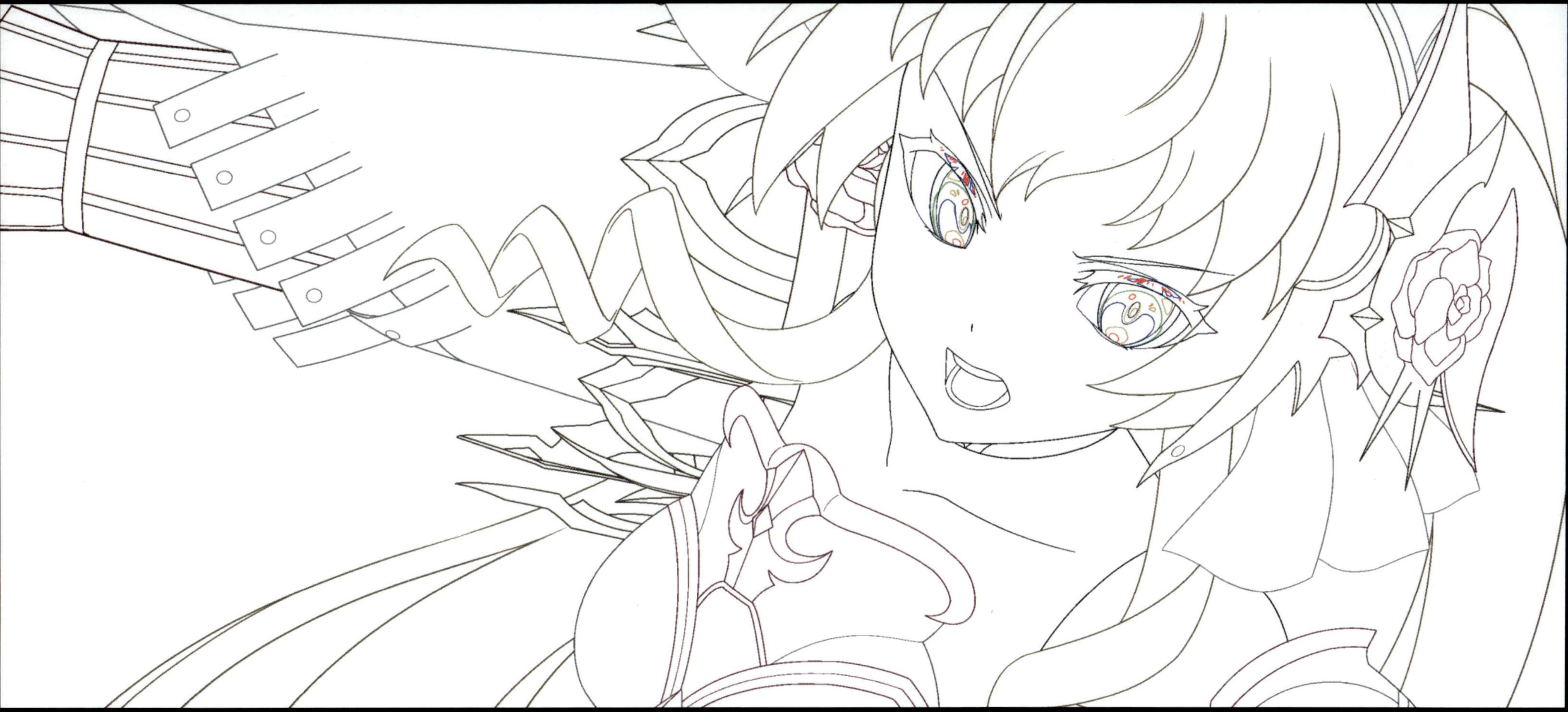

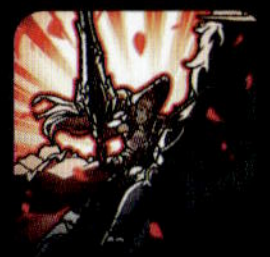

[3스킬] [액티브] 약속된 영광
돌진하여 적을 공격하고 아군 전체에게 2턴 간 면역을 발생시킵니다. 대상의 최대 생명력에 비례해 피해량이 증가합니다.

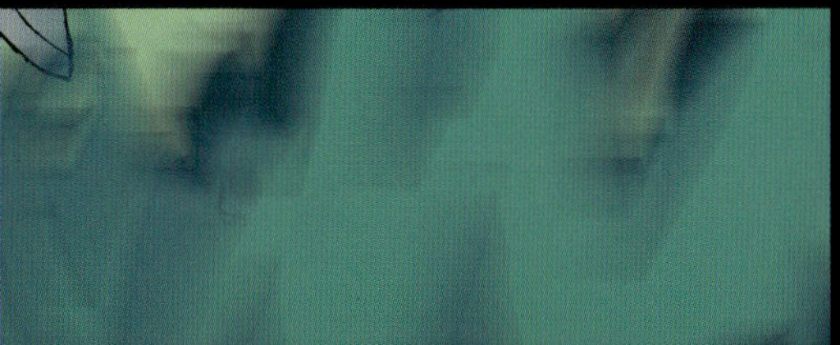

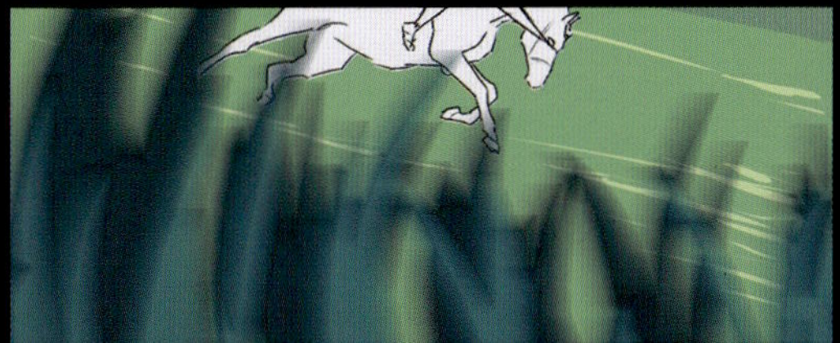

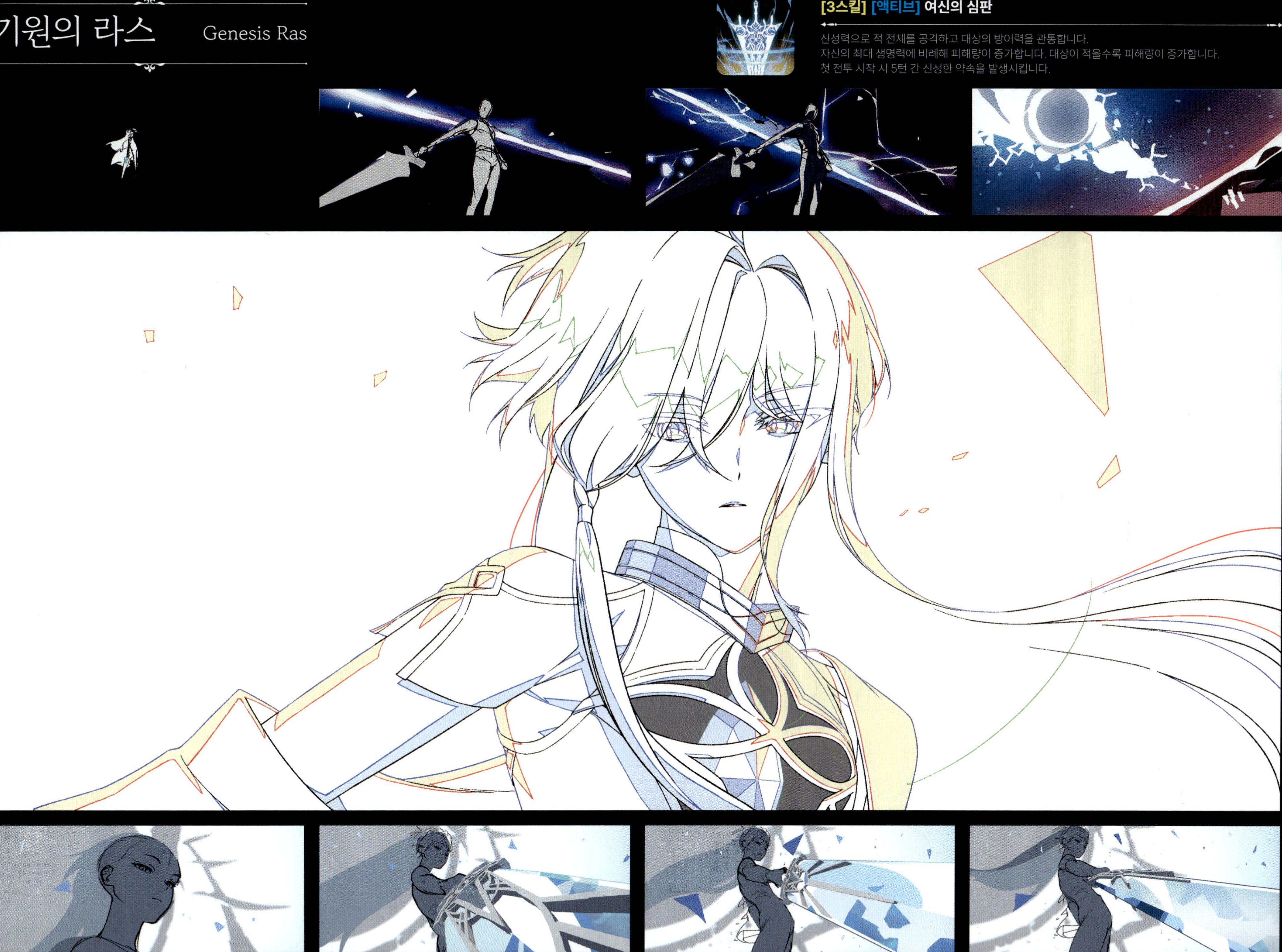

기원의 라스　Genesis Ras
[3스킬] [액티브] 여신의 심판
신성력으로 적 전체를 공격하고 대상의 방어력을 관통합니다.
자신의 최대 생명력에 비례해 피해량이 증가합니다. 대상이 적을수록 피해량이 증가합니다.
첫 전투 시작 시 5턴 간 신성한 약속을 발생시킵니다.

Epic 7 Seven

The Art of Epic Seven

Vol.3

Northen Coast
Rottelman Coast
Forest of Esmopis
Elven Land
Garduviel
Lands of Sorrow
Trollen Mountains
Ruvopio
East Coast
Red Witch
Rowylen

CONTENTS

Chapter 2 - Another Stories

Chapter 3 - Guardian & NPC & Boss

Chapter 4 - Visual Art Gallery

Chapter 1.
Episodes & Hero Archives

Ep.0 계승되는 의지
A Resolve Inherited

'나는 결국 무엇을 지켜낸 걸까.
인간으로서 중요한 것을...
오히려 잃어버린 게 아닌가.'

신수 지크프리트를 계승해 힐라그 가를 되찾으려는
귀족 영애 빅토리카는 호위대장 크라우를 억지로
동행시키며 여행을 시작하고, 마신군의 습격 속에서
크라우, 리나크, 로빈 등과 함께 마신을 무찌르기 위해
꼭 필요한 존재인 성약의 계승자 라스를 찾아 나선다.
니르갈과의 전투 끝에 성약의 계승자 라스가 등장해
상황을 정리하고, 계승자들은 본격적으로 사도
테네브리아와 카일론을 추적하기 위해 두 팀으로 나뉜다.
그러나 라스와 키세 일행 모두 각각의 전투에서 고전하다,
결국 그 과정에서 리나크가 전사하게 되면서
동료였던 로빈은 라스를 비난하며 이탈한다.

기원의 라스
Genesis Ras

★★★★★

보통   전투

슬픔   웃음

당황   특징1

특징2   특징3

성약의 계승자
세계를 지키는 여신의 분신

"...두려워할 필요 없어."

CV.이경태

Comment

사람의 감정에 대해 무지한, 아름답고 강한 [성약의 계승자]를 만들어내는 것이 목표였습니다.
7시대 라스와는 전혀 다른, 긴 머리칼과 사제복 차림은 성스러우면서도 외경이 느껴지는 모습
이죠. 여신의 분신 그 자체인 시기를 표현해달라 부탁드렸습니다.

연계영웅 - p.036 | p.037

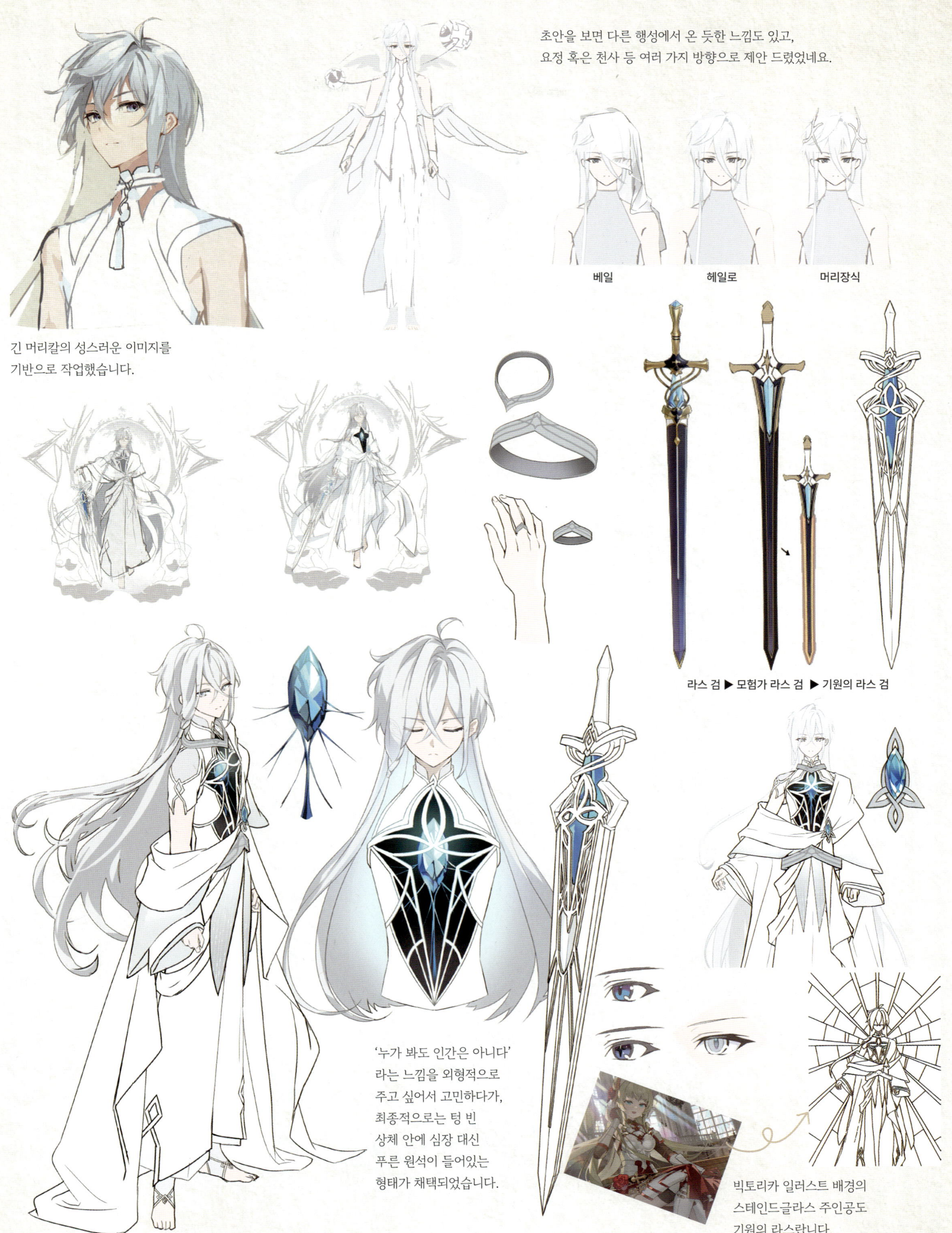

초안을 보면 다른 행성에서 온 듯한 느낌도 있고,
요정 혹은 천사 등 여러 가지 방향으로 제안 드렸었네요.

베일　　　　헤일로　　　　머리장식

긴 머리칼의 성스러운 이미지를
기반으로 작업했습니다.

라스 검 ▶ 모험가 라스 검 ▶ 기원의 라스 검

'누가 봐도 인간은 아니다'
라는 느낌을 외형적으로
주고 싶어서 고민하다가,
최종적으로는 텅 빈
상체 안에 심장 대신
푸른 원석이 들어있는
형태가 채택되었습니다.

빅토리카 일러스트 배경의
스테인드글라스 주인공도
기원의 라스랍니다.

빅토리카

Victorika

가문을 되찾기 위해 창을 든
아가씨의 탈을 쓴 깡패

"두려움을 잊은 이에게, 영광을!"

CV.이세레나

보통	전투
슬픔	웃음
당황	특징1
특징2	특징3

✦ Comment

평생을 아가씨로 살았던 고결한 소녀가 가문의 긍지를 지키기 위해 계승자로서
각성하는 스토리를 의도했습니다. 장미 아가씨의 성장기를 많이 사랑해 주셔서 감사합니다.

A
B
C
기존 아티팩트 이미지에서 캐릭터화
하면서 캐릭터 성격에 맞게 디자인을
가공했고 현재 이미지가 되었습니다.
갑옷 안쪽은 소매가 없는 타이즈입니다

호위대장 크라우
Guard Captain Krau

★★★★★

자신 외의 누구도 믿지 않으며
당장 닥친 일만 신경쓰는 용병 출신 기사

"어떻게든 되겠지.
후딱 끝내고 한숨 자야겠구만."

CV.심규혁

보통	 전투
 슬픔	 웃음
 당황	 특징1
 특징2	 특징3

◦⫘◦ Comment

크라우는 6시대와 7시대의 모습이 다른 캐릭터입니다. 그의 성장 과정은 계승자가
되느냐, 되지 않느냐로 현저히 갈립니다. 빅토리카 힐라그라는 존재가 그의 운명을 크게 뒤트는
전환점 중 하나로 동작하는 것이 흥미롭게 느껴졌으면 합니다.

연계영웅 - p.045 | p.162

기존 크라우에서 능글거림(기름)
한 스푼 빼고 당참(청양고추)과
패기(고추장) 한 스푼씩 버무려서
요리를 완성했습니다!

팔과 다리 갑주에는
힐라그 가문의 문양이 있습니다.

이 검은 힐라그 가문의 보구이며,
빅토리카의 아버지인 데릭 힐라그에게 빌린
'푸른 장미의 가시'입니다.

리나크
Rinak

★★★★★

> "영광으로 알라고~
> 어디, 실력 좀 볼까?"

CV.채림

보통	전투

슬픔	웃음

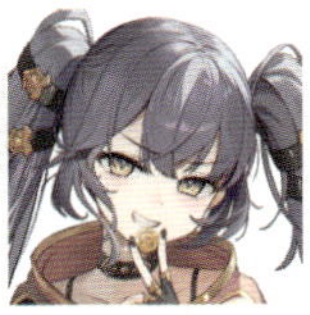

당황	특징1

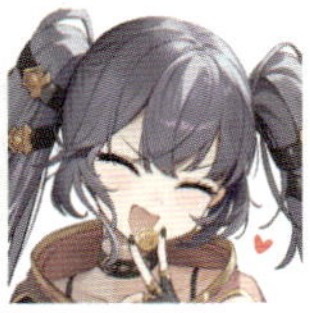

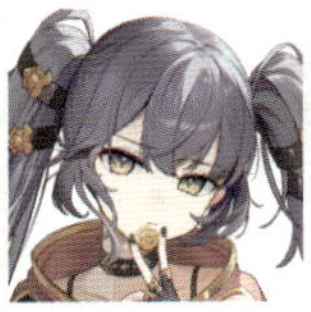

특징2	특징3

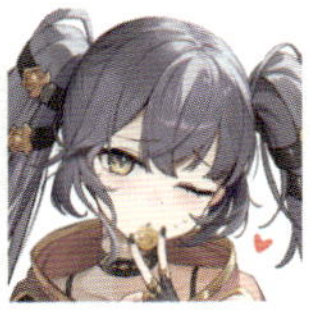

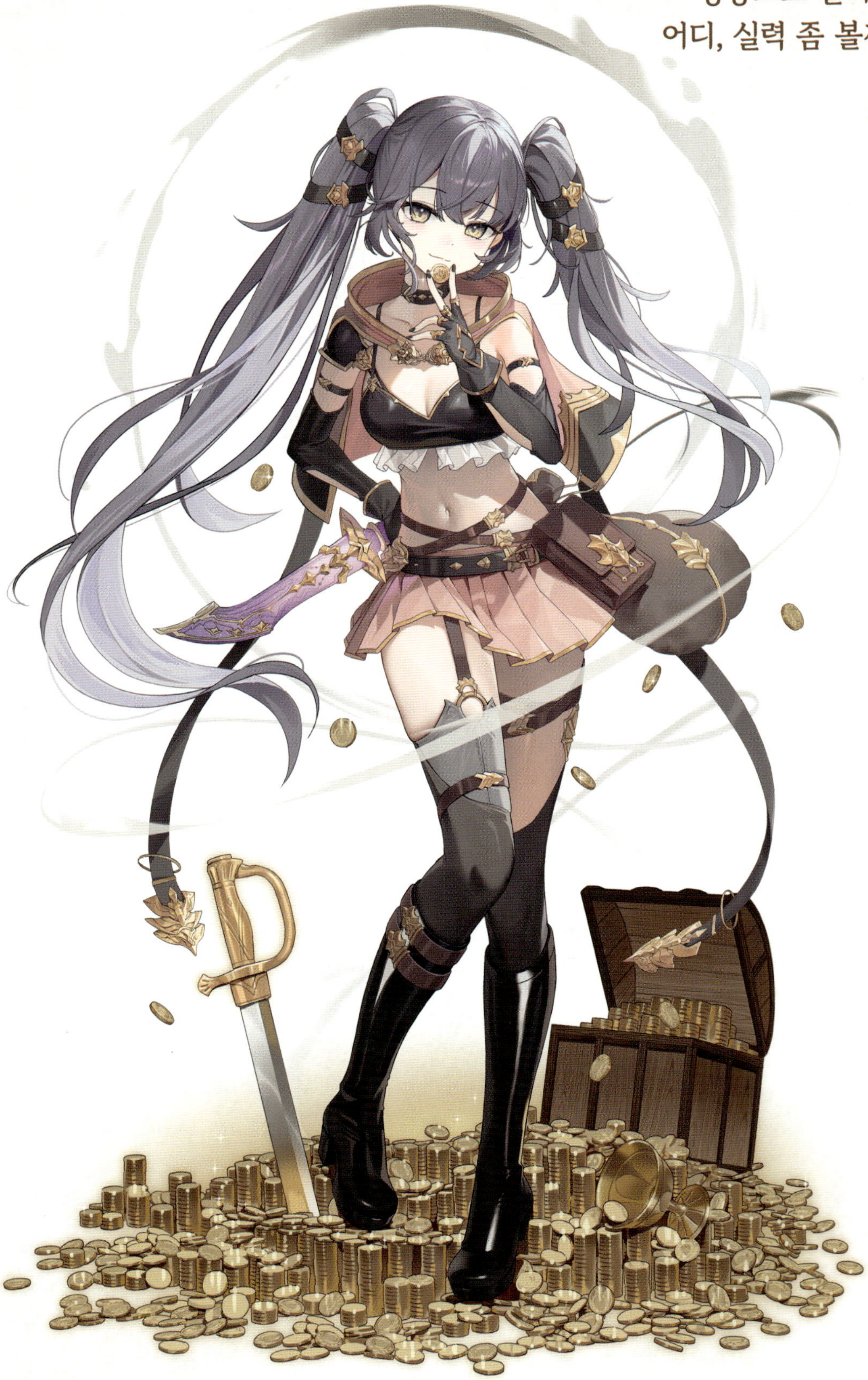

◆◦❯ Comment

아티팩트 윈드라이더!
어리숙함과 당당함이 공존하는, 격동의 청소년기를 표현하고자 했습니다. 로빈과의 인연 덕분에
어린 시절부터 마지막까지 담을 수 있어, 저에게도 뜻깊은 경험이었습니다.

긴 트윈테일로 소악마 같은 느낌이 아주 매력적인 캐릭터입니다.
당돌하고 도발적인 캐릭터 성격에 비해 밋밋한 몸매가 상반 매력을 이루어
즐겁게 작업했던 기억이 납니다.

머리카락 양쪽 길이가 다릅니다.

골드를 잔뜩 넣을 수 있는 주머니.
가방에는 무얼 담을까요?

로빈
Robin

★★★★★

"몸 좀 풀어볼까?
오랜만에 재밌겠군."

CV.김두리

보통

전투

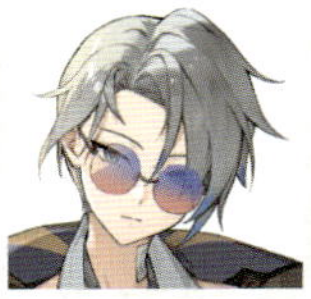

슬픔

웃음

당황

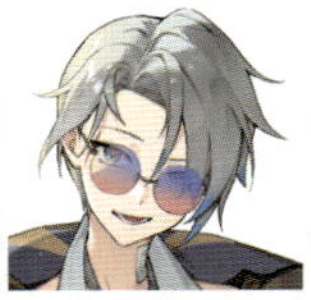

특징1

특징2

특징3

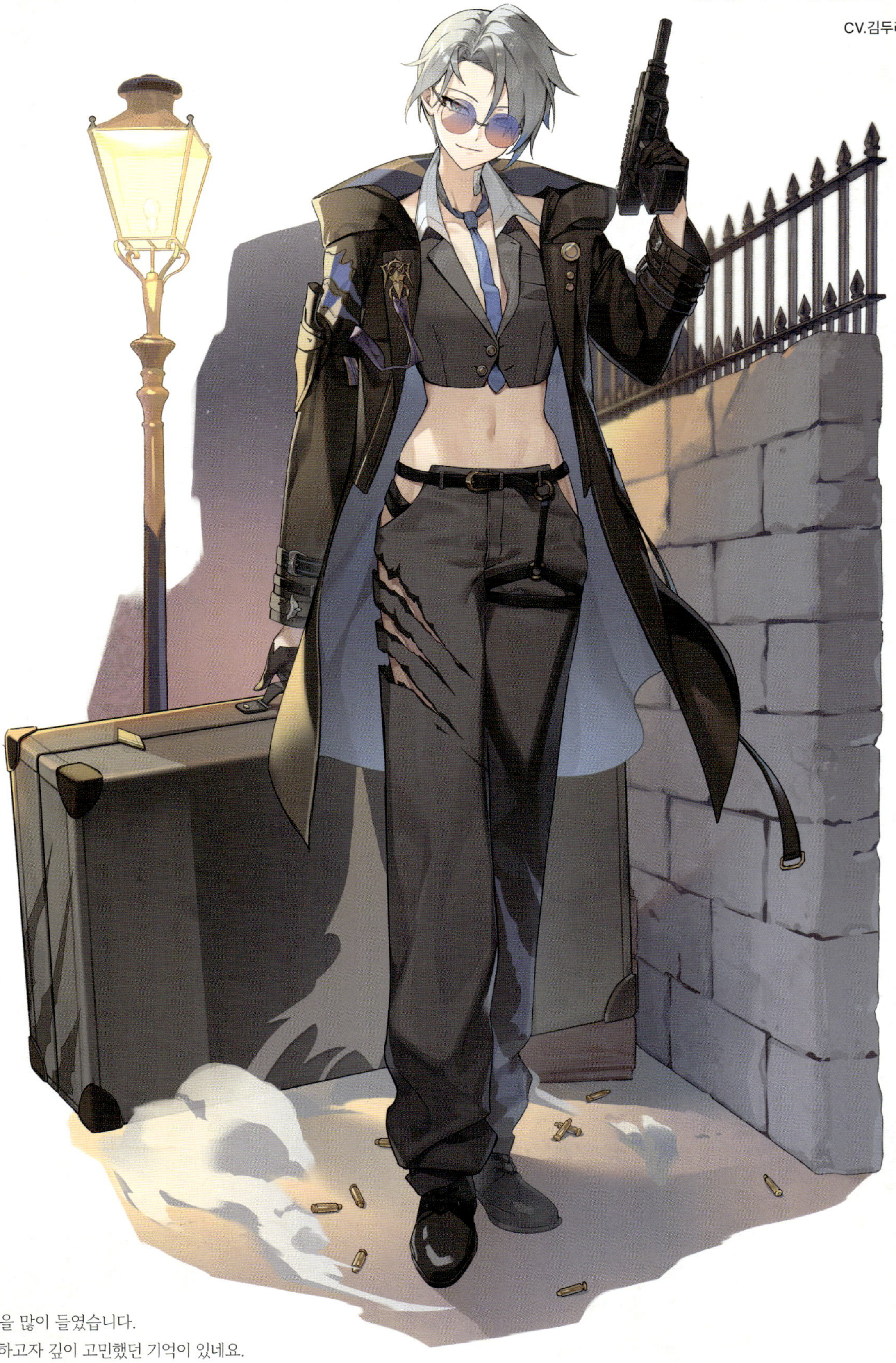

⟡⟡⟡ Comment

어딘가 불량하지만 책임감 있는 보호자.
멋진 모습을 보여주려고 캐릭터 스토리에 공을 많이 들였습니다.
로빈에게 리나크가 얼마나 큰 의미인지 표현하고자 깊이 고민했던 기억이 있네요.

디자인으로 많이 헤맨 기억이 납니다.
주변 도움을 많이 받았던 작업이었죠!
터프하면서도 깔끔한 정장 스타일의 느낌을
내고 싶었습니다. 디자인하면서 리나크도
많이 떠올리며 케미를 고민했어요.

터프한 성격에 걸맞게
코트의 한 쪽을 내려서
프리하게 입을 때도 많습니다.

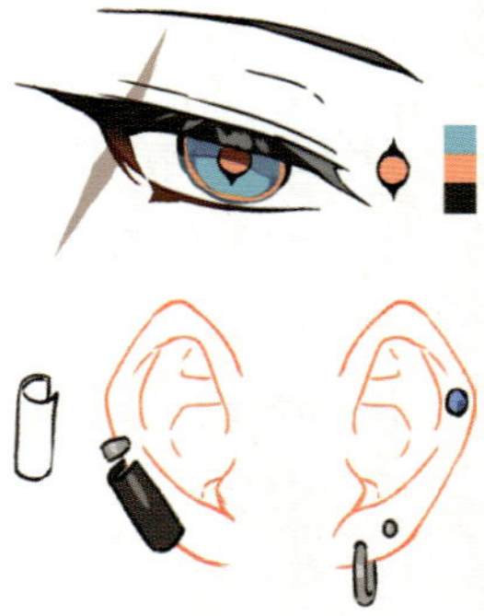

강철 반지는 오른손에만 끼며,
양손 다 잘 쓰지만 왼손을 주로
사용한다고 합니다.

디에네
Diene

★★★★★

"여신이시여, 모든 것이
당신의 뜻임을 믿습니다."

CV.김하영

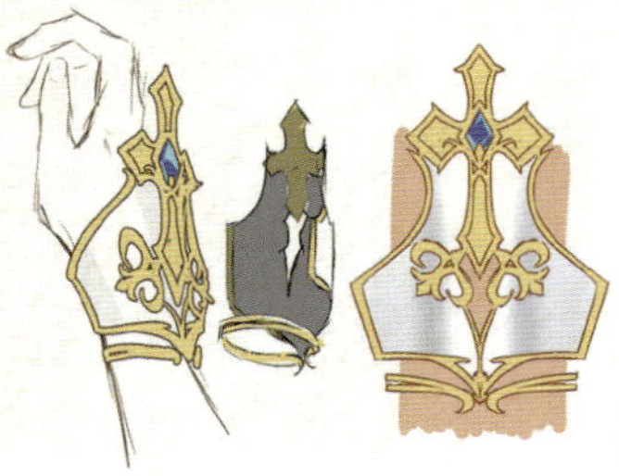

이런 무기 설정도 있었답니다.

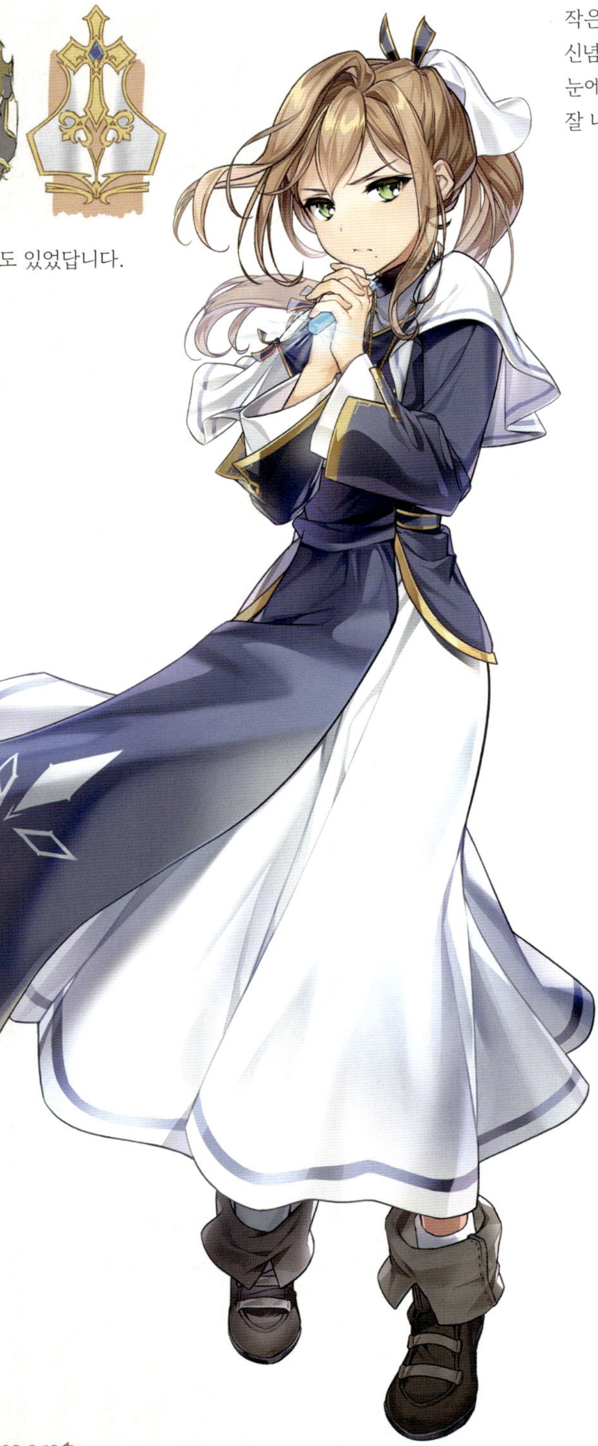

작은 체구에 소박한 모습을 하고 있지만
신념이 있는 소녀를 표현하고자 했습니다.
눈에 잔뜩 힘을 준 표정이 디에네를 가장
잘 나타내는 표정이라고 생각합니다.

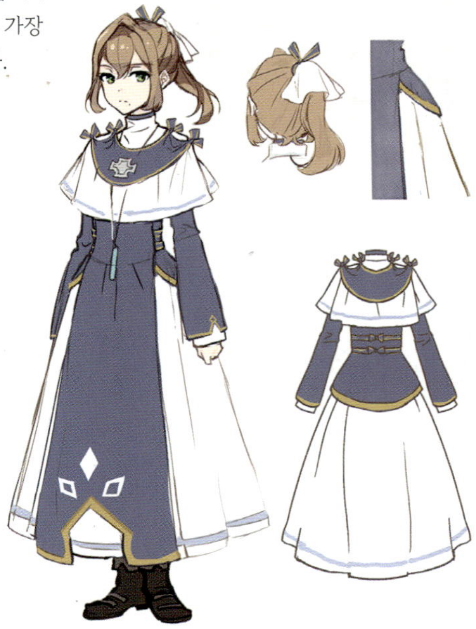

후드 쓴 버전의 디에네는
고열을 앓고 있어 홍조와 땀,
약간 벌린 입으로 작업했습니다.

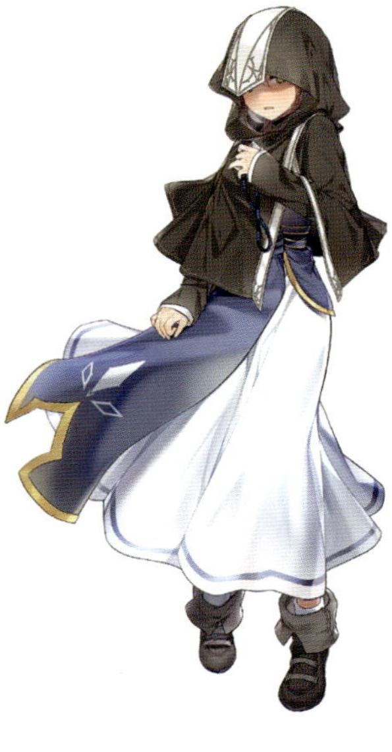

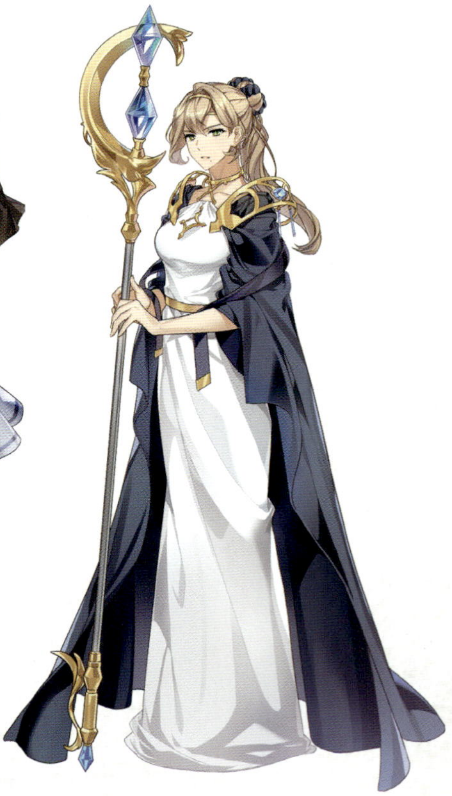

❧ Comment

디에네가 이제라의 [성녀]가 되기까지 희생한 많은 것들을 보여드리고 싶었습니다. 마치 역사
속의 잔 다르크처럼요. 대의를 위해 숭고한 희생을 치르고, 마지막까지 세상을 지키고자 했던
디에네의 모습이 인상적이었으면 하는 바람입니다.

여왕이 된 디에네입니다.

이세리아
Iseria

★★★★★

엘프와 생명력을 공유하는 꽃.
엘프 영지 밖에 옮겨심으면
곧 시들어버립니다.

"흰 꽃의 기사, 맹세의 검…
제 이름은 이세리아입니다."

CV.조경이

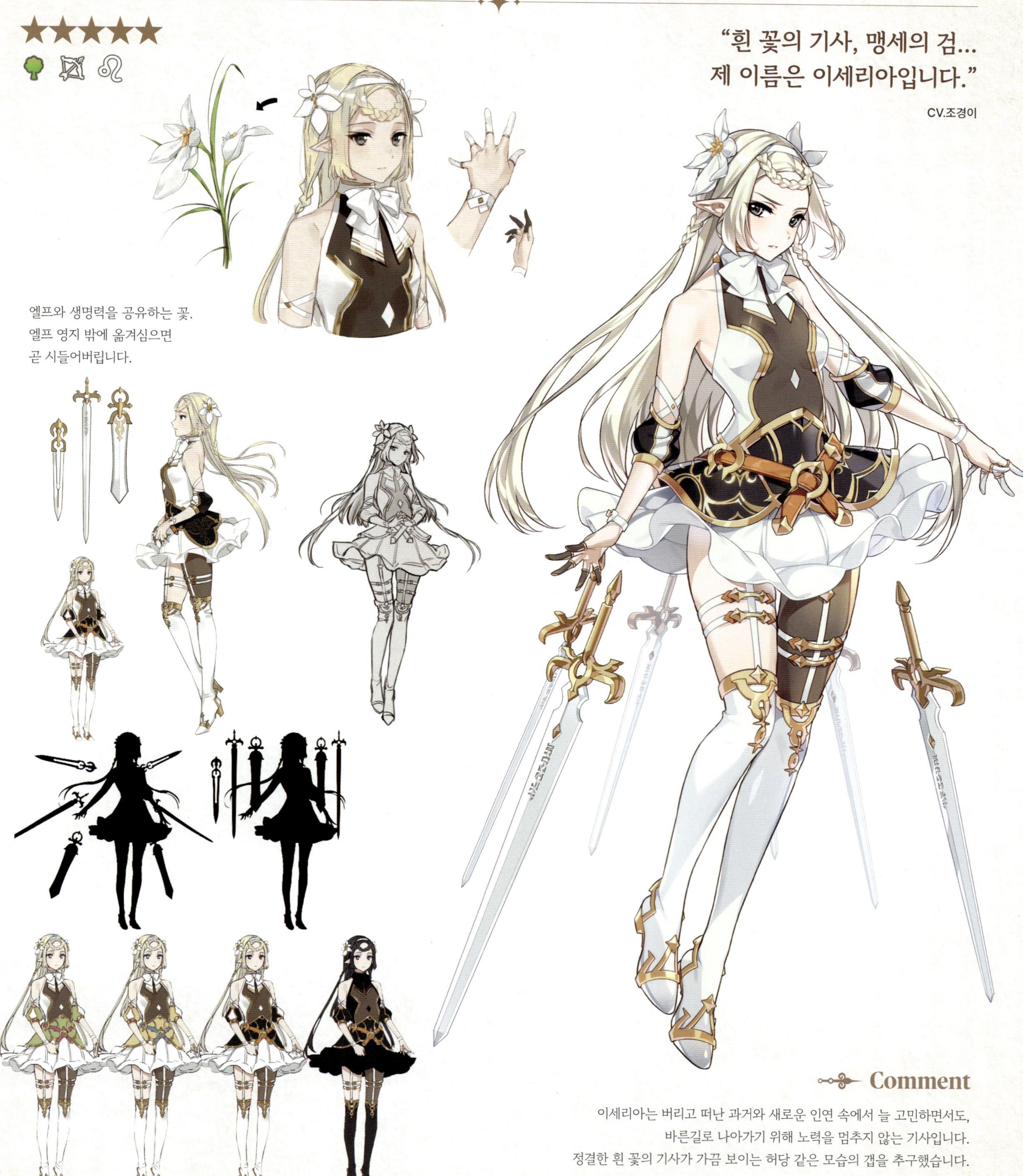

—◦→ Comment

이세리아는 버리고 떠난 과거와 새로운 인연 속에서 늘 고민하면서도,
바른길로 나아가기 위해 노력을 멈추지 않는 기사입니다.
정결한 흰 꽃의 기사가 가끔 보이는 허당 같은 모습의 갭을 추구했습니다.

심판자 키세
Judge Kise

★★★★★

**숙명의 관찰자,
세계를 주시하는 계승자**

"주어진 사명을 위해서라면"

CV.최덕희

말 붙이기 힘들 것 같은 글래머러스한 여성이 모티브였습니다.
어떤 모습을 하더라도 키세임을 알 수 있는 얼굴의 점이 포인트입니다.

*** 차가운 인상**
- 깊은 아이홀
- 황금빛 눈동자
- 옅은 회색에 가까운 은발
- 위압감 있음

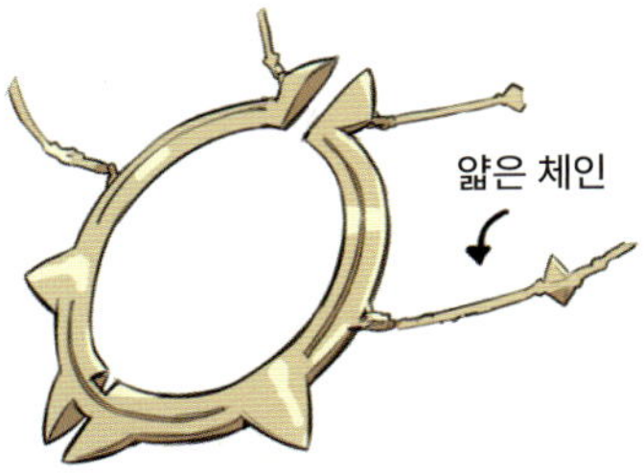

얇은 체인

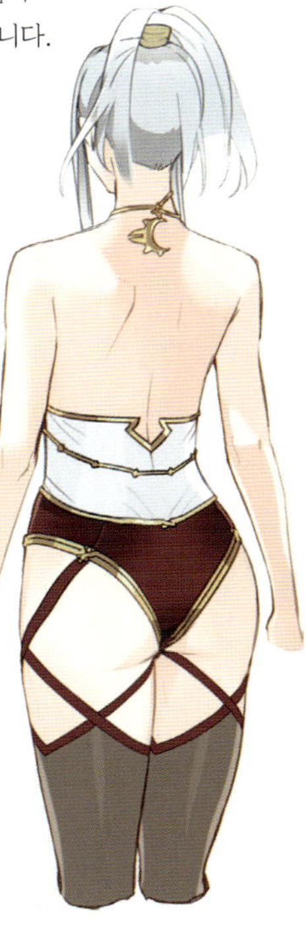

*** 이마쪽 얼굴 장식**
- 머리 장식과 연결되어 있음

*** 키세 점 위치**
- 오른쪽 눈 아래
- 왼쪽 눈 두덩이 가운데
- 오른쪽 가슴 아래 부분

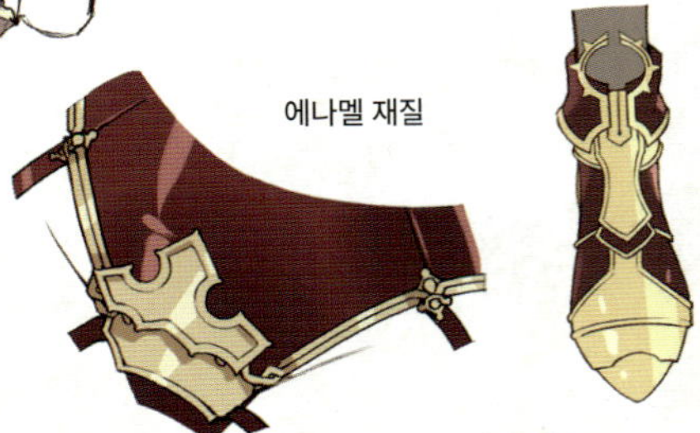

에나멜 재질

언게영웅 - p.027

Comment

언제나 가혹한 운명에 가로막히는 캐릭터입니다.
그럼에도 흔들림 없이 굳건하게 나아가는 모습이 키세의 핵심이기도 하고요.
자신의 선택을 후회하지 않는 키세의 굳은 심지를 닮고 싶습니다.

성광의 계승자 : 심판자 키세
Heir of Holy Light : Judge Kise

★★★★★

우아함을 표현하기 위해
어떤 장식을 달아야 할까 고민했던
기억이 있네요. 흰 장미와 금장식으로
화려하면서도 기품 있는 모습을
표현하고자 했습니다.

✦ Comment

존엄한 희생을 통해 성인(聖人)이 된 심판자 키세라는 설정으로,
기존 모습보다 더욱 화려하고 고아한 느낌으로 표현하고 싶었습니다.

언계영웅 - p.026

빛의 루엘
Ruele of Light

★★★★★

"저... 열심히 할게요. 정말 열심히 할 거예요."

CV.여민정

루엘의 쿠키 주머니.
수도에서 제일 잘나가는
프랜차이즈 점의 토끼 모양
수제 쿠키가 잔뜩 들어있죠

⟡ Comment

루엘의 유일한 취미생활은 쿠키 점. 반쯤 장난삼아 하지만 이제는 습관이 된 행위입니다.
쿠키를 먹기 전 반쪽으로 쪼개 어느 쪽에 크림이 더 많이 묻었는가로 그날의 길흉을 스스로(멋대로) 점치곤 하죠.
저도 루엘의 토끼 쿠키 점을 쳐보고 싶습니다. 토끼 쿠키 점으로 제 미래도 알 수 있을까요?

연계영웅 - p.029 | p.044

광휘의 계승자 : 빛의 루엘
Ruele of Light : Heir of Radiance

★★★★★

"오늘도 행운이 따른다고 했어요."

CV.여민정

정령왕의 이름을 이은
빛의 성녀 컨셉을 강조하고
고결하고 성스러운 이미지의
의복을 디자인하기 위해
고민이 많았습니다.

✦⇒ Comment

빛에 둘러싸인 모습은 마치 빛의 성녀처럼 보입니다.
정령왕의 광휘에 둘러싸인 사랑스러운 루엘의 모습을 의도했습니다.
어디에 있든 루엘이 행복하기를 바랍니다.

연계영웅 - p.028 | p.044

환영의 테네브리아
Specter Tenebria

★★★★★

"자~ 이제 영원한 악몽을 꾸게 해 줄게. 우후후~"

CV.정혜원

끈적한 어둠에서 태어난 것 같은 장난꾸러기의 모습을
생각했습니다. 몸의 일부분이 어둠에 잠식되어 있고,
그 부분으로 핏줄이 올라오는 등 디테일한 부분이 있었지만
일러스트에 담지 못한 것 같아 아쉬움이 남네요.

Comment

고양이 같은 외모와는 다르게 변덕스럽고 사디스틱한 면모를 가진 캐릭터입니다.
다만 그 변덕의 방향성이 파괴적인 방향으로 폭주한다는 점이 무서운 부분이죠.
지금 이 모습이 [진짜 테네브리아]의 모습입니다.

연계영웅 - p.031 ｜ p.046 ｜ p.047 ｜ p.200

그믐달의 폭군 : 환영의 테네브리아

Specter Tenebria : Dark Tyrant

★★★★★

"자아... 혀끝에 내 이름을 담아보렴.
붉은 혓바닥을 밟고 들어선 내가,
진득한 악몽으로 녹아들 수 있도록."

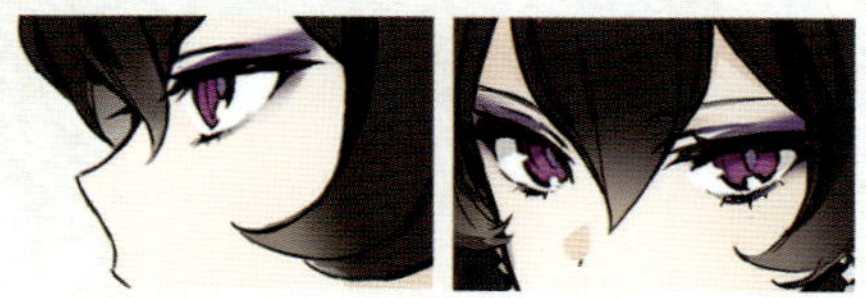

CV.정혜원

어둠에 잠식된 부분과 핏줄이 캐릭터의 특징이라고 생각했습니다.
이 부분을 살리기 위해, 몸에 달라붙은 드레스와 조금 더 사악해 보이는 머리장식을 추가해 주었습니다. 니르갈, 카일론과 비슷하게 컬러 톤도 조금 더 자줏빛이 돌도록 진행했습니다.

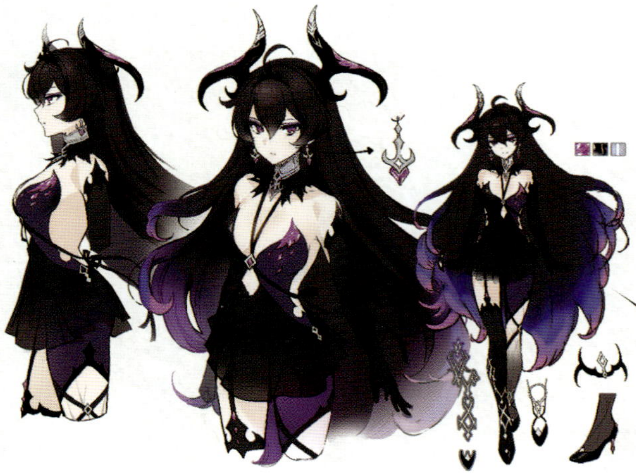

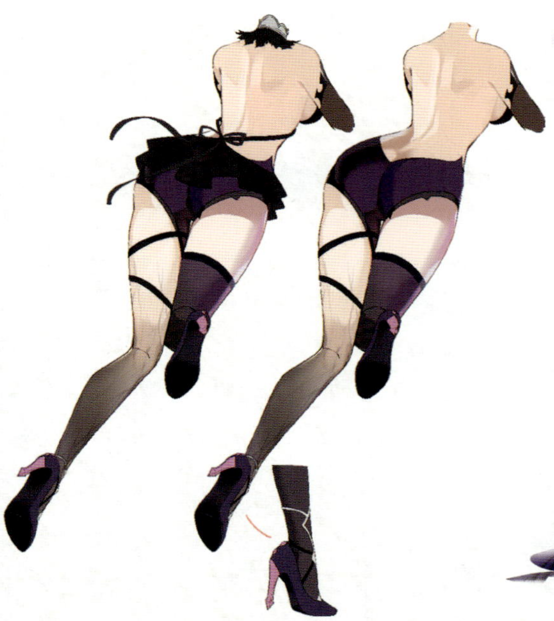

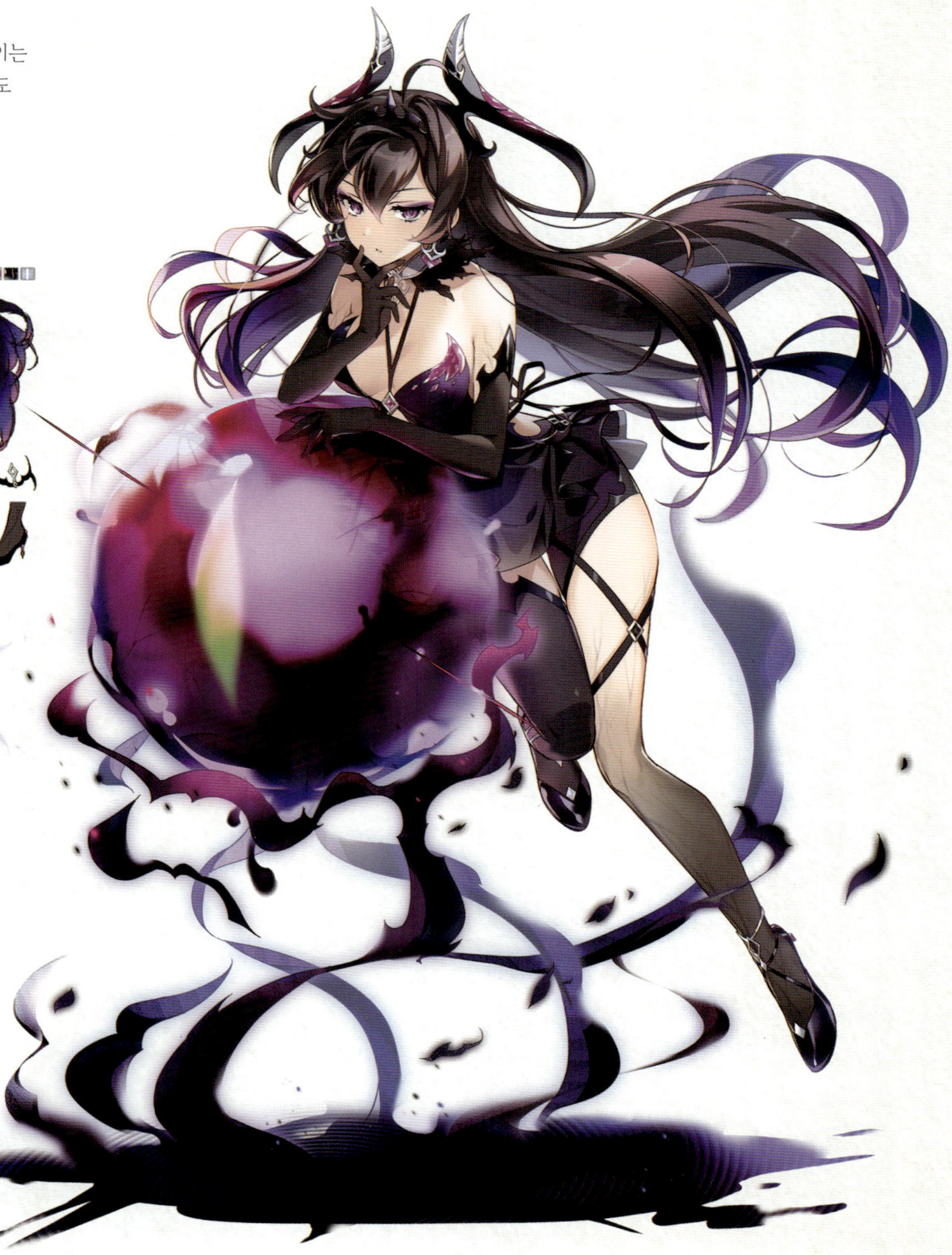

Comment

매혹적인 몽마의 모습을 연상케 하는 모습입니다.
다만 한층 더 짙은 어둠을 접하게 되며 그 파괴적인 성향이 예측할 수 없는 수준에 이르렀죠.
몽마의 모습을 한, 그야말로 폭군입니다.

연계영웅 - p.030 | p.046 | p.047 | p.200

Ep.1 성약의 계승자
Heir of the Covenant

"나는 돌아가 디체에게 힘을 나눠준 후, 이 세계를 떠나 달라고 할 거야.
여신이 없어도, 어떤 위험이 닥쳐와도...
모두가 서로 의지하고, 협력해서 결국엔 이겨낼 수 있으리라 믿으니까.
그러니 같이 돌아가자, 빌트레드."

032

"......이세리아.
네가 어떤 선택을 하더라도...
우리는, 너를 사랑해.
여전히... 그리고 영원히.
이 말을, 꼭... 해주고 싶었어."

라스

Ras Elclare

★★★

성약의 계승자
세계를 위해 싸우는 수호자

"오늘도... 내가 할 일을 해볼까?"

CV.이경태

사실은 여신의 분신!이라는 설정이 있기 때문에
너무 모험가스러운 의상은 아니면 좋을 것 같았습니다.
같이 모험을 하며 성장했으면 해서 지금의 똘망똘망한
소년의 얼굴을 하게 되었네요. 낮과 밤의 하늘을 담은 파랑,
보라 두 가지 색으로 눈동자를 표현해 주었습니다.

❧ Comment

라스를 표현하는 키워드는 사명과 숙명입니다.
인간에 대해 배워나가며 성장하고 있는 라스의 여정을 끝까지 지켜봐 주시기 바랍니다.

연계영웅 - p.014 │ p.037

모험가 라스
Adventurer Ras

★★★

인간이 된 신성
오르비스의 살아있는 전설

"새로운 모험이
날 기다리고 있어."

CV.이경태

외형적으로는 크게 변한 것이 없지만
좀 더 어른이 된 듯한 이미지를
표현하려고 노력했습니다.
진중한 이미지가 느껴지실까요?

Comment

대의를 위해 신성을 버리고 [보통의 인간]이 되는 것을 선택한 라스.
라스의 여정은 자신이 가진 것을 하나씩 포기하며 나아가는 여정입니다.

연계영웅 - p.014 | p.036

메르세데스
Mercedes

★★★★

마도서의 선택을 받은
무표정한 호문클루스

"그것이 명령이라면, 따르겠습니다."

CV.여윤미

⤳ Comment

[하루에 착한 일 한 개씩], 메르의 좌우명입니다.
이런 선량한 캐릭터에게 지나치게 큰 시련을 안겨준 느낌이네요. 개발팀에서도 참 애정을 많이 받는
캐릭터입니다. 더는 자신을 증명하기 위해 애쓰지 않아도 될 정도로 늘 행복하기를 바랍니다.

연계영웅 - p.039 | p.040 | p.041

외우주의 메르세데스
Celestial Mercedes

★★★★

"절 찾으셨나요?
시키실 일이 있으면 말씀해 주세요."

CV.여윤미

크게 달라지지 않았지만
꿰맨 자국이나 낡은 느낌이 없도록
디자인되었습니다.

✦⊶ Comment

기본 성격이 변하지는 않았지만,
감정 표현이 다소 많아진 느낌의 월광 메르세데스입니다.

연계영웅 - p.038 | p.040 | p.041

복슬복슬 레이디 : 메르세데스

Mercedes : Fluffy Lady

★★★★

연계영웅 - p.038 | p.039 | p.041

➤ Comment

알키의 의상을 입은 메르세데스입니다.
평소 보여주지 않던 귀엽고 사랑스러운 모습이 신선하게 보였으면 좋겠네요.

마신의 그림자
Archdemon's Shadow

★★★★★

> "이리로 오라, 가까이... 더 가까이...
> 나의 결핍과 너의 어둠이 닿아,
> 우리가 하나의 검정으로 뒤섞일 때까지."
>
> CV.여윤미

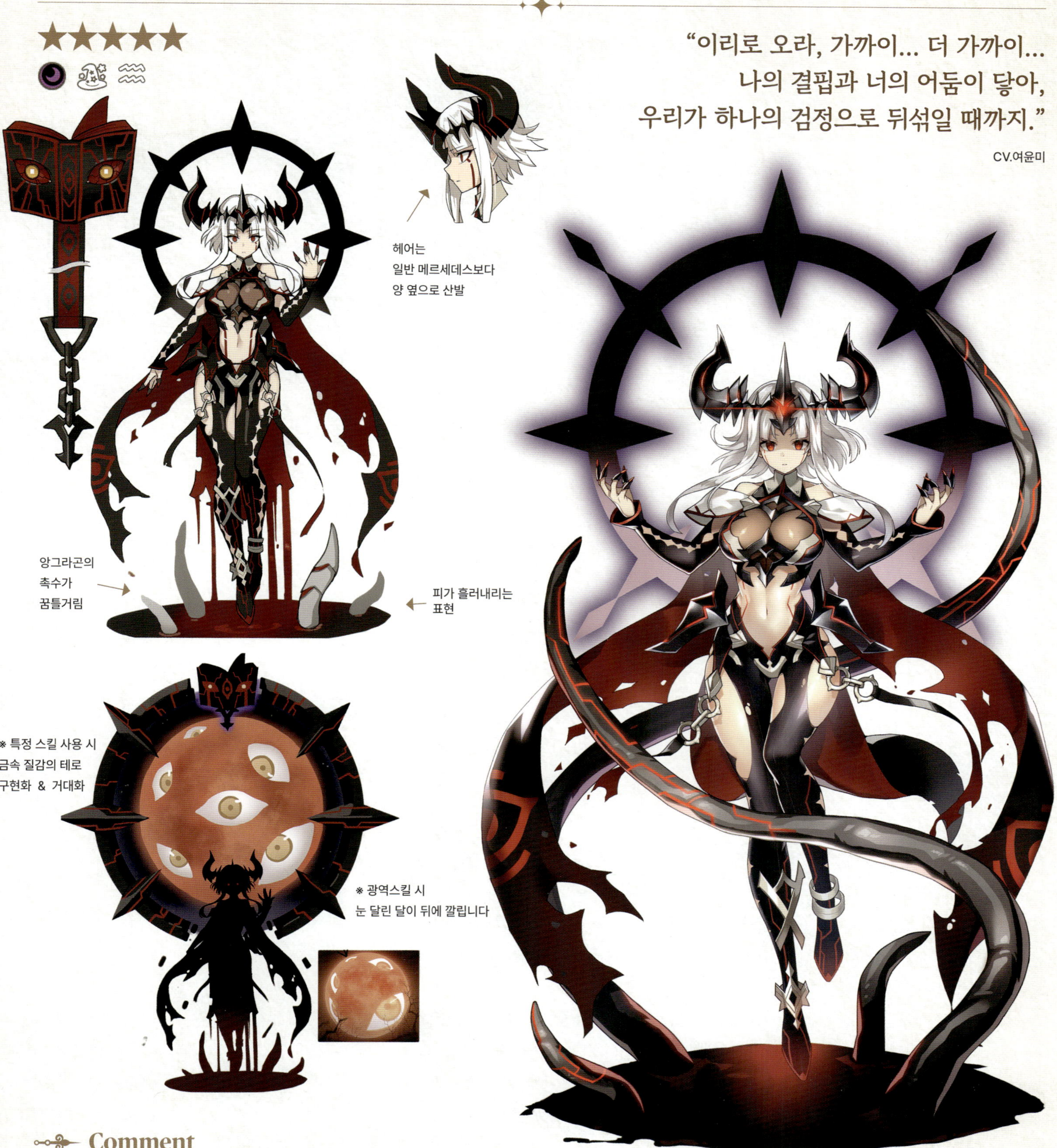

⬥ Comment

자신의 결핍을 인정하고 극복하려 노력하는 메르세데스와는 다르게,
자신을 인식할 수 있게 된 후부터 가지지 못한 것에 대한 결핍과 욕망을 가진 캐릭터입니다.
같은 얼굴을 한 전혀 상극의 존재가 마신의 그림자인 셈입니다.

언계영웅 - p.038 | p.039 | p,040

빌트레드

Vildred

★★★★★

* 나이 : 19세
* 키 : 178
* 몸무게 : 68
* 좋아하는것 : 정의, 사명감, 리더쉽
* 싫어하는것 : 우유부단, 어리광, 부도덕한 행동
* 성격 : 칼같은 결단력, 호쾌함 속에 냉철함,
  진지함 속에 깨알 개그 같은,
  마치 라스의 친형과도 같은 따스함이 있었다.
* 혈액형 : O

CV.남도형

이때만 해도 나름
정의감에 넘치던
시절이었다.

완전 초기 캐릭터로 애착이 많은 빌트레드.
크라우와 더불어 가장 애착이 많이 가는 캐릭터입니다!
역시 오래된 친구가 최고네요!

❧ Comment

빌트레드는 기억하지 못하지만, 세계가 복원될 때마다 라스와 함께 마신 전쟁을 치렀습니다.
그만큼 정의감과 신념이 투철한 빌트레드였죠.
7시대에서의 비극은 그런 빌트레드의 성격에서 기인하게 되었습니다.

연계영웅 - p.043

집행관 빌트레드
Arbiter Vildred

★★★★★

"이 몸에 깃든 힘을 감당할 수 있겠나?"

CV.남도형

Comment

최후의 싸움에서 빌트레드가 흔들렸던 것은,
그의 영혼은 여전히 [빌트레드]였기 때문이었습니다.

연계영웅 - p.042

데스티나
Destina

★★★★★

"나는 정령왕 데스티나. 그러나 지금은... 빛의 성녀."

CV.여민정

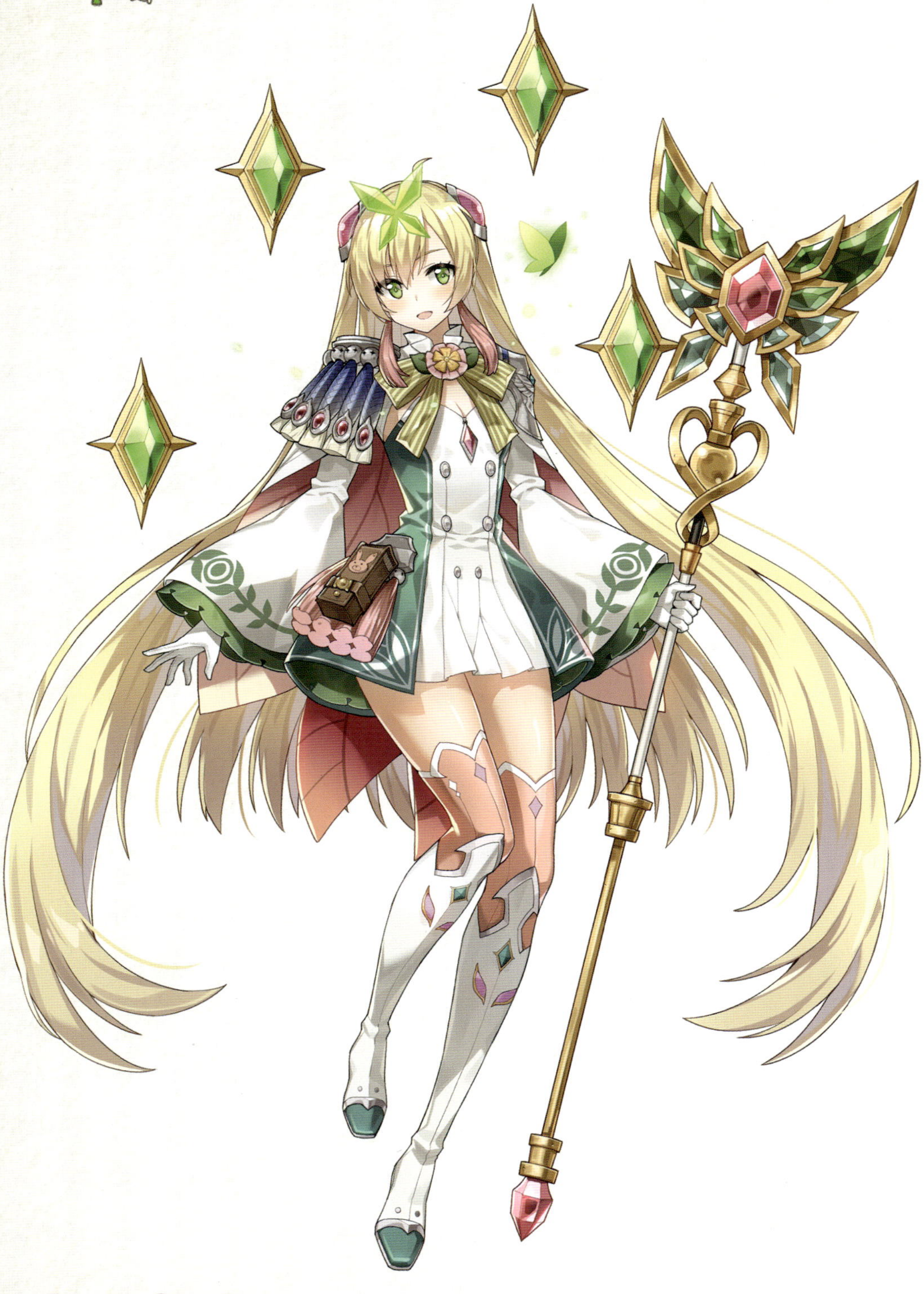

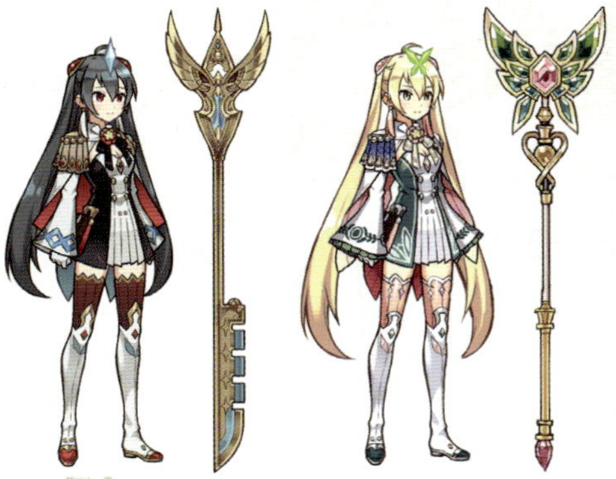

루엘의 모습을 한 빛의 정령왕은 어떤 모습일까
많은 고민을 담았었습니다.

⟢ Comment

루엘을 진정으로 사랑하고 아꼈기 때문에, 그 모습으로 현현한 고결한 존재입니다.
루엘을 지키기 위해 모든 힘을 다했지만 실패했고, 그 여파로 깊은 잠이 들었다가 7시대에서 깨어났죠.
고결한 존재가 자신의 계약자를 보고 싶다는 열망으로, 그와 닮은 모습으로 세상에 내려왔다는 점에서
인간이 아닌 존재 답죠.

연계영웅 - p.028 │ p.029

크라우
Krau

★★★★★

⟡ Comment

멋진 우리 형! 크라우를 키워드로 정의하자면 [돌진], 그리고 [책임감]이 되겠습니다.
라스와의 약속을 지키기 위해 무려 1년 동안이나 메르세데스에 관련된 비밀을 말하지 않고,
급기야 술김에 실언할세라 금주까지 감행하죠.

언계영웅 - p.018 | p.162

테네브리아
Tenebria

★★★★★

핑크빛 긴 머리칼에 어쩐지 순수해 보이는
얼굴이 포인트입니다. 테네브리아를
작업할 때에는 항상 기본 표정에 순수함을
담기 위해 노력합니다.
처음 봤을 때 착한 인물인가? 싶도록이요.
잘 전달되었으면 좋겠네요.

❧ Comment

테네브리아는 환상을 자유자재로 다루어 언제든지 외형을 바꿀 수 있는 존재입니다.
그런 테네브리아이니만큼, 고결하고 아름다운 자태가 보는 이의 마음을 매료시키는 것은
어찌 보면 당연한 일이겠죠. 예를 들면 크로제 같은...

언계영웅 - p.030 | p.031 | p.047 | p.200

메르헨 테네브리아
Fairytale Tenebria

★★★★★

동화 나라에 들어온
아름답고 끔찍한 혼돈

"혹시 시계를 들고 바쁘게 뛰어가는
카일론을 보지 못했니?
아니, 그 전에, 대체 여긴 어디일까?"

CV.이소은

공모전 작업은 처음이라 무척 설레고
즐거웠습니다. 테네브리아가 선정되어
그것 또한 기뻤고요. 덕분에 사랑스러운
의상을 입은 테네브리아를 볼 수 있었네요.

☞ Comment

픽스브 캐릭터 공모전 수상작입니다. 메르헨 테네브리아의 매력은,
우리가 알고 있는 [앨리스]라는 아가씨의 클리셰를 전복시켰다는 점에 있습니다.

언게영웅 - p.030 | p.031 | p.046 | p.200

카일론

Kayron

★★★★★

**미련을 다루는
그림자의 왕**

"부름에 응답하여 여기에 강림했다."

CV.정재헌

정말 근면 성실한 악역의 느낌이랄까요?
수트 대신 어두운 갑옷으로 치장한...
카일론의 얼굴은 애니메이션 작화 검수를
할 때도 정말 힘주어 합니다.
잘생겨라... 잘생겨라... 하면서.

연계영웅 - p.049 | p.168

⟶※⟶ Comment

섬뜩할 정도로 악의의 깊이를 알 수 없는 캐릭터입니다.
분노를 원동력 삼아 움직이는 빌런이 아닌 점이 특히 그렇습니다.

시계 토끼 : 카일론
Kayron : Time Rabbit

★★★★★

"방황하는 마음이여, 영원히 떠돌아라!"

CV.정재헌

테네브리아 덕분에 멀끔한 수트를 입어본
카일론입니다. 다만 토끼 귀도 달게 된...
귀여운 아이템들이 능청스럽게 어울려서
꽤 만족스러운 작업이었습니다. 테네브리아와
니르갈 인형 그리는 것도 행복했습니다.

⚜ Comment

메르헨 테네브리아의 스토리에 맞춰 출시된 스킨입니다.
평소와는 다르게 강박을 드러내는 모습이 재밌게 느껴지는 부분입니다.

연계영웅 - p.048 | p.168

Ep.2 신을 죽인 자

Godkiller

외우주 출신의 스트라제스는 마신 파스투스의 명에 따라 오르비스에 도착해
각 대륙에 '혜성의 눈동자'를 세우며 혼란을 조장하고, 이로 인해 정령왕과 대륙 곳곳의
세력 간 갈등이 심화된다. 라스 일행은 마신과 정령왕, 그리고 스트라제스를 쫓는 여정을
이어가며, 카웨릭, 릴리벳, 릴리아스 등의 방해 속에서도 각 지역에서 정의와 연대를
회복해간다. 특히 황혼의 불씨를 되찾아 정령왕 말리쿠스를 되살리는 등 각 대륙에서의
균형 회복에 기여한다.

스트라제스
Straze

★★★★★

레코스 세계를 파멸시킨
칠흑의 군주

"황혼의 시간이 찾아오면,
잔혹한 운명의 굴레를 벗어나리라."

CV.곽윤상

⟡ Comment

스트라제스는 오르비스를 침공하는 악역이지만, 과거의 업보에 대해 끊임없이 고뇌하는
입체적인 캐릭터입니다. 선과 악으로 나눠진 단순한 구조가 아닌 다층적인 내면을 가진
캐릭터를 무게감 있게 표현하기 위해 집중했습니다.

보통	전투
슬픔	기쁨
당황	특징

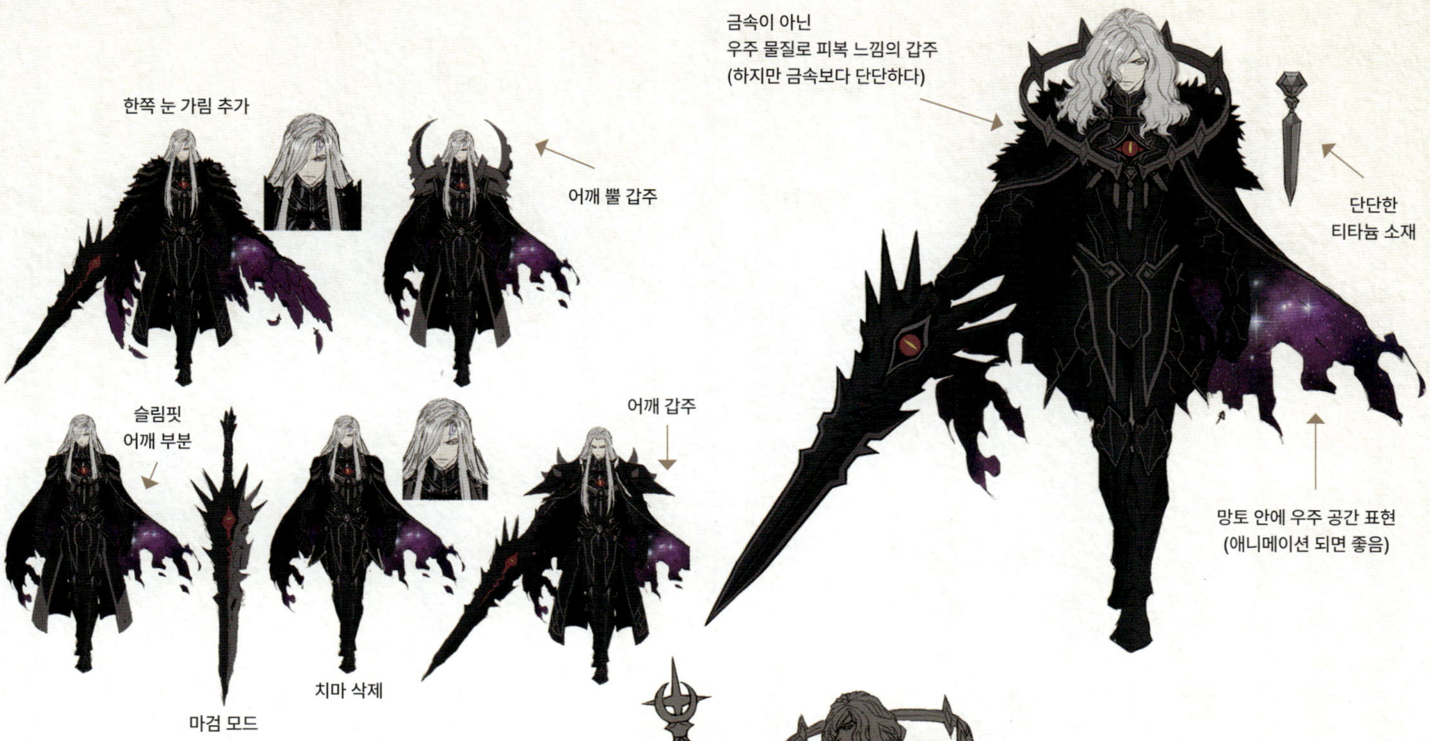
금속이 아닌
우주 물질로 피복 느낌의 갑주
(하지만 금속보다 단단하다)
한쪽 눈 가림 추가
어깨 뿔 갑주
단단한
티타늄 소재
슬림핏
어깨 부분
어깨 갑주
망토 안에 우주 공간 표현
(애니메이션 되면 좋음)
치마 삭제
마검 모드

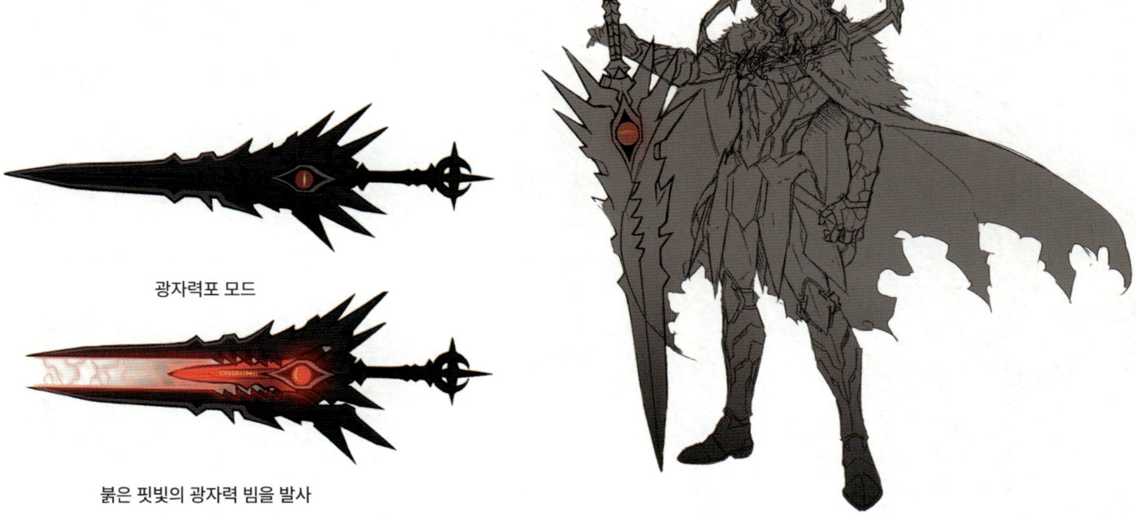
광자력포 모드
붉은 핏빛의 광자력 빔을 발사

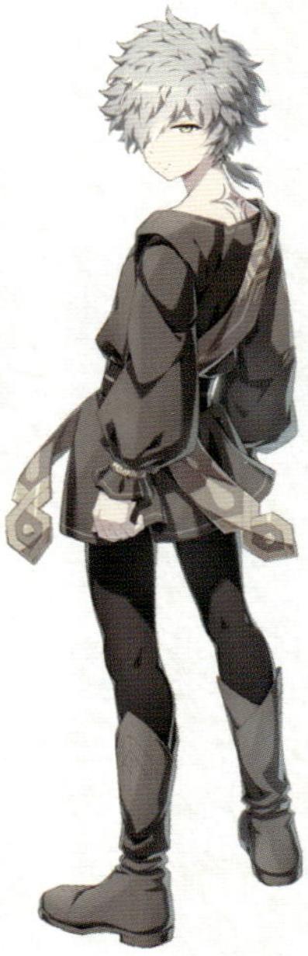

장발에 파마머리는 참 어렵죠...자칫 잘못하면 귀부인이 되어버리는 일이...
그렇게 안 보인다면 성공!! 제가 그린 남자 캐릭터중에 손가락에 꼽는 애정 캐릭터입니다.
어려운 컨셉인데 결과적으로 잘 나와준 것 같아서 더욱 뿌듯했던 작업이었습니다.

에피소드2
스트라제스
파스투스
타이틀로고
신을 죽인자
Epic 7 SEVEN
카메라를 차가운 시선으로 내려다보는 스트라제스(검 들고 있지 않음) 스트라제스의 망토가 씬전체를 집어 삼키는듯한 느낌으로
둥글게 펼쳐져 있고 안쪽으로 광활한 우주가 펼쳐져있는 모습. 스트라제스의 머리위 먼곳 강렬한 파스투스의 존재가 보입니다

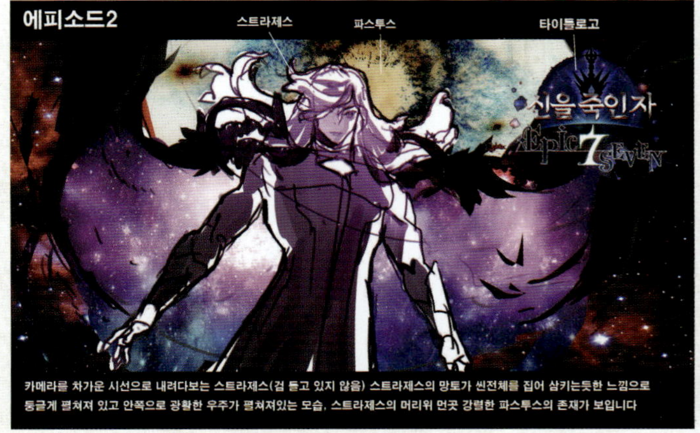

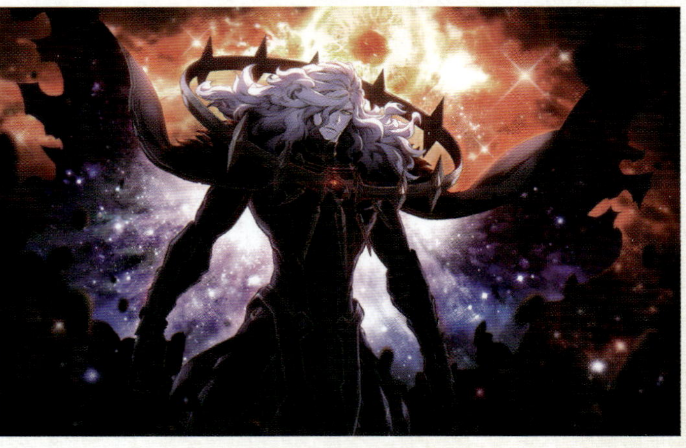

릴리벳
Lilibet

★★★★★

귀여운 외형에 반전되는
츤데레같은 표정과
송곳니를 가지고 있는 릴리벳입니다.

◆→ Comment

악역이지만 미워할 수 없는 우리의 릴리벳.
디자이너 콘셉트로 앙칼진 매력을 가진 귀여운 악역을 기획하고 싶었습니다!

로앤나
Roana

★★★★★

본질을 꿰뚫어보는
비운의 무녀

"보입니다. 청명하게 빛나는 당신의 근원이."

CV.김현심

특유의 흐릿한 눈빛이
로앤나의 매력 포인트면서
특수한 능력이지만,
그 눈빛 때문에 많은 상처를
가지고 있는 비운의 무녀를
표현하려고 노력했습니다.

처진 눈에 눈빛이 흐리다

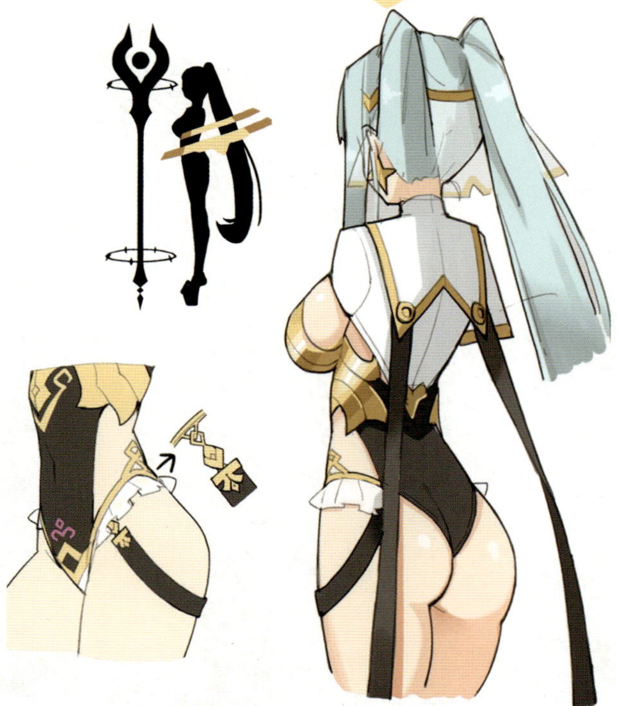

Comment

스트라제스의 이해자입니다. 그녀의 영혼은 스트라제스가 만든 공간에 갇혀 있지만,
아이러니하게도 그렇기에 스트라제스를 유일하게 이해하고 연민을 느끼는 캐릭터로
세심한 내면 묘사에 힘을 쏟았습니다.

연계영웅 - p.154

루루카
Luluca

★★★★★

연계영웅 - p.059 | p.158

Comment

복수를 위해 차원을 넘은 긍지 높은 무녀입니다. 에피소드2는 복수라는 무거운 키워드와 루루카의
발랄한 매력이 교차하는 에피소드입니다. 루루카가 아니었다면 에피소드2는 정말 무거운 내용이
되었을 듯하네요.

바다 향기 루루카
Ocean Breeze Luluca

★★★★★

반짝이는 모래사장을 누비는
말괄량이 아르바이트생

"루루카 님이 준비한 특별 서비스가 궁금해?
그럼 마음껏 주문해!"

CV.이용신

바다휴양지에서 아르바이트를 하며
쥐로 변한 비올레토와 지낸다!! 라는
설정이 인상 깊었고, 시원한 아이스크림
판매원이 루루카의 비주얼과도
어울릴 듯하여 발랄하고 활동적인
모습을 강조하여 디자인하였습니다.

Comment

바다향기 루루카의 의상은 비올레토와 함께 여름을 보내기 위해 준비한 의상이라는 설정입니다.
제멋대로지만 사랑스러운 성격이 드러나는 것 같네요. 루루카와 함께 여름휴가를 떠나고 싶습니다.

연계영웅 - p.058 | p.158

비올레토
Violet

★★★★★

자유로운 영혼을 지닌
세상에 둘도 없는 나르시스트

"하하, 드디어
나의 시대가 도래했도다!"

CV.홍범기

언개영웅 - p.061

Comment

진지한 이야기에서 나름의 개그를 담당한 비올레토.
나르시시즘이 과하지만 허당 느낌이 있어 극에 활력을 불어넣는
감초 역할을 톡톡히 해낸 것 같습니다.

잔영의 비올레토
Remnant Violet

★★★★★

╼◦❦ Comment

잔영의 비올레토가 가진 진짜 꿈은 모든 것이 끝난 뒤,
지배자 릴리아스와 평범한 나날을 보내는 것이었습니다.

연계영웅 - p.060

퓨리우스
Furious

★★★★

아킨의 철권 통치를 이끄는
단호한 성격의 시티로드

"책임질 사람이 필요한가?"

CV.오인성

척박한 곳의 영주님을 떠올리면서 작업한
기억이 납니다. 그래서인지 따뜻해 보이는
디자인이 된 것 같네요.

⟶ Comment

퓨리우스는 철저한 원칙주의자로 지도자는 사람이 아니라 조직을 섬기는 것이라는 철학을 가지고
있습니다. 이런 신념으로 인해 자신의 딸인 세리스와도 대립을 이루는데요.
굳은 신념을 가진 강인한 캐릭터의 모습을 무게감 있게 표현하고 싶었습니다.

세리스
Cerise

더 나은 미래를 꿈꾸는
아킨의 행정가

"반가워요.
우린 서로 도움이 될 것 같군요."

CV.서지연

퓨리우스와 부녀지간임을 알고 작업해서 같은
장식을 달아 포인트를 주었던 기억이 납니다.
외형은 어머니를 닮지 않았을까~ 하고
디자인했던 기억이 나네요. 똑 부러지는
인상을 주고 싶어서 도톰한 눈썹을
그려주었습니다.

- 짙은 눈썹
- 아래 속눈썹 강조

⟶ Comment

세리스를 통해 합리적이고 재능 있는 행정가의 모습을 그리고 싶었습니다.
아버지인 퓨리우스와 대척점을 이루는 인물로 아버지의 강한 신념과는 반대되는
조율가로서의 면모가 돋보이게 하기 위해 애를 썼던 기억이네요.

파벨
Pavel

★★★★★

Comment

파벨 본인은 인정하고 싶어 하지 않지만, 그의 가장 친한 친구는 비올레토입니다.

릴리아스
Lilias

★★★★★

"퍼루티아 가문의 릴리아스다.
너도 내 가문의 이름 정도는 들어봤겠지?"

CV.정유미

개인적으로 좋아하는 칼단발과 비대칭 헤어 디자인을 넣을 수 있어서
좋았습니다. 후속 작업자분들은 힘드셨을 것 같아요.

❧ Comment

능력의 한계를 넘어선 야심을 가진 캐릭터입니다.
통제와 독재를 통해 보여주는 카리스마는 에픽세븐 캐릭터 중 가장 으뜸입니다.

비비안
Vivian

★★★★★

"나의 마법이, 그대의 힘이 되기를."

CV.곽규미

언계영웅 - p.067

⟨⟩⟶ Comment

위치헤이븐을 통치하는 냉철한 마도사 비비안은 사실 외로움을 많이 타는 성격입니다.
그래서 일과 마법 연구에 더욱 몰두하게 되었죠.

악역 영애 : 비비안
Vivian : Villainess

★★★★★

> "주인을 대하는 법을 가르쳐 줘야겠네."
>
> CV.곽규미

◦◦◦ Comment

비비안이 독설을 내뱉는 악역이 된다면 어떨까 고민하며 설정을 잡았습니다.
까칠한 비비안도 매력적이라는 생각을 하며 작업을 했습니다.

연계영웅 - p.066

카웨릭
Kawerik

★★★★★

❧ Comment

복수를 위해 멸망을 꿈꾸는 카웨릭! 그런 카웨릭의 내면에는,
자기혐오에 기반한 괴로움이 내재해 있습니다.
결국 강화 마법사가 되는 것을 선택한 것도 그런 자기혐오의 발로이기도 합니다.

레이
Ray

"환자는 어디에 있죠? 당신이 환자인가요?
음... 상태가 안 좋아보이기는 하는데..."

CV.심규혁

반묶음 단발(어깨 길이)

상냥한 의사선생님! 머리에 붙은 잎과 허브는
겉모습보다 일에 몰두하는 성격을 드러낸 부분입니다.
역병 의사를 모티브로 한 가면을 디자인했는데,
작중에 얼굴에 씌울 일은 없었네요.

❧ Comment

신분을 막론하고 아픈 사람은 누구든 치료하는 의사 레이는 예의 바른 청년입니다.
은근슬쩍 농담을 섞어서 말을 거는 경우가 많습니다. (물론 농담을 알아차리기는 매우 힘듦)

엘레나

Elena

★★★★★

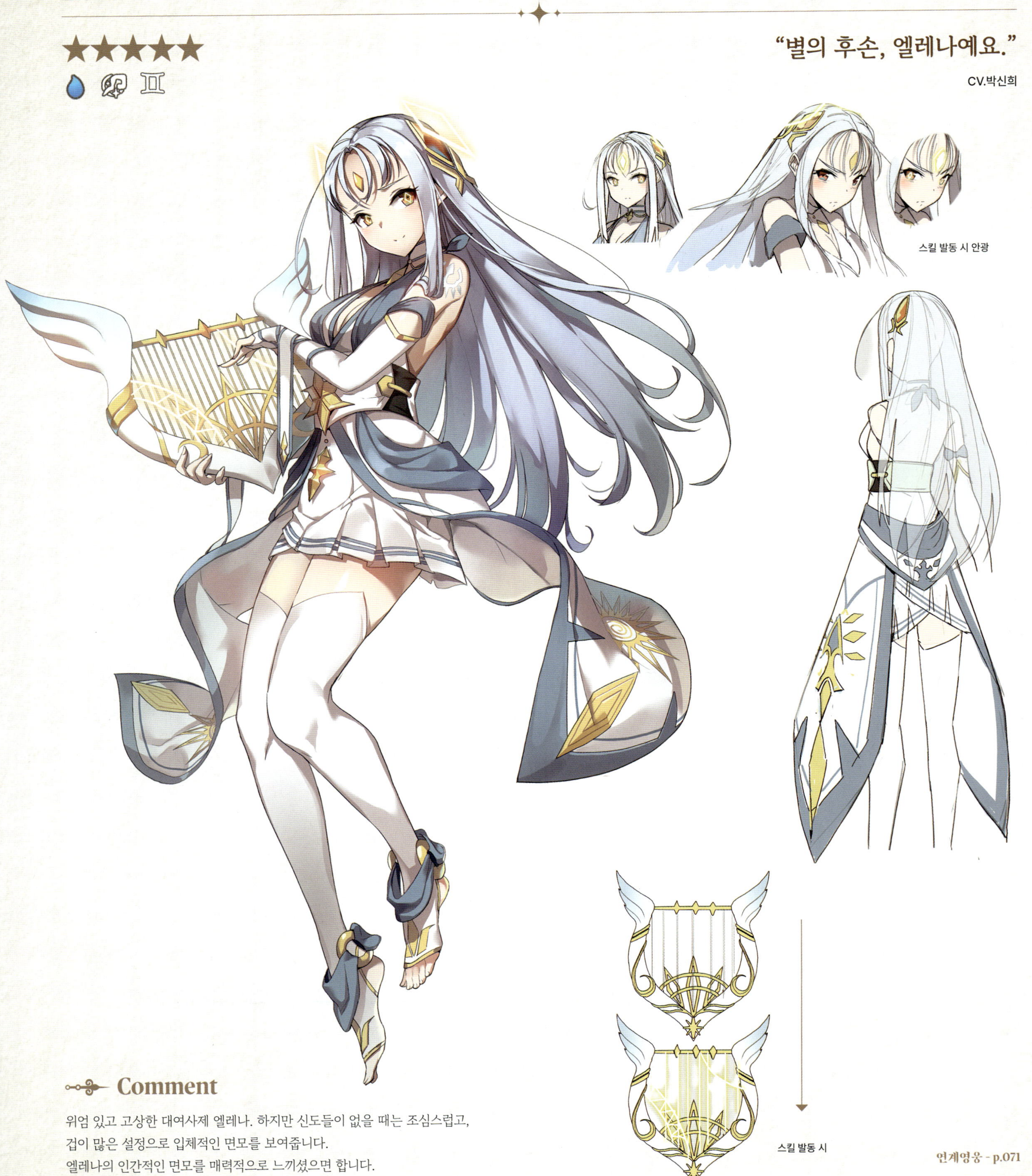

빛나는 별을 바라보는
콘스텔라의 고위 사제

"별의 후손, 엘레나예요."

CV.박신희

◈— Comment

위엄 있고 고상한 대여사제 엘레나. 하지만 신도들이 없을 때는 조심스럽고,
겁이 많은 설정으로 입체적인 면모를 보여줍니다.
엘레나의 인간적인 면모를 매력적으로 느끼셨으면 합니다.

연계영웅 - p.071

성야의 선율 : 엘레나

Elena : Starlit Melody

★★★★★

크리스마스 하면 흔히 떠올리는 이미지보다
크리스마스의 별, 조명 등의 분위기를 떠올리며 기존보다
한층 더 귀여우면서도 화려한 드레스를 입은
엘레나를 디자인했습니다.

∽∻ Comment

크리스마스 스킨인 듯 크리스마스 스킨 아닌 스킨...인 엘레나의 야심 찬 복장입니다.
콘스텔라의 대제사로서 가능한 많은 이에게 그 모습을 보여주고 싶어 하지만,
칭찬을 받고 싶은 대상은 따로 있는 것이 포인트입니다.

연계영웅 - p.070

Ep.3 설원에 울리는 찬가
Hymn of a Wailing Tundra
072

"기뻐하거라, 루키우스. 적어도 쓸데없이 날 부른 죄로
네 혈족이 몰살당할 걱정은 하지 않아도 되겠구나."

"나를 죽이고 싶었다면 팔이 아니라 다른 곳을 노렸어야지.
단번에 숨을 끊을 수 있는 드래곤의 역린. 이곳을 노려보거라."

폴리티스
Politis

★★★★★

폴리티아를 건국한
외행성의 마지막 생존자

"당신의 친구, 연인, 가족. 모두 만들어 줄 수 있어요...
인간보단 훨씬 나을 거라 장담해요..."

CV.이지영

기술자 설정에 문학소녀계 분위기를 더하고 싶어
숄과 머리장식을 넣었고, 동양 복식의 이국적인 의상으로
다른 별의 생존자라는 설정을 강조했습니다.
비극적인 서사를 가지고 있는 영웅이라,
표정도 감정적으로 보일 수 있도록 신경 썼습니다.

⟡— Comment

폴리티스의 특기는 자동인형 만들기입니다.
주변에 둥둥 떠다니는 인형들은, 폴리티스가 직접 만들었죠.
소심한 성격 탓에 친구가 없어서 인형을 만들기 시작했어요.
그렇기 때문에 폴리티스의 삶 속에서 진짜 친구라 확신한 존재는... 에다가 유일합니다.

연계영웅 - p.077 | p.188

여우 신사의 무녀 : 폴리티스
Politis : Maiden of the Fox Shrine

★★★★★

여우 가면을 쓴 검은 머리 무녀가 초기 기획이었습니다만,
폴리티스 특유의 느낌을 가져가고 싶었기에
기존 캐릭터에게서 보이는 은방울꽃 같은 머리 장식을
등꽃으로 치환해 어울리는 조형과 패턴을 고민했던
기억이 납니다. 무속의 색채를 좀 더 대중적으로 전달하고자
방울의 모양을 등꽃 다발처럼 디자인하고 끈을 파스텔 색조로
바꿔 신비로운 느낌을 더해주었습니다.

⚘ Comment

ECL 2024 우승자 스킨으로 제작되었습니다.
쇠락한 폐신사를 지키는 무녀라는 설정을 덧붙여 매력을 더했습니다.

연계영웅 - p.076 | p.188

플랑
Flan

★★★★★

도시 이익을 대변하는
폴리티아의 외교장관

"당신은 내 아군? 아니면 적?
지금은 어느 쪽이든 상관없어요.
결국엔 내 편에 설 테니까."

CV.박고운

랑디를 의식해 작업했습니다. 키 큰 동생과 작은 언니의 조합,
좋지 않나요? 최신형 다운 관절과 실루엣, 외교장관 설정에 맞
춘 승무원 모자와 깃발, 겉으론 호의적이지만 속은 계산적일
것 같은 분위기를 더했습니다.

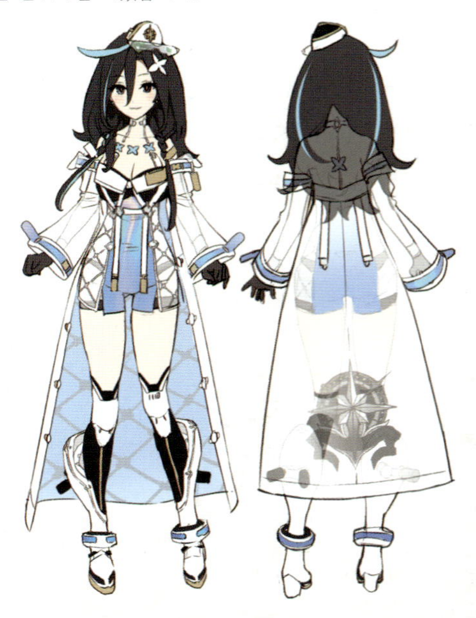

⟜ Comment

플랑의 은밀한 취미 생활 : 언니인 랑디를 촬영한 영상을 주기적으로 돌려본다.

연계영웅 - p.079 | p.180 | p.181

한낮의 유영 플랑
Afternoon Soak Flan

★★★★★

유유히 휴가를 즐기는
폴리티아의 관광객

"언니랑 함께하는 휴가라니!
영영 끝나지 않았으면 좋겠어요."

CV.박고운

입욕으로 따끈촉촉한 느낌을 살려보려고
했습니다. 온천욕하는 로봇이라니, 폴리티아
안드로이드의 발전이 대단하네요.

⟡ Comment

플랑은 본래도 매력적인 캐릭터지만,
언니와 함께 휴가를 떠나 들뜬 모습을 중심으로 그려내보고자 했습니다.
물론 카논과 라이카가 함께하며 플랑이 생각한 휴가와 조금 멀어지게 되었지만요.

언개영웅 - p.078 | p.180 | p.181

랑디
Landy

★★★★★

"폴리티아의 경찰청장, 랑디라고 한다.
수상한 사람을 발견하거나 범죄에
관련한 정보를 얻으면 바로 연락하도록."

CV.김새해

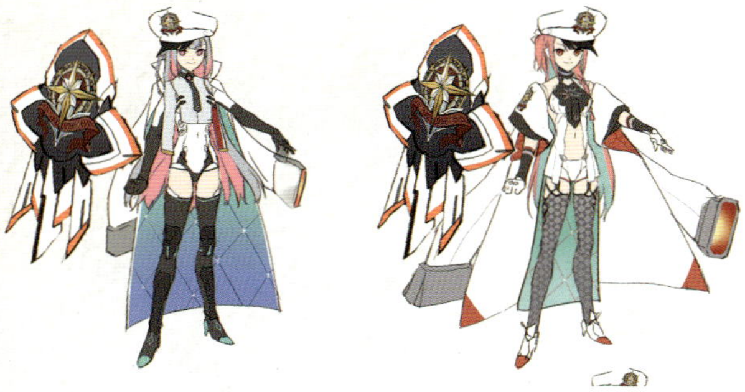

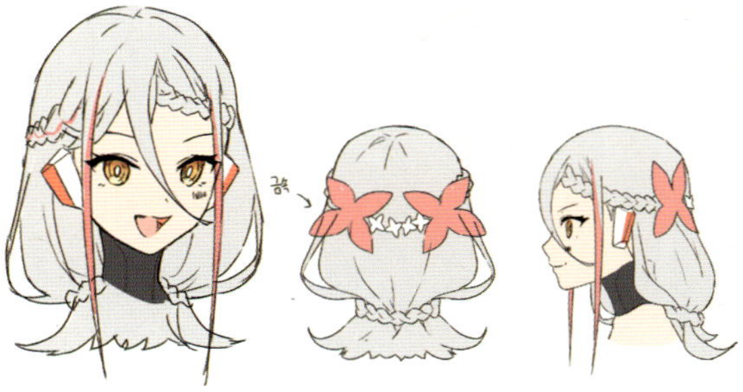

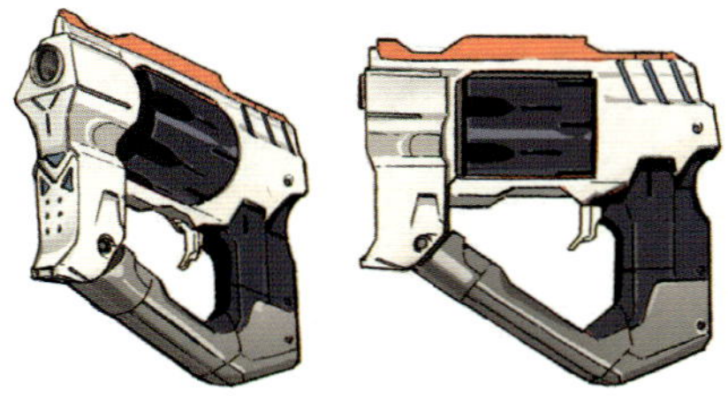

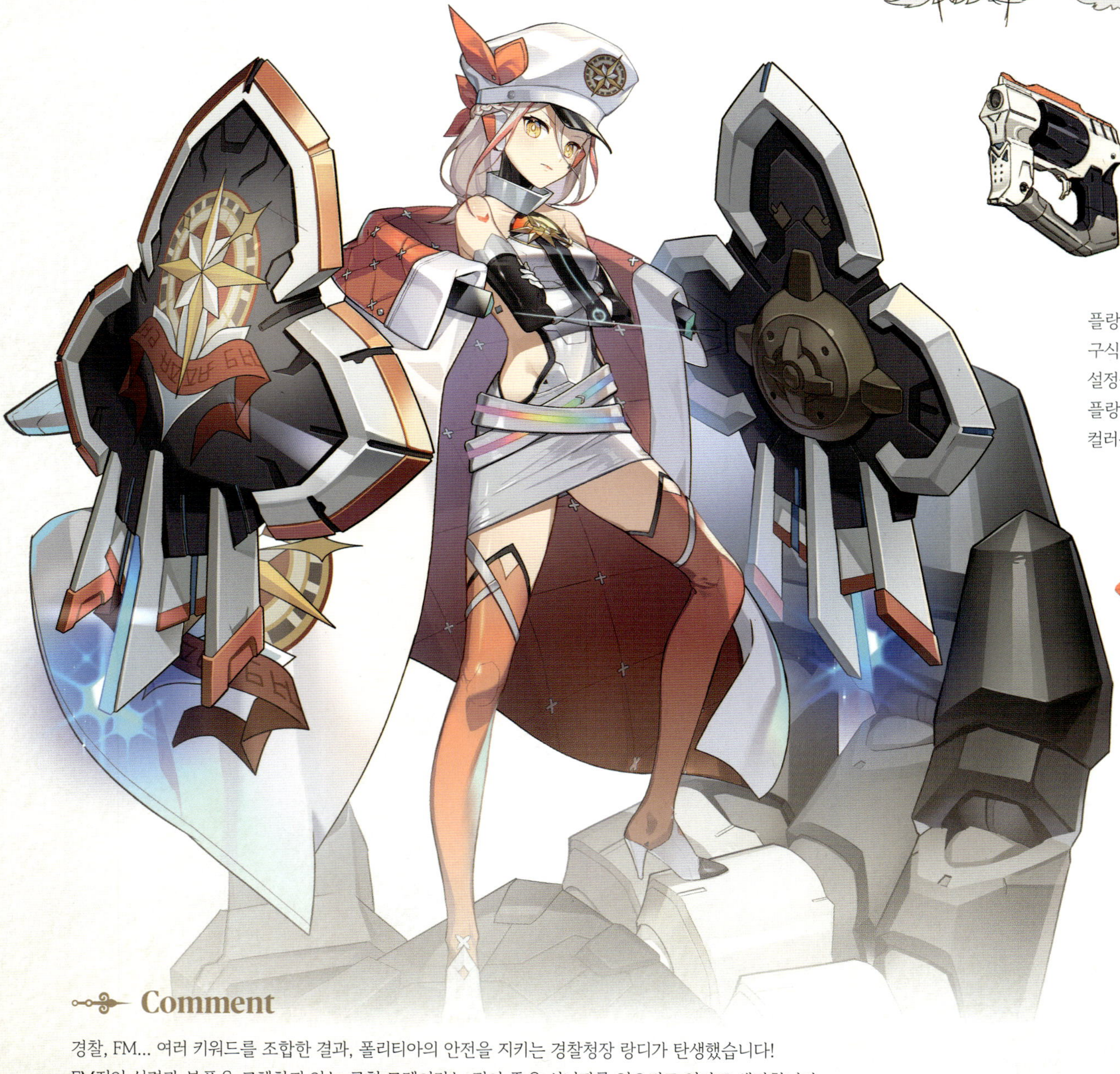

플랑이 나오기 전이라,
구식 안드로이드
설정을 가장 의식했었네요.
플랑 작업자분께서 디자인이나
컬러를 너무 잘 맞춰 주셨습니다.

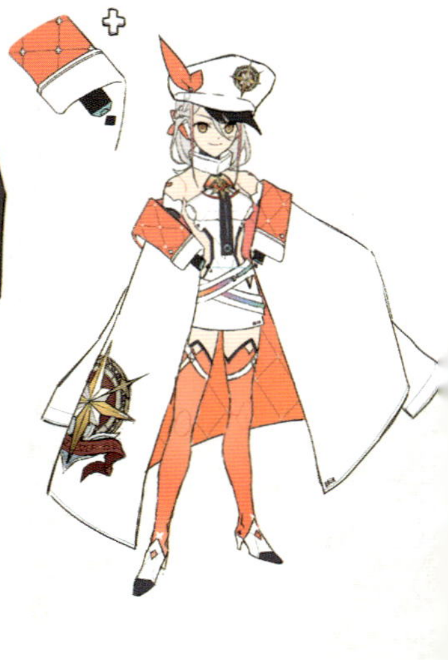

❖ Comment

경찰, FM… 여러 키워드를 조합한 결과, 폴리티아의 안전을 지키는 경찰청장 랑디가 탄생했습니다!
FM적인 성격과 부품을 교체하지 않는 구형 모델이라는 점이 좋은 시너지를 일으키고 있다고 생각합니다.

연계 영웅 - p.178

지휘형 라이카
Command Model Laika

★★★★★

Comment

여러분은 구형과 신형의 차이가 무릎 관절에 있다는 사실을 아셨습니까?
기존 NPC 라이카와는 모델부터 성격까지 큰 차이가 있습니다.
유능하고 멋진 신형이라는 느낌이네요.

폭격형 카논
Bomb Model Kanna

★★★★★

"논논은 말이지, 아주아주 큰 폭발을
만들어보고 싶어. 그 러 니 까,
당신이 논논을 도와줬으면 해."

CV.김채하

⤳ Comment

비행과 폭격 특화형 자동인형이라는 설정 때문인지, 카논이 등장하면 시원시원한 전개가 됩니다.
자기 자신 외에는 [논논]이라는 애칭을 불러주는 사람이 없다는 설정이었습니다.

연계 영웅 - p.083

특별한 선물 : 폭격형 카논
Bomb Model Kanna : Special Gift

★★★★★

"논논~준비 완료야!"

CV.김채하

Comment

산타 걸 카논! 루돌프가 필요 없다는 점에서 극도로 효율적이네요.

연계 영웅 - p.082

벨리안
Belian

★★★★★

"당신은 저의 도시에 필요한 재원이에요."

CV.김보나

기계장치의 신 같은 존재가
우아한 모습으로 라스 일행 앞을 막아서는
장면을 떠올리며 작업했습니다.

살짝 생동감은 있지만 많이 흔들리지 않는 밑단
(뱀/문어다리 모티브)

가볍거나 팔랑이는 재질 X
덩어리감 느껴지고 살짝 묵직

연계 영웅 - p.085

◦─◦⟡ **Comment**

벨리안은 오직 불멸의 도시를 건설하여 폴리티스의 고향 [파라디아]의 문명을
영구히 존속시키라는 사명을 수행하고 있을 뿐입니다.
그 길을 가로막는 자는 누구라도 용납하지 않으며,
그 대상이 심지어 그의 창조주인 폴리티스라 할지라도 예외는 없습니다.

손 끝의 선율 : 벨리안
Belian : Harmonic Conductor

★★★★★

"더 상대해야 할까요?"

CV.김보나

⚔ Comment

폴리티아라는 오케스트라를 한 치의 오차 없이 지휘하는 마에스트라를 상상하며 작업했습니다.
전능한 능력을 가진, 우아하고 아름다운 마에스트라의 모습이네요.

연계 영웅 - p.084

에다

Eda

★★★★★

불행과 함께 태어난
음지의 대마법사

"저를... 저주하세요."

CV.김채하

오랜 시간 배척 당해 음울한 성격의 에다를
어두운 분위기 속에서도
매력 있게 보여드리려 최선을 다했습니다.

밑으로 갈수록
볼륨있는 헤어

⤙⤚ Comment

[살아있으면, 언제고 좋은 날이 온다].
그 좋은 날을 에다에게 선물해 주고 싶었습니다.

연계 영웅 - p.087

축제의 에다
Festive Eda

★★★★★

마물은 무섭지 않지만
수영복은 두려운 대마법사

"솔리타리아... 안 보인다 했잖아요!"

CV.김채하

Comment

친구 없는 에다에게 친구를 만들어주자!!라는 발상에서 기획되었습니다.
이전보다 한 뼘 더 성장한 에다가, 다른 사람에게 받았던 사랑을 프리다에게도 전해주는 모습을
그려내고 싶었습니다. 또한 부끄러움 많은 에다가 설국이의 계략에 빠져
예쁜 수영복을 입은 모습도 보고 싶었고요. 리액션이 좋은 에다이니만큼, 웃으면서 작업했습니다.

연계 영웅 - p.086

슈니엘
Schniel

★★★★★

보통　　　　전투

슬픔　　　　웃음

당황　　　　특징1

특징2　　　　특징3

✦ Comment

에피소드나 외전에서 이미 많은 이야기를 보여준 후 출시된 영웅이었기 때문에, 캐릭터 서브스토리를 통해
계승자님들의 눈길이 닿지 않은 동안 레펀도스 왕실 인물들이 어떤 방식으로 각자의 입장과 감정을 정리하였는지를 보여드리는 것에 집중했습니다.

디기터스에서 슈니엘로 등장하기 위해 꽤 오랜 기간을 필요로 하여서,
플레이어블까지 진행되었을 때 무척 기뻤네요. 슈니엘의 모습은 디기터스 시절일 때부터
그려두었기 때문에 시작이 수월했습니다. 왕의 모습을 했을 때 소탈함, 나긋함, 여유로움이
느껴질 수 있도록 몇몇 디자인 요소들을 추가해 주었습니다.
컬러톤은 다르지만 로만, 타이윈, 에르발렌과 통일감을 줄 수 있도록 했습니다.

로만

Romann

레펀도스 왕국 기사단장
시니컬한 독설가

★★★★

"만나서 반갑군."

CV.정재현

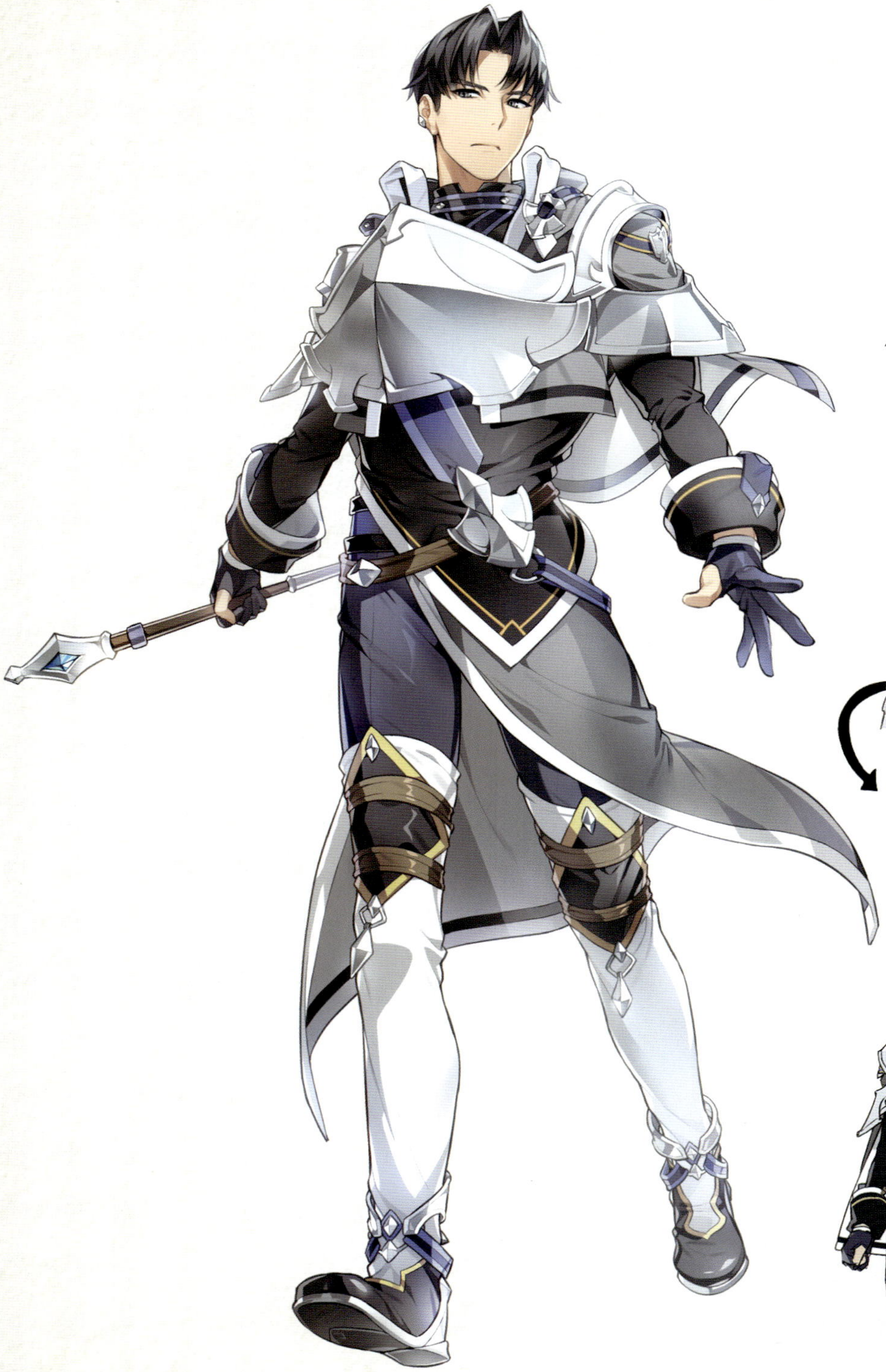

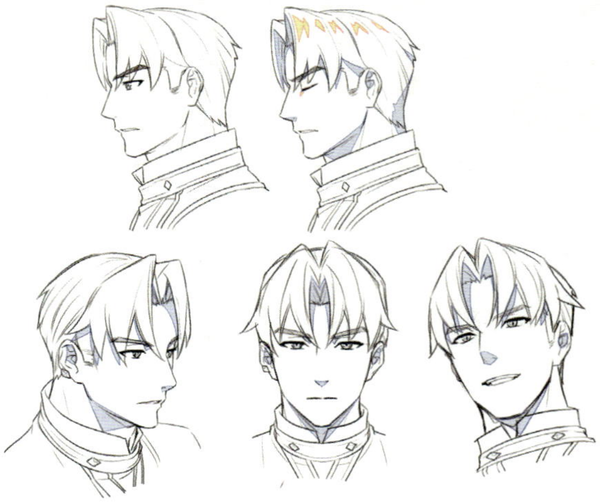

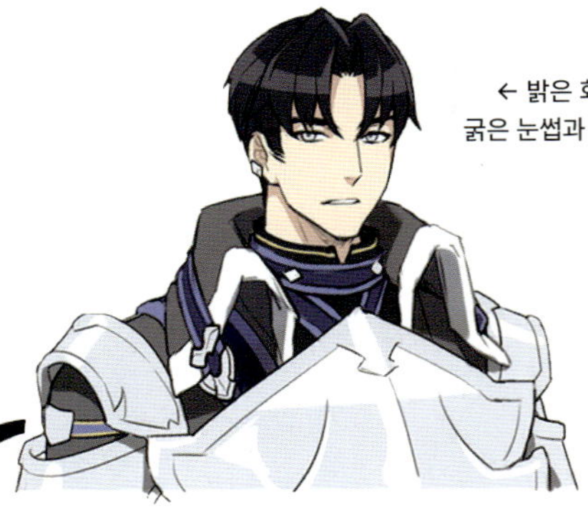
← 밝은 회색 눈+흑발
굵은 눈썹과 쌍커풀 없는 눈.

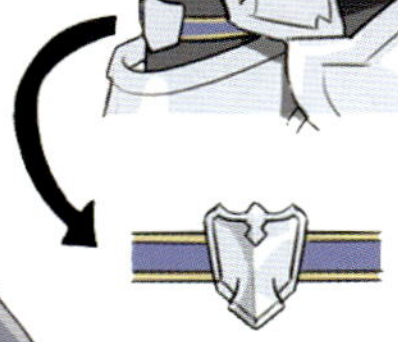

골격이 도드라진, 두꺼운 선을 가진 차가운 인상의 미남을 그리기 위해 노력했습니다. 타이윈과 함께 디자인하였는데요. 둘의 성격은 정반대지만 쿵짝이 잘 맞는 마법사와 기사 같은 느낌이지 않을까~ 했습니다.

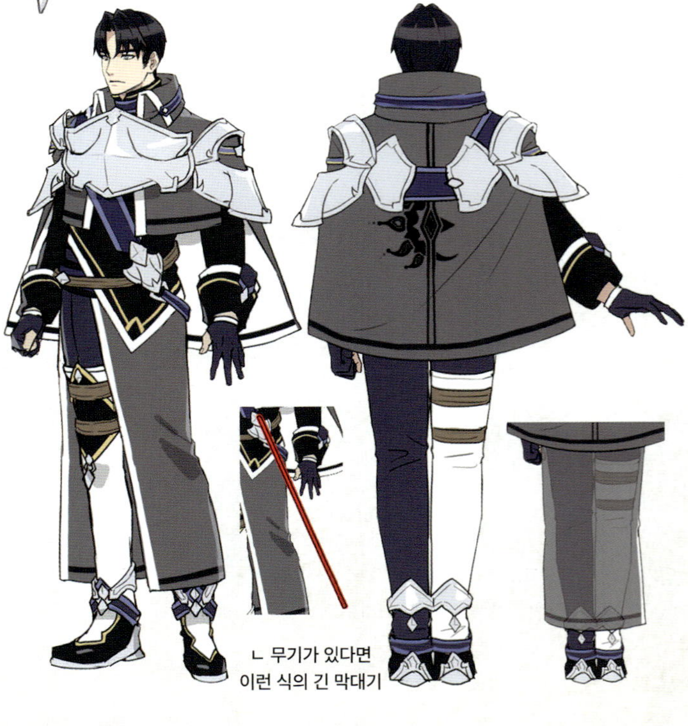
ㄴ 무기가 있다면
이런 식의 긴 막대기

Comment

냉소적이고 유능한 독설가 로만.
그런 그의 취미는 저택 뒤편에 만든 작은 텃밭을 만들어 돌보는 것입니다.

타이원
Tywin

★★★★★

"진심을 다해, 당신을 따르겠습니다."

CV.김영선

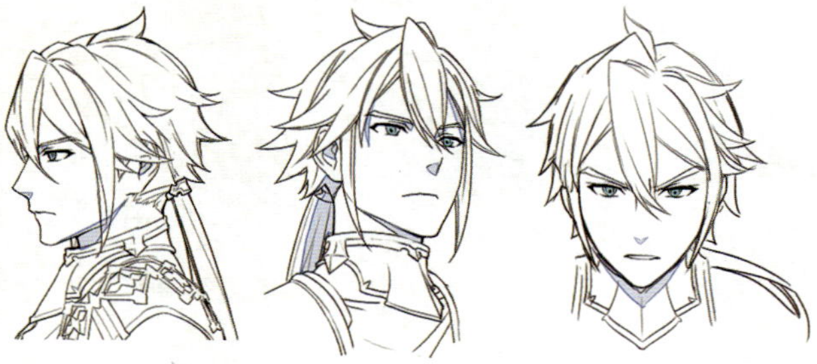

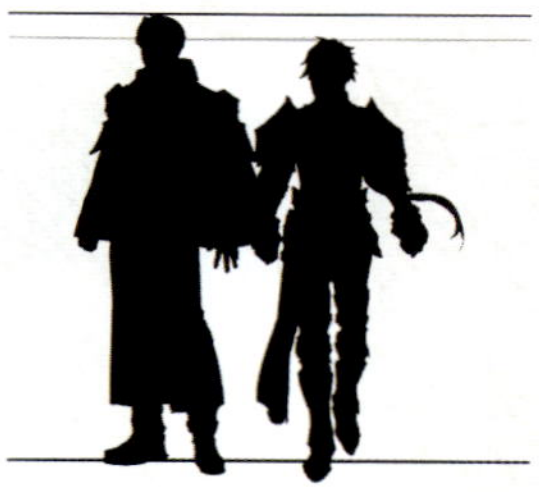

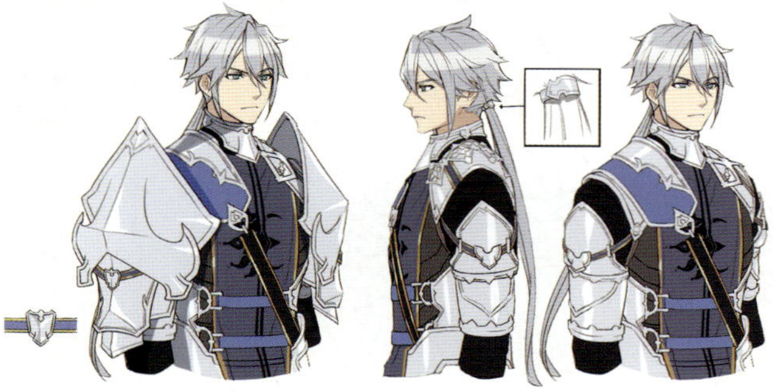

충직하고 곧은 이미지의 기사님입니다.
어쩐지 타이원은 훈련을 엄청 열심히 하는데도 살이 안탈 것
같은 이미지, 뭔가 쉬는 날에도 기사복을 입고 다닐 것 같은
이미지가 있네요.

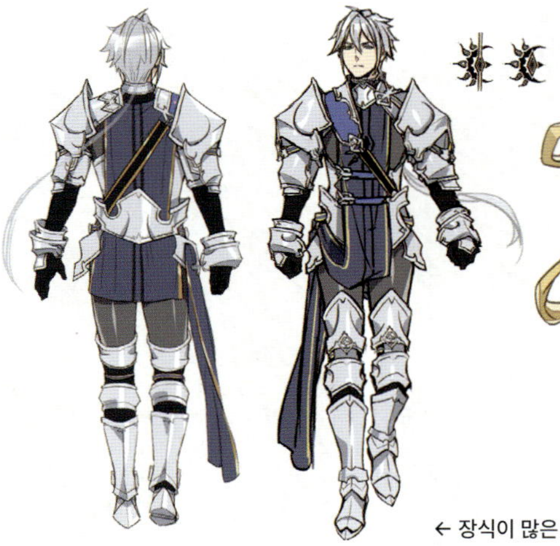

← 장식이 많은 경갑옷
- 물색의 눈과 은색 머리
길게 내려 묶은 머리는
허벅지 언저리까지 내려옴

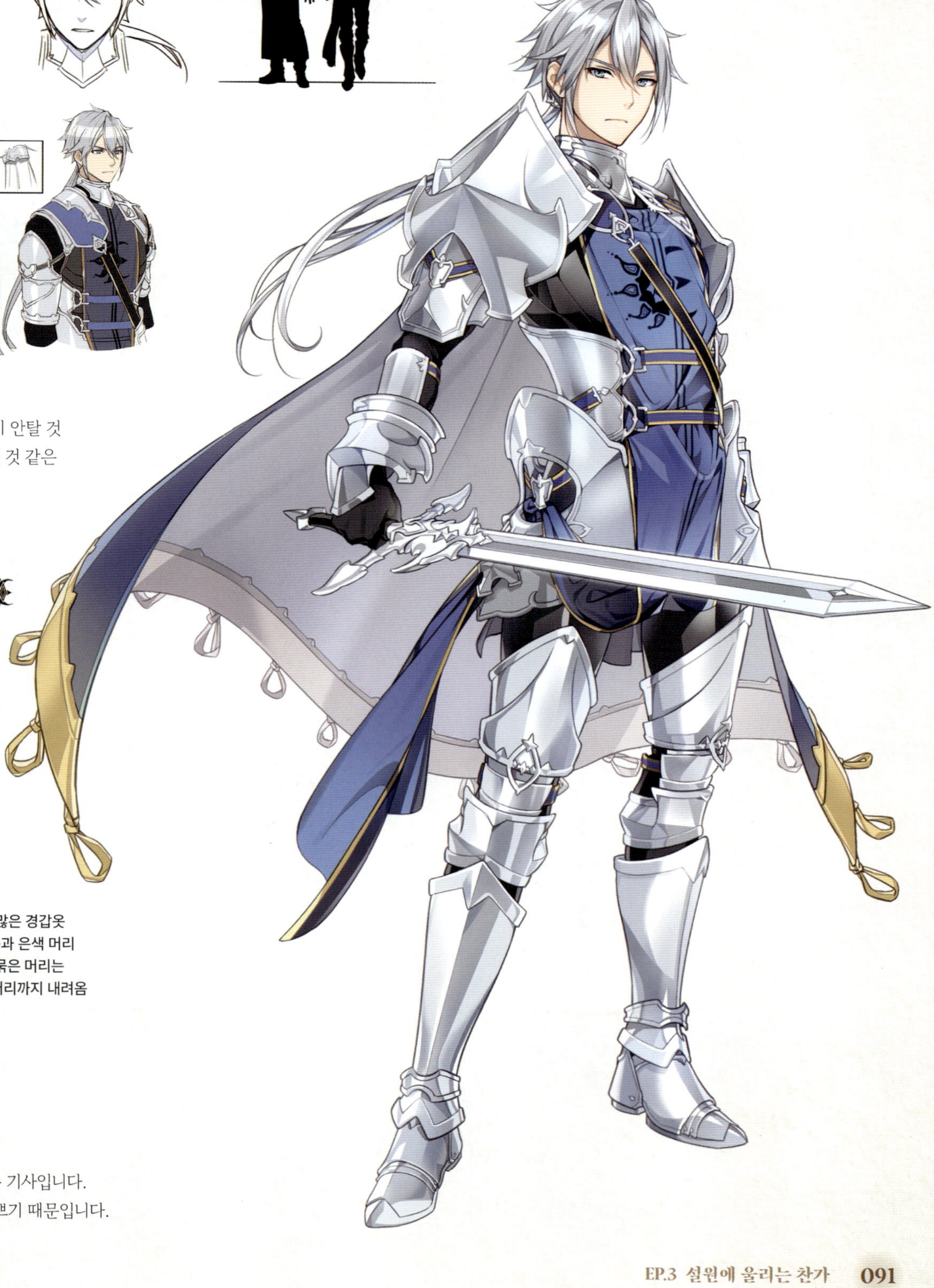

⚜ Comment

임기응변에 약하고 고집이 센, 어찌 보면 정도를 걷는 기사입니다.
늘 기사 정복만 입고 다니는 이유는 사복 센스가 나쁘기 때문입니다.

에르발렌
Ervalen

★★★★★

모두에게 인정받고자 하는
레펀도스 왕실의 서자

"그대가 원하는 것을 말해. 뭐든지 쥐여주지.
대신 피도 눈물도 흘리지 않는, 나를 위한 칼이 되어라."

CV.양정화

드문 소년 캐릭터 작업이라 재미있었습니다.
심지어 겉과 속이 다른 점도 재미있었네요.
비대칭적으로 된 디자인이
개인적으로는 만족스럽습니다.

망토 무늬

⟡ Comment

가혹한 가정환경 속에서 스스로를 단련해 온 에르발렌은,
그 사연만큼이나 안쓰러운 면이 있습니다. 의외로 단 음식을 좋아하지만,
이를 드러내는 것을 부끄러워해 몰래 즐긴다는 설정도 더해졌습니다.

일리나브

Ilynav

★★★★★

🔥 🛡 Ⅱ

무뚝뚝하고 잔혹해 보이는 이미지의 용기사, 일리나브입니다.
몇백 년간 전쟁을 해온 나라의 여왕 자리까지 오른 캐릭터이기에
화려한 무구와 의상보다는 다소 투박하지만 강해 보이는 디자인에 신경을 썼습니다.

용맹한 전사들을 이끄는
호전적인 전쟁광

"나와 함께 전장에 선 이상, 죽을 각오로 싸워라.
그러지 않는 자는 내 손에 죽을 테니."

CV.정선혜

Comment

의외로 다정하고 따뜻한 사람에게는 약한 일리나브.
그래서 모로를 진심으로 아꼈는지도 모르겠네요.

연계 영웅 - p.198

루나

Luna

★★★★★

보통   화남

슬픔   웃음

당황   특징1

특징2   특징3

복수를 꿈꾸는
윈텐베르크의 반룡

"나의 운명을, 나의 뿔을,
나의 충성을... 바칠 것입니다."

CV.김보영

Comment

루나는 아름답고 강인한 용족 전사로,
인간과 드래곤이 평화롭게 화합하는 날을 꿈꾸는 존재입니다.
취미인 동화책 읽기도 그런 몽상가적 기질을 보여주고 있습니다.

연계 영웅 - p.192

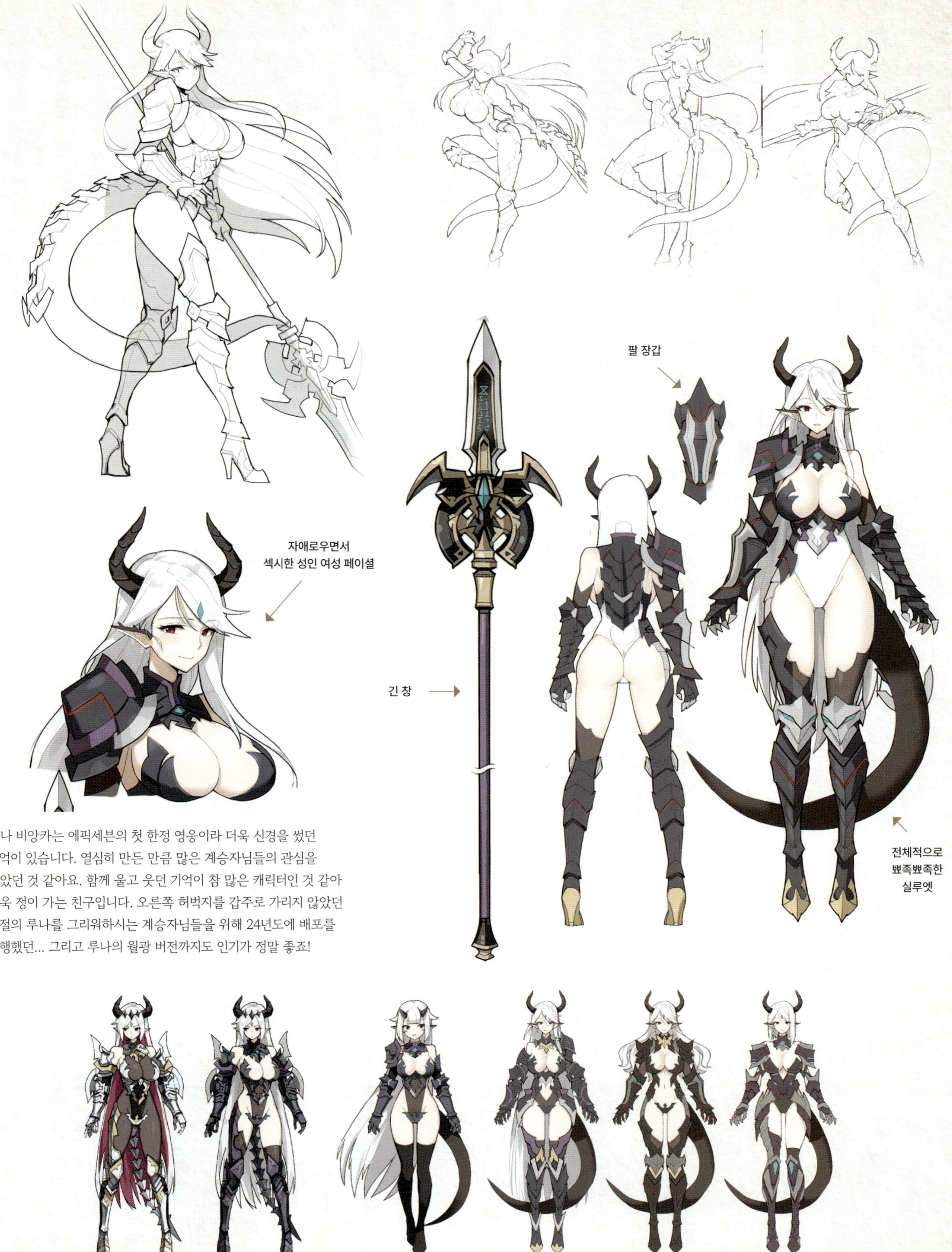

루나 비앙카는 에픽세븐의 첫 한정 영웅이라 더욱 신경을 썼던
기억이 있습니다. 열심히 만든 만큼 많은 계승자님들의 관심을
받았던 것 같아요. 함께 울고 웃던 기억이 참 많은 캐릭터인 것 같아
더욱 정이 가는 친구입니다. 오른쪽 허벅지를 갑주로 가리지 않았던
시절의 루나를 그리워하시는 계승자님들을 위해 24년도에 배포를
진행했던... 그리고 루나의 월광 버전까지도 인기가 정말 좋죠!

유피네

Yufine

★★★★★

앞 페이지에서 눈치채셨을지
모르겠지만 루나 디자인 당시 어린
컨셉으로 나온 버전을 디벨롭한
디자인입니다. 실제로 루나와
유피네는 이부동생이기 때문에
가능했죠. 루나의 자애로운
분위기와 다르게 천진한 아이 같은
페이셜, 그리고 반전되는 글램한
몸매에 신경을 썼습니다.

✦ Comment

에픽세븐의 아이돌, 유피네입니다.
카로의 가르침대로 존댓말을 쓰려 노력하지만, 잘 안된다네요.

연계 영웅 - p.097 | p.194

바캉스 유피네
Holiday Yufine

★★★★★

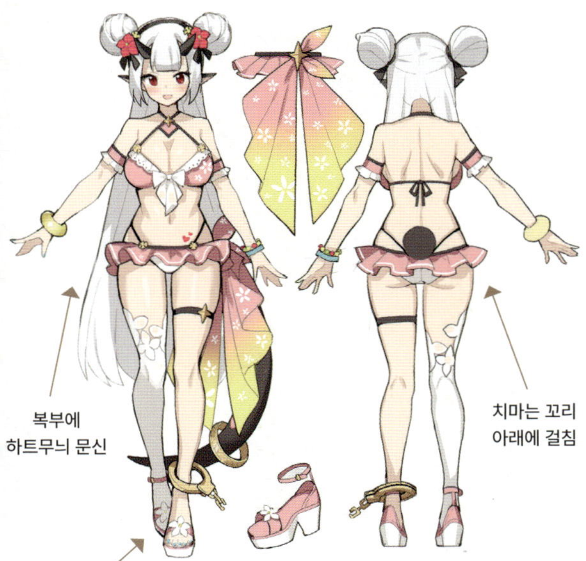

복부에
하트무늬 문신

치마는 꼬리
아래에 걸침

니삭스는
약간 물에 젖어
살짝 살이 비침

글래머러스한 몸매가 기본으로 받쳐주기 때문에
섹시 콘셉트보다는 유피네의 성격을 닮은 귀여운 느낌의
수영복으로 디자인해봤습니다.
기존 유피네는 푸른 컬러지만 속성도 바꾸고 새로운
느낌을 주기 위해 큐트한 분홍색 계열에 프릴 장식을
강조했습니다. 특히 드래곤의 위장을 가진만큼 엄청난
대식가라는 콘셉트에 맞게 휴가지 먹거리들로 스킬의
콘셉트를 잡은 것도 재밌었던 기억입니다!

먹는 것도, 노는 것도 열심히!
기운 넘치는 용족 소녀

"여기도, 저기도! 맛있어 보이는 음식뿐이야~
앗! 이렇게 감탄할 때가 아니지.
빨리 줄부터 서야겠어!"

CV.조경이

Comment

많이 먹고, 많이 웃고, 많이 떠드는 사랑스러운 유피네입니다.
여름에는 바닷가에서 쉬어 줘야 한다는 이유로 여행을 떠났지만,
그 말이 무슨 뜻인지 잘 이해하지는 못하고 있습니다.

연계 영웅 - p.096 | p.194

모르트

Mort

기획보다 젊게 그려졌지만, 오히려 좋은 느낌으로
마무리된 모르트입니다. 스킨이 나온다면,
계승자분들께서는 원본처럼 옷이 사라지길
원하실지, 그대로 남아있길 원하실지 궁금하네요.

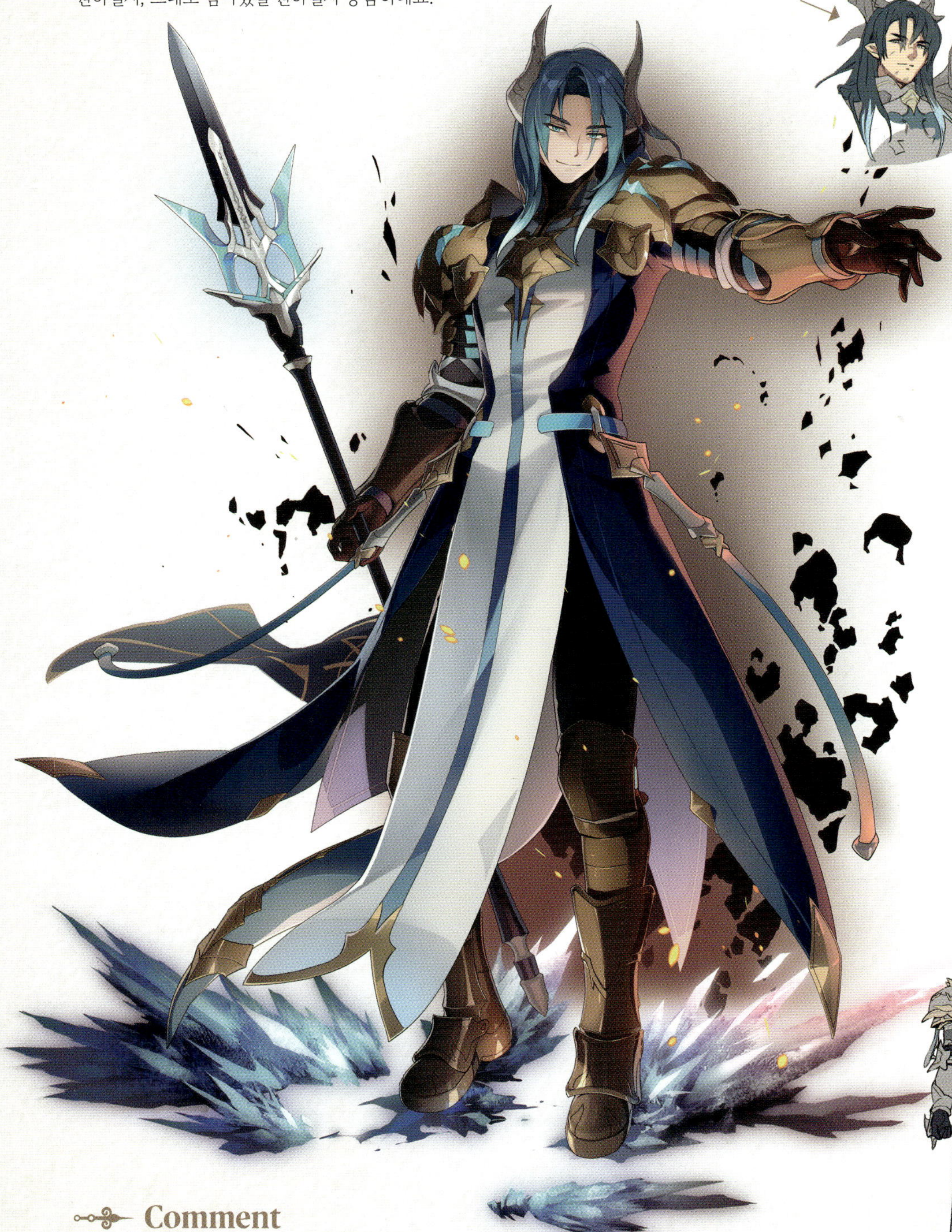

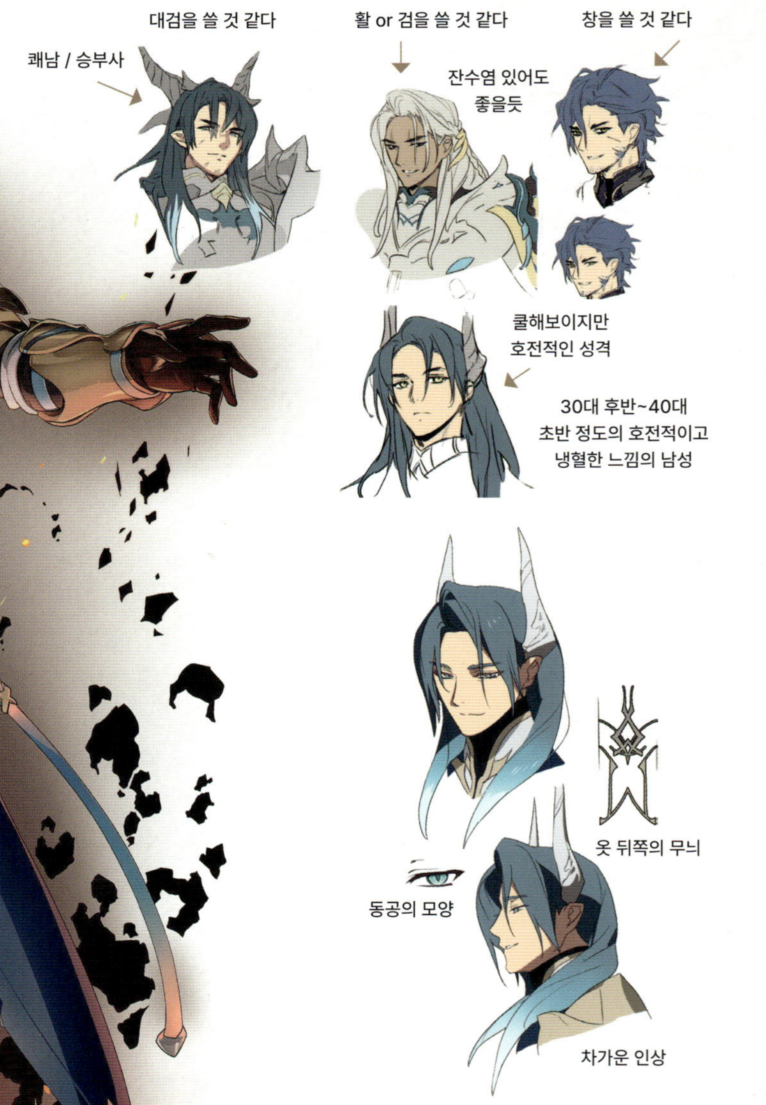

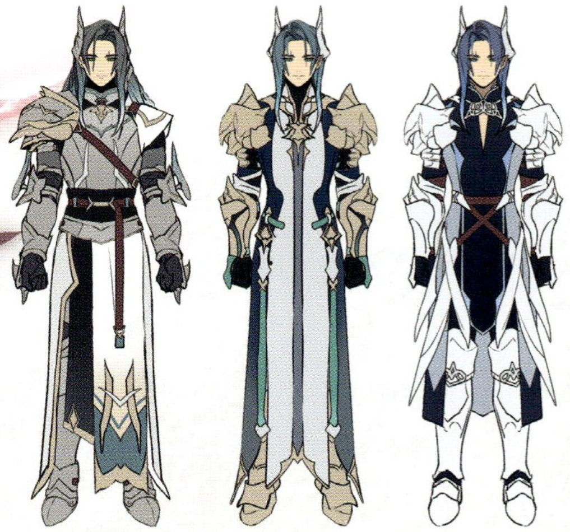

"나는 [위대해진 자, 모르텔릭스].
그대라면 모르트라는 이름으로 불러도 좋다."

CV.표영재

Comment

강자의 여유로움과 느긋함을 보여주고 싶었던 캐릭터입니다.
지독한 마이페이스 성향이라, 광적으로 집착하다가도 흥미가 사라지면 돌연 태도를 바꿔버리는데요.
그런 의미에서 셰나를 향한 집착이 마지막까지 식지 않았다는 점이 아이러니합니다.

세실리아
Cecilia

★★★★★

> "세실리아입니다 친근감 있게,
> 세시라고 부르세요."

CV.최덕희

원텐베르크 왕의 강인함과 굳건함을 표현하기 위해
포즈에 신경을 많이 썼습니다.
우수에 젖은 표정이지만 슬퍼 보이지 않도록 노력했고,
볼륨감 있고 채도가 낮은 갑옷과 드레스에 대비되는
하얗고 창백한 피부 톤이 매력 포인트입니다.

 **Comment**

세실리아의 강함에는 근거가 있습니다.
매일 웨이트 트레이닝을 하고 있거든요.
본의 아니게 가는 곳마다 추종자를 만드는 신념 있고 강직한 성격의 여왕입니다.

연계 영웅 - p.196

알렌시아
Alencia

★★★★★

"시답잖은 일로 내 시간을 뺏을 생각은 아니겠지?"

CV.김채하

나이가 많지만 외형은 소녀라는 키워드로 시작한 캐릭터인데요.
초반에는 신비로운 느낌으로도 잡아보았던 기억이 나네요.
지금은 뽀송뽀송한 에메랄드빛 머리칼을 휘두르는 말랑 할머니
드래곤이 되었습니다. 작은 손이 소매에 가려진 부분을 특히
좋아합니다. 격투 캐릭터인데도요.

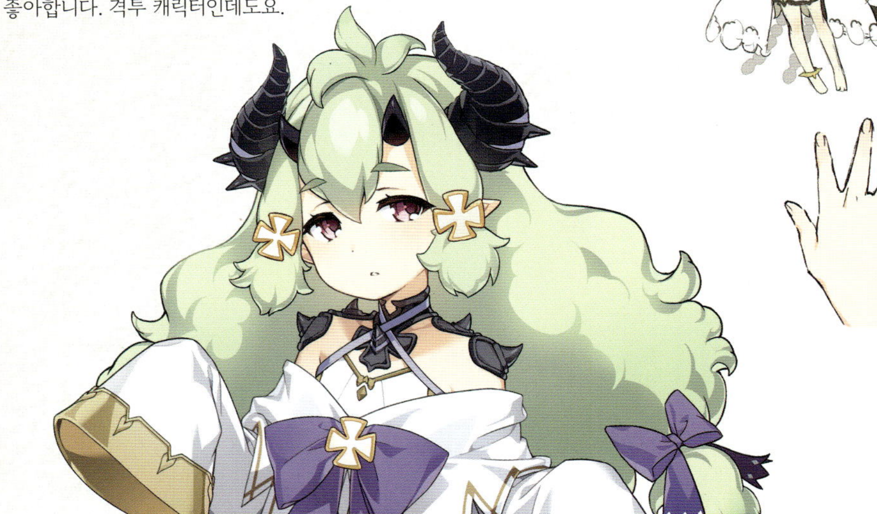

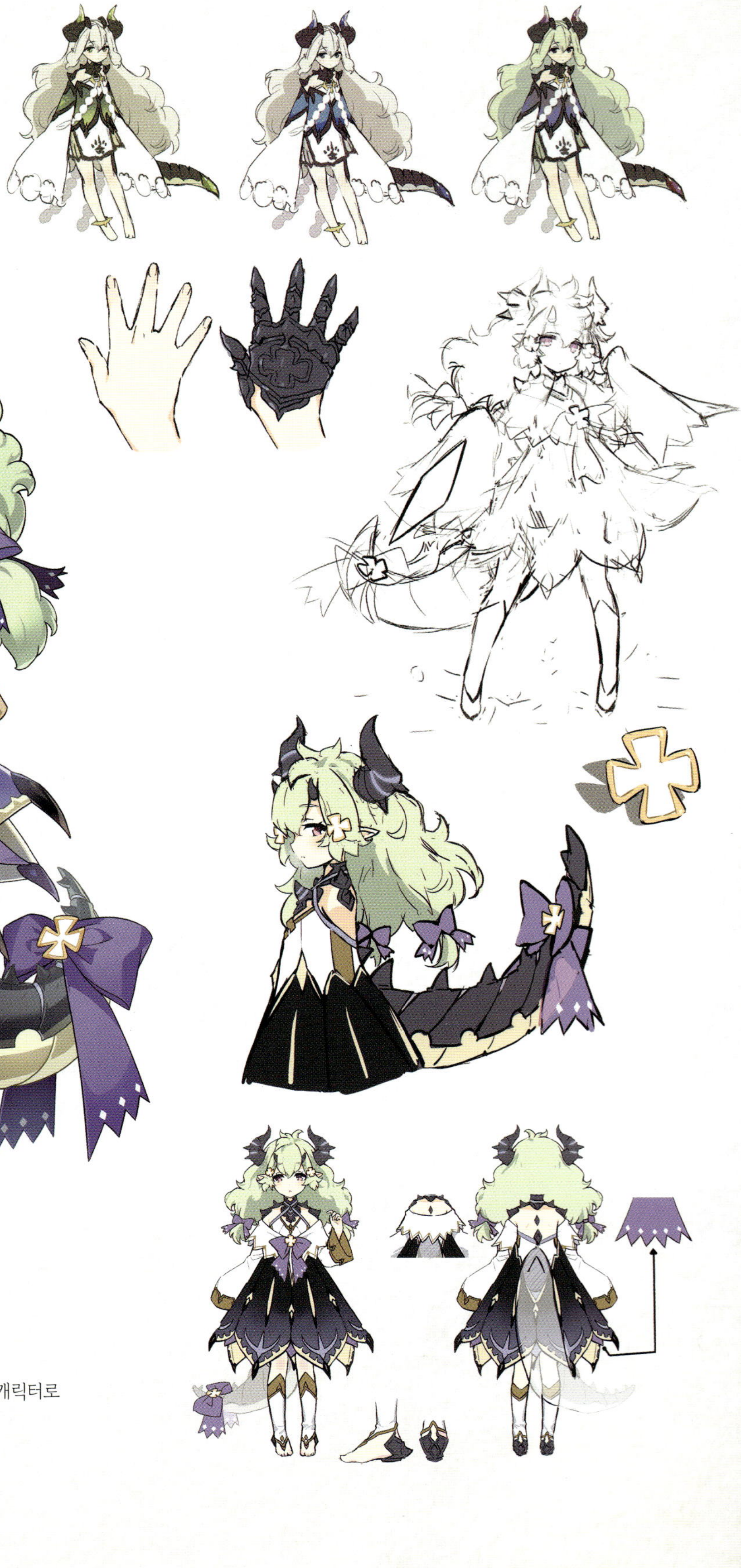

⟜◦⟞ Comment

곱셈과 나눗셈에 약합니다. 유피네에게 그 사실을 들키지 않을 수 있었던 것은
유피네는 덧셈과 뺄셈부터 위험하기 때문입니다. 외관과 실제 나이 차의 낙폭이 큰 캐릭터로
외모를 제외한 모든 부분이 할머니 같은 속성을 가지고 있네요.

셰나
Senya

★★★★★

처음으로 드래곤을 죽인
최초의 용기사

"끝까지 간다!"

CV.박리나

전사처럼 보이지 않는 평범하면서도 청순한 소녀 얼굴의
기사입니다. 거대한 창과 화려한 갑옷을 두르고 있지만
어딘가 모르게 다정함이 묻어 나오는 분위기로 디자인했습니다.

❖ Comment

기사의 차림을 하고 있지만, 앳된 소녀의 얼굴을 가지고 있는 소녀 기사가 콘셉트였습니다.
어린 시절 빵 굽는 취미가 있었던 셰나는, 불에 대한 트라우마 탓에 어른이 된 지금
과자나 빵을 만들 수 없게 되었습니다.
지금은 셰나가 좋아하는 빵을 만들며 행복하게 지내길 바랍니다.

연계 영웅 - p.186 | p.238

창 사이즈 비교

Ep.4 개벽의 장
Dawn of a New Era
102

"어리석고 나약한 자들이여, 두려워하고 경배하라.
짐이 그대들에게 가혹한 안식을 내리기 위해...
친히 이 땅에 당도하였으니."

"난 물러서지 않아.
이제 누구도 놓치고 싶지 않으니까."

결계가 사라지고 동방과의 교류가 재개되자, 라스 일행은 사계절의 검 중
하나인 여름의 검을 가지고 테라나드로 향한다. 이 과정에서 '각성자'라는
새로운 존재들과 '변혁의 손', 그리고 외우주의 존재들이 얽힌 갈등이
드러난다. 아딘과 태유는 각성자의 힘을 일깨우며 사계절의 검을 둘러싼
대륙 간 내전과 음모에 휘말리고, 라스는 이를 해결하기 위해 대초원,
카안 제국, 그림자 엘프의 마을 등을 돌며 전쟁을 막고자 한다.
아딘은 실바나의 후계자로서의 진실을 마주하고, 태유는 루아의 계략에 빠져
그녀를 따르게 된다.

태유
Taeyou

★★★★★

Comment

태유는 아딘 못지않게 메인 에피소드 내에서의 변화가 매우 큰 캐릭터입니다.
아딘을 위하면서도 동시에 질투를 하는 복합적인 감정을 표현하기 위해 세심하게 기획되었습니다.

아딘
Adin

★★★

"아무 의미 없이 태어나는 생명은 없다고 생각해.
그러니 언젠가는 내 존재의 이유를
찾아낼 날도 오지 않을까?"

CV.문유정

⚜ Comment

메인 에피소드 4에서 핵심적인 역할을 하는 아딘입니다.
에피소드 내내 많은 어려움을 겪지만, 희망을 잃지 않고 꿋꿋하게 견뎌내는 캐릭터로
긍정적인 희망을 아딘의 가장 핵심적인 요소로 설정했습니다. [포기하지 않는 한, 반드시 좋은 날은 올 거야!]

초기에는 어린 파랑새 같은 수수한 소녀를 모티브로 시작했지만
진행하며 꽤 소년만화스러운 인상으로 변한 캐릭터입니다.

연계 영웅 - p.108 | p.206

구원자 아딘

Savior Adin

★★★

보통   전투

슬픔   웃음

당황   특징1

특징2   특징3

사계절의 힘을 품은 빛의 구원자

"지킬 것이 있는 한, 지지 않아."

CV.문유정

Comment

에픽세븐의 수많은(?) 아딘이 있지만, 가장 완성형에 가깝다고 생각되는 아딘입니다.
사계절의 검의 힘이 온전하게 아딘에게 모이고, 깨달음을 얻은 아딘의 활약이
멋있게 보이길 바라며 기획했습니다.

언계 영웅 - p.107 | p.206

'구원자'로서 강인한 반전 이미지를 강조하기 위해
흰색과 금색을 활용한 신비롭고 우아한 디자인을 의도했습니다.
기존 아딘의 밝고 인간적인 면모도 유지하며,
웨딩드레스 같은 동양풍 의상으로
상징적인 성장과 완전함을 표현했습니다.
우아하면서도 큰 동작이 가능한 복식으로,
여전히 활발한 성격이 살아있는 캐릭터성을 담아냈습니다.

루아

Lua

★★★★★

❖ Comment

에피소드 내내 여러 악행을 저지르는 루아입니다.
언제나 들고 다니는 부채는 공간의 균열을 만들어 낼 수 있는 무기입니다.
퇴근길에 루아의 부채로 집으로 향하는 차원의 문을 열 수 있다면 좋겠네요.

샤룬
Sharun

★★★★★

"올바른 미래의 실마리를 찾아 인도하는 것,
그것이 저의 일입니다."

CV.방시우

샤룬입니다. 설정이 몇 번 바뀌면서 다듬어야
할 부분이 많았던 캐릭터라 아쉬움도 있지만,
무녀 다운 분위기를 놓치지 않으려 했습니다.
어린 외모지만 어른스러운 샤룬에게 튀어나온
머리카락이나 폼폼이 머리장식으로 귀여움을
더해보았어요.

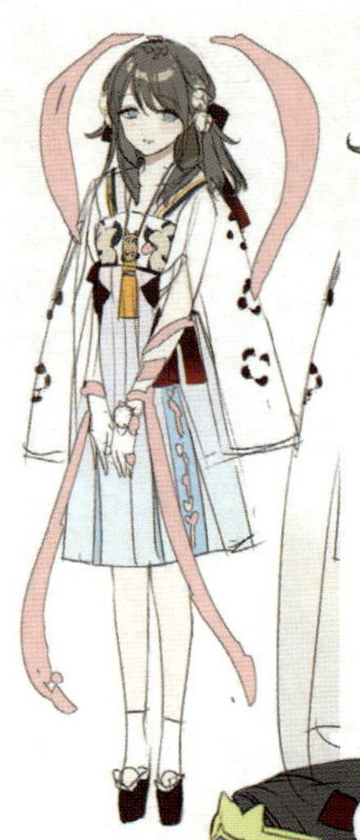

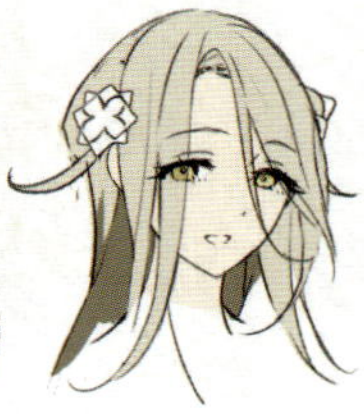

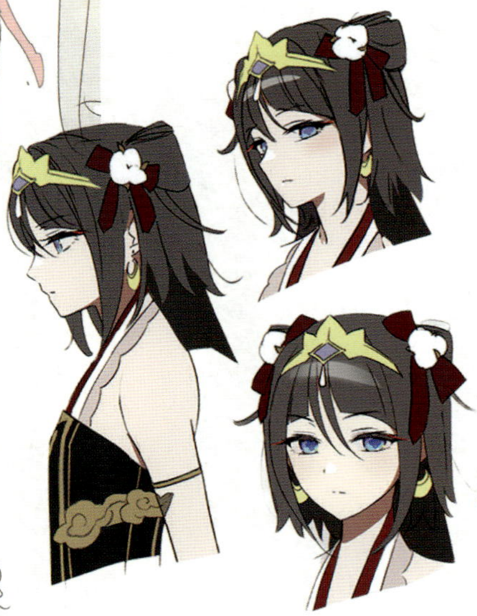

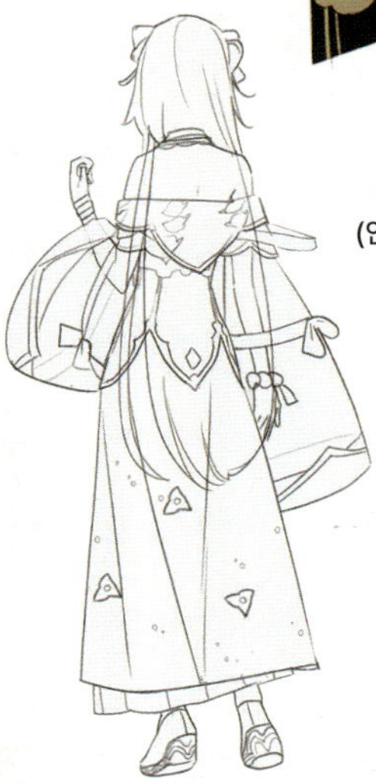

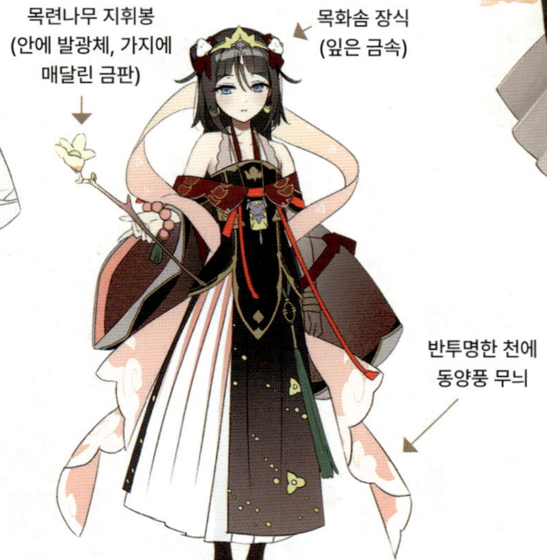

목련나무 지휘봉
(안에 발광체, 가지에
매달린 금판)

목화솜 장식
(잎은 금속)

반투명한 천에
동양풍 무늬

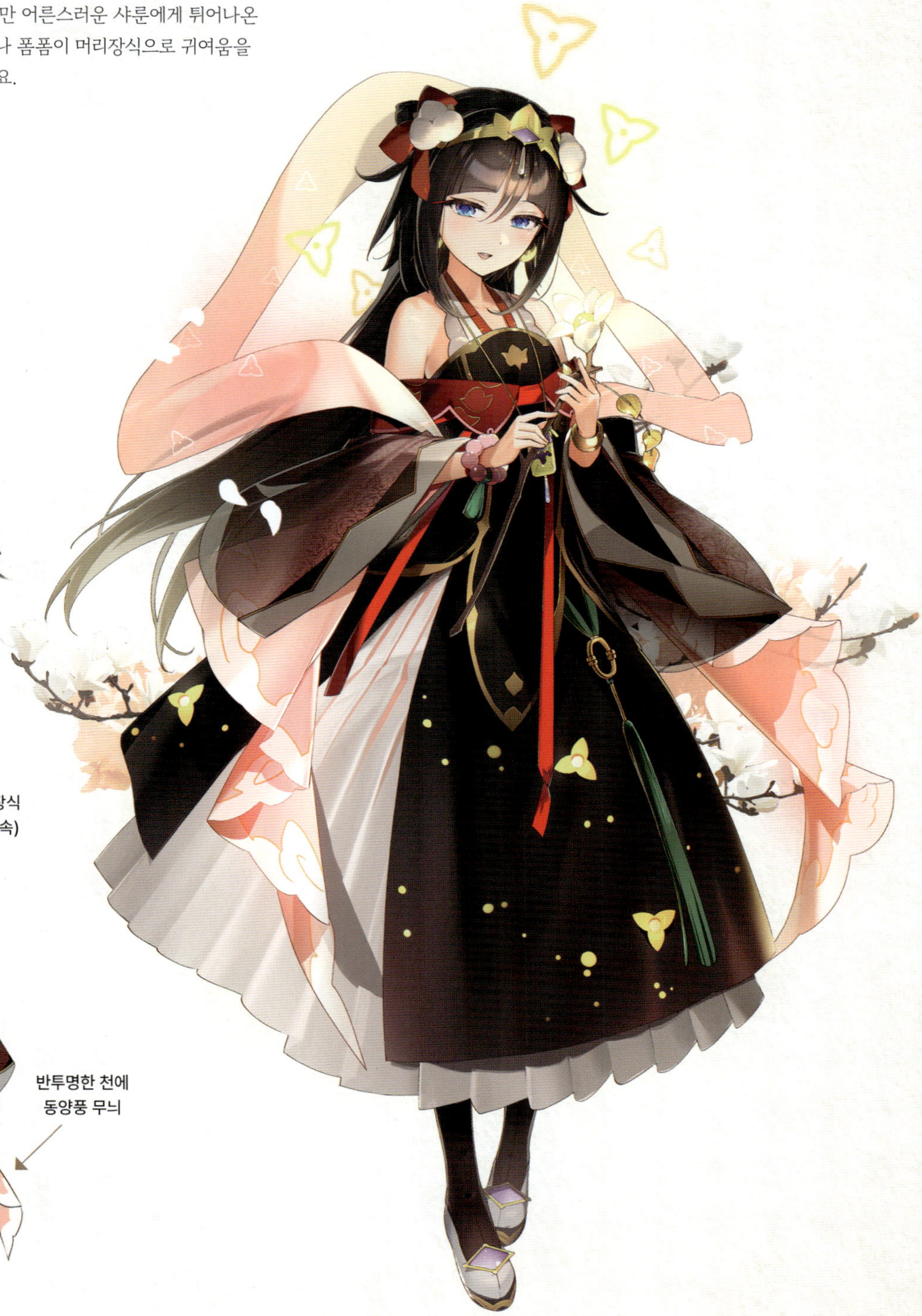

❧ Comment

미래를 볼 수 있지만, 자신의 뜻대로 살 수 없었던 비련의 대사제 샤룬입니다.
능력 때문에 여기저기서 이용당하는 모습이 연민이 가는 캐릭터 중 하나인데,
그래도 비교적(?) 행복한 결말로 매듭 지어질 수 있어 다행입니다.

연계 영웅 - p.185

아리아

Aria

★★★★★

💧 🐌 ♉

종족의 번영을 꿈꾸는
그림자 엘프의 지도자

"내가 지켜야 할 동족들을 위해 했던
그 어떤 선택도 후회하지 않는다."

CV.방연지

❧ Comment

많은 걸 짊어진 그림자 엘프의 지도자 아리아입니다.
멋진 외모와 달리 스트레스가 너무 극심하면 맛있는 걸 먹어서 잊어버리는 귀여운 면모가 있습니다.
하지만 살이 쉽게 찌는 체질이라 장시간 숲길을 걸어야 한다는 약점도 있네요.

연계 영웅 - p.214

자하크
Zahhak

★★★★★

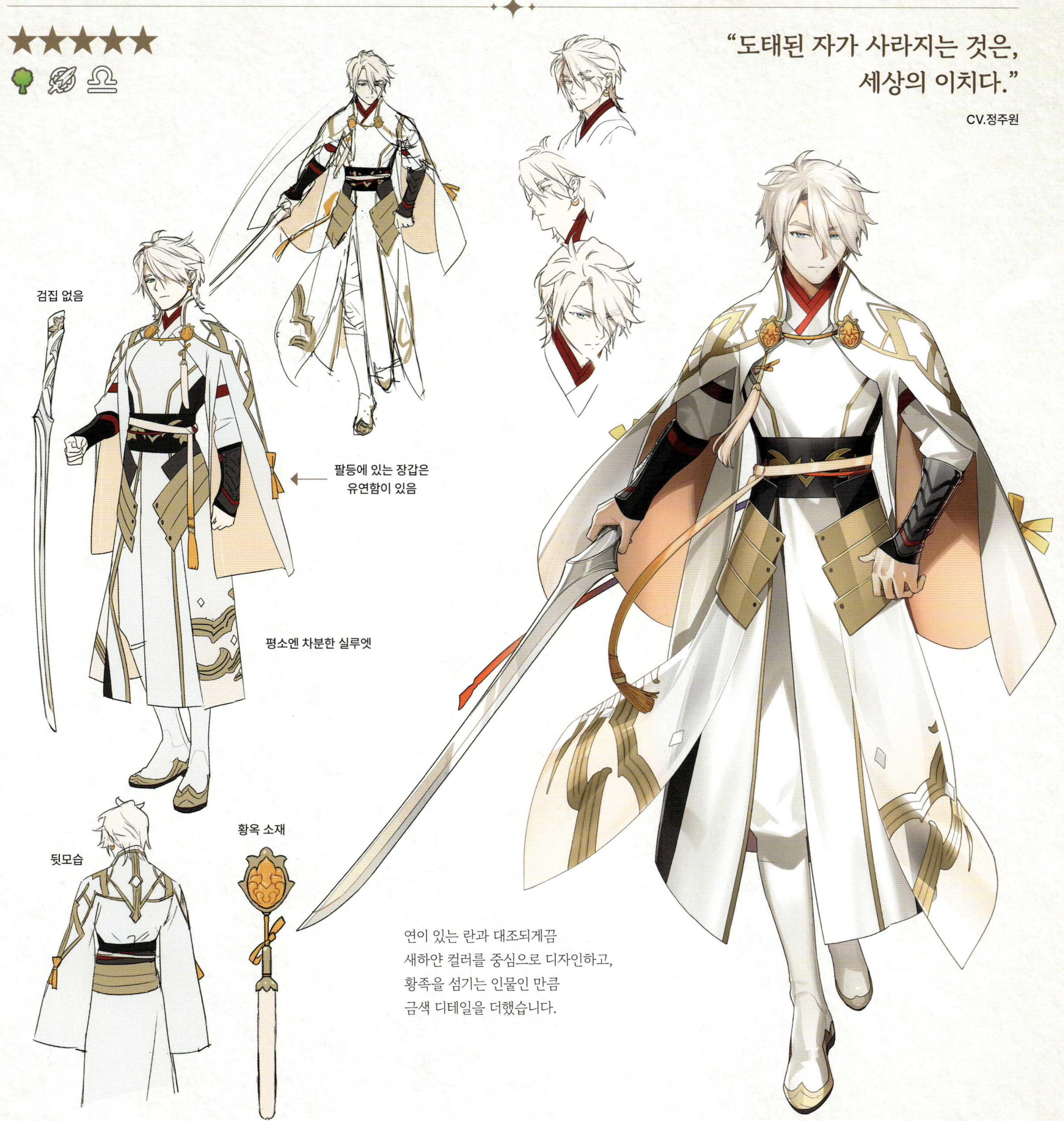

**원대한 계획을 가진
테라나드의 태사**

"도태된 자가 사라지는 것은,
세상의 이치다."

CV.정주원

❧ Comment

자하크는 메인 에피소드의 냉혹한 계략가입니다.
인간과 그림자 엘프의 혼혈인 설정은 그가 어디에도 속하지 못하는 애처로운 운명임을 뜻하는데요.
그러나 자하크는 오히려 자신의 비극적인 운명마저도 당연하게 받아들이고, 자신의 계획을 실현시키는 굳센 캐릭터입니다.

란

Ran

"보아하니 내 도움이 필요한 모양이군?
좋아, 그 기대에 부합하도록 노력해 볼게."

CV.김민

기본 · 전투

슬픔 · 기쁨

부끄러움 · 특징

남자 캐릭터를 그리는 디자이너의 입장에서
검을 다루며 과거의 서사가 있을법한
멋있는 검사는 로망입니다!!
란을 그리면서 정말 신나게 그렸던 것 같습니다!
딱 취향 저격의 캐릭터라 이런 캐릭터
많이 많이 그리면서 행복해지고 싶군요.

Comment

고독한 방랑가 란이 혼혈인 건 아시겠지만,
인간과 그림자 엘프로 생각하시는 분들도 많을 텐데...
사실은 그림자 엘프와 수인의 혼혈입니다.

먼 과거에 만들어진 사계절의 검 중 하나인 '겨울의 검'.
다른 검들과 달리 내재된 힘이 절제되지 않고 표면에 흐른다.
때문에 선택받지 못한 자가 검을 쥘 경우, 그 힘을 견디지 못하고
차갑게 얼어붙는다고 한다.

아미드

Amid

★★★★★

보통	전투
슬픔	웃음
놀람	특징1
특징2	특징3

희망을 피워내는
고결한 무녀

"보다 나은 미래로 이끄는 것이
제가 할 일이에요."

CV.정유정

⟜⟶ Comment

동족을 위해 오랜 시간 봉인되었던 아미드입니다.
잔인한 운명을 원망할 법 하지만, 본인의 희생에 대한 자신의 선택이라고 생각할 뿐,
누구도 원망하지 않는 햇살 같은 캐릭터를 그리고 싶었습니다.

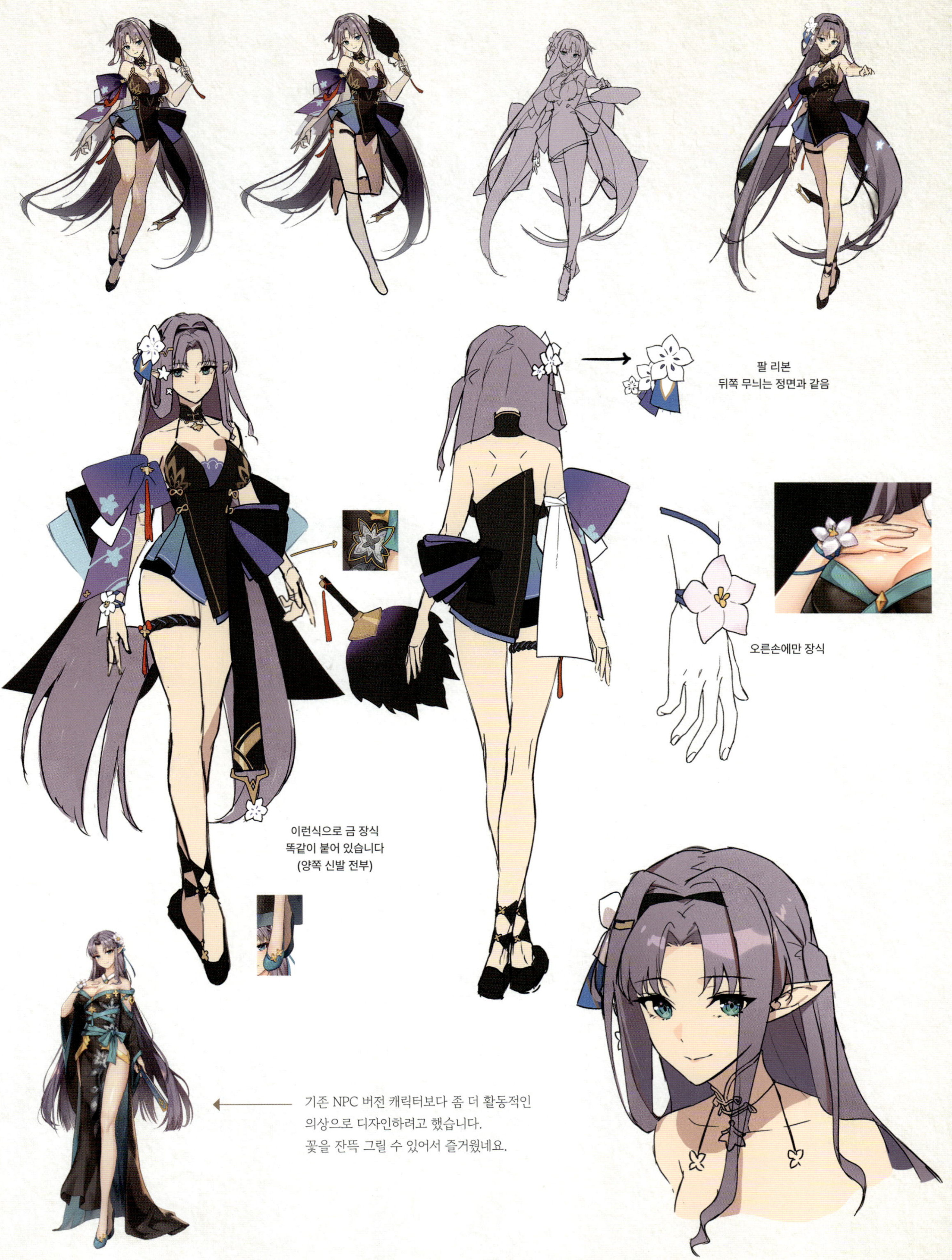

팔 리본
뒤쪽 무늬는 정면과 같음
오른손에만 장식
이런식으로 금 장식
똑같이 붙어 있습니다
(양쪽 신발 전부)
기존 NPC 버전 캐릭터보다 좀 더 활동적인
의상으로 디자인하려고 했습니다.
꽃을 잔뜩 그릴 수 있어서 즐거웠네요.

지오

Zio

변혁의 시대를 이끄는 테라나드의 황제

★★★★★★

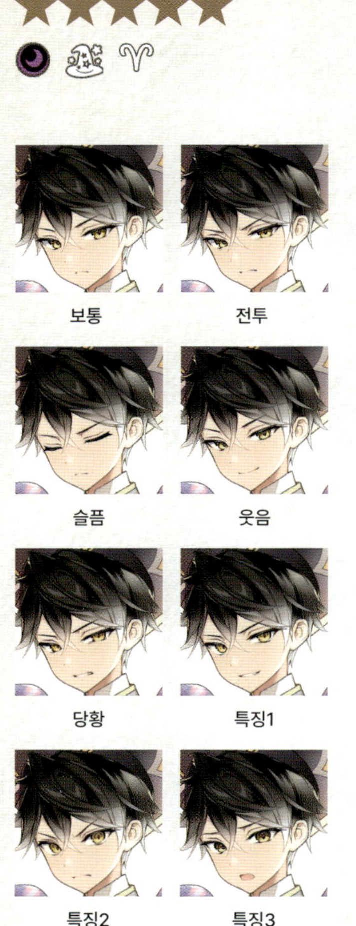

보통

전투

슬픔

웃음

당황

특징1

특징2

특징3

"모든 조각이 맞춰졌을 때,
비로소 나는 완전해질 것이다."

CV.윤은서

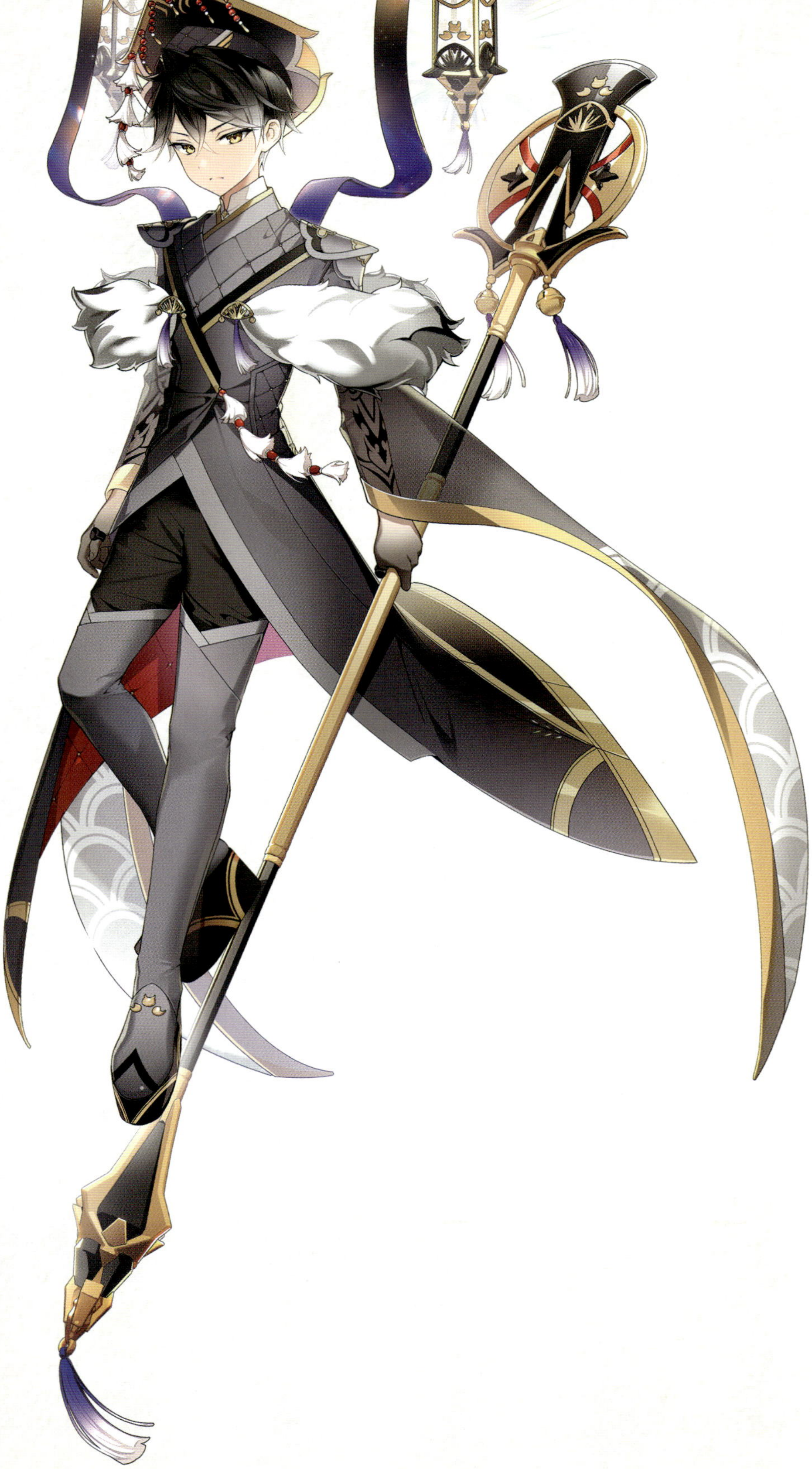

Comment

테라나드의 어린 황제 지오는 오직 권력을 위한 욕망을 불태우는 야심가 캐릭터입니다.
어린 군주의 모습은 일종의 의태입니다. 제 본성을 감추고 모두를 속여야 하는 상황이기에 어린 군주의 모습이 적합하다고 생각했고, 그럼에도 카리스마가 느껴질 수 있게 노력했습니다.

작은 소년의 체구에 카리스마를
표현하기 위해 고민했던 기억이 납니다.
무채색 베이스에 금색, 붉은색, 짙은
보라색을 포인트로 주어 황족 이미지를
더했습니다. 구슬 장식이 달린
모자라던가, 몸의 문신, 긴소매 등
강해 보이는 소년의 요소를 넣을 수
있어서 무척 즐거운 작업이었습니다.
어린 백호 같은 느낌이
전달되었으면 좋겠습니다.

아룬카
Arunka

★★★★★

"내가 있는 한 대초원은 아무도 넘볼 수 없어."

CV.이다슬

✦➤ Comment

호탕하고 시원시원한 대초원의 여왕입니다. 복잡한 콤플렉스를 가진 캐릭터들 사이에서,
아룬카의 단순하고 직관적인 성격에서 오는 매력이 부각되도록 기획되었습니다.

페이라
Peira

★★★★★

"새로운 질서는 구시대의 피를 밑거름 삼아야
만들 수 있는 법이지."

CV.김은아

쿨 타입의 늑대 수인 캐릭터입니다.
작은 리본처럼 귀여운 요소를 곳곳에 넣었지만,
전체적으로는 쿨하고 날렵한
인상이 되도록 디자인했습니다.
츤데레의 츤 98%, 데레가 2%쯤 되는
성격이 느껴지면 성공일 것 같습니다.

가면 착용 시

갑주 구성 :
주 소재 가죽
금속 약간

털은 망토에 붙어 있어요

Comment

일족의 유일한 생존자 페이라는 복수심에 불타는 캐릭터입니다.
하지만 에피소드가 진행됨에 따라 결국 복수의 대상이었던 아룬카를 이해하게 되죠.
에피소드가 진행될수록 변화의 폭이 매우 큰 캐릭터라서 세심한 감정 표현이 관건이었습니다.

연계 영웅 - p.210

Ep.5 영원의 그림자
In the Umbrae of Eternity

그림자 엘프 란, 아미드, 아리아는 외우주의 위협에 맞서기 위해
그림자 엘프의 고향 엘라시아에 있는 근원의 나무를 찾아 나선다.
처음에는 그림자 엘프 여왕 하르세티에게 도움을 받는 듯하였으나,
그녀의 숨겨진 계략에 의해 점점 위험에 빠지게 되고, 근원의 나무로 향할
유일한 열쇠를 지닌 엘프 펜리스는 비밀스러운 그림자 엘프인 후미르의
계략으로 납치 당하게 된다. 일행은 그를 구하기 위해 분투하면서
인간 측 인물들과의 충돌과 갈등을 겪지만, 결국 오해를 풀고 협력하면서
외우주를 막기 위한 공동의 목표 아래 배를 타고 근원의 나무로 향한다.

"...그래서 날 버렸어? 인간들을 배신했어?"

"내겐 너만큼 쓸모 많고 귀한 존재는 없어.
세니카가 숨긴 나의 족적을 찾을 수 있는 자는…
나도, 하르세티도 아닌 바로 너니까."

펜 리 스

Fenris

★★★★★

⟡ Comment

NPC 펜리스는 자신의 잘못으로 인해 상처받고 예민한 모습을 보였다면,
플레이어블 펜리스는 사건을 거쳐 성장한 모습을 보여줍니다.
호기심 많고 모험을 즐겼던 소년의 면모가 다시 드러난다고 할 수 있습니다.

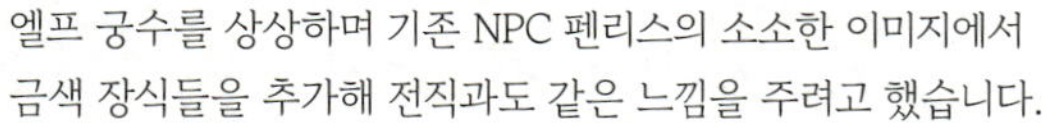

엘프 궁수를 상상하며 기존 NPC 페리스의 소소한 이미지에서
금색 장식들을 추가해 전직과도 같은 느낌을 주려고 했습니다.

전승의 아미키
Inheritor Amiki

★★★

"얼마든지 오라고. 뭐하고 있는 거야?"

CV.김새봄

기존 모습에서 살짝
변화한 모습을 가미하면서
여성스러움도 강조하려고
했습니다.

⟶ Comment

레아가 떠난 뒤, 더 성장한 아미키의 모습을 담고자 했습니다.
전승의 아미키가 착용한 머리핀은, 어린 시절 언니 라디키가 건네준 소중한 선물입니다.

비르기타

Birgitta

대륙의 정보를 섭렵한
스쿠기헤임의 유명 정보상

★★★★★

> "적을 알고 나를 알아야 승산이 있는 법이야.
> 그러니 뭐든 알고 싶다면 날 찾아와."
>
> CV.이재현

한 손에 든 오페라글라스를 포인트로, 성업 중이라는 게
느껴지는 화려한 복장의 정보상을 디자인해봤습니다.
카와나에 이어 어두운 피부색을 작업할 수 있어서
색달랐습니다. 찐한 화장 표현도 재밌었습니다.

양손 디자인 같음

어깨 문양

여차하면 공격용으로도
쓸 수 있을지도..

접을 수 있다

Comment

비르기타는 안전을 최우선으로 삼아, 손익 계산에 능한 캐릭터입니다.
이익을 철저히 좇는 인물이지만, 그런 현실적인 태도 덕분에
은근히 정이 가는 캐릭터로 그려내고자 했습니다.

하르세티

Harsetti

★★★★★

보통

화남

슬픔

웃음

당황

특징1

특징2

특징3

얼어붙은 숲을 지배하는
그림자 엘프의 왕

"웬 잔챙이가 들어왔네. 난 바쁜 몸이란다."

CV.김도영

❧ Comment

하르세티는 본래 중하급 귀족 가문 출신이지만, 냉혹한 전략가의 면모를 보여주며
왕좌를 찬탈하는 캐릭터입니다. 하지만 더 절대적인 자리를 갈망하는 여황으로,
깊은 집념을 지닌 고혹적인 캐릭터로 표현하고자 했습니다.

에피소드 보스 캐릭터로, 화려한 외형과 냉혹한 전략가 키워드로
작업했습니다. 한쪽은 미니스커트, 한쪽은 드레스처럼 보이도록
의상에 반전 매력을 담은 게 포인트네요.
콘티팀, 애니팀의 합작인 1,2 스킬의 애니메이션이
이 복장의 매력을 무척 잘 살려주셨다고 생각합니다.
표정 예시
경첩처럼 접혀서
몸을 찌르지않는다.
흉곽모양에
맞춘 금속장식
쇄골쪽 선 - 노이아스의 가호
가슴쪽 천 - 스웨이드처럼 보들보들한 재질
뿔장식 - 금색라인 제외 무광
이외 기본적인 광택 있음
삼백안으로
눈 뜰 때가 있음
쎄한 느낌
허리쪽 장식
노이아스의 기도문이
간결하게 적혀있음
주름 잡혀있음

후미르

Fumyr

★★★★★

유쾌한 얼굴로 속을 가리는
스쿠기헤임의 악동

"어서 와. 내 새로운 장난감."

CV.김가령

⟿ Comment

신비롭고 수수께끼 같은 캐릭터를 의도했습니다.
어쩌면, 후미르와 친분이 있다고 믿은 사람들은,
그저 연구를 위해 꾸민 가면 뒤에 속았을지도 모르겠네요.

강한 마법사, 아군과 적 사이의 모호한 관계, 야심가,
사람들을 휘말리게 만드는, 키워드를 반영하면서 너무 조숙해 보이지
않고 충분히 빈틈이 있으며 사랑스럽고 발랄한 인상을 남기려고
했습니다. '얄밉지만 미워할 수 없는 인물'로서 유저들께 충분히
다가갔기를 바랍니다.

브리그

Brieg

★★★★★

보통

화남

슬픔

웃음

당황

특징1

특징2

특징3

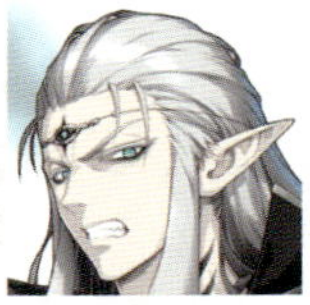

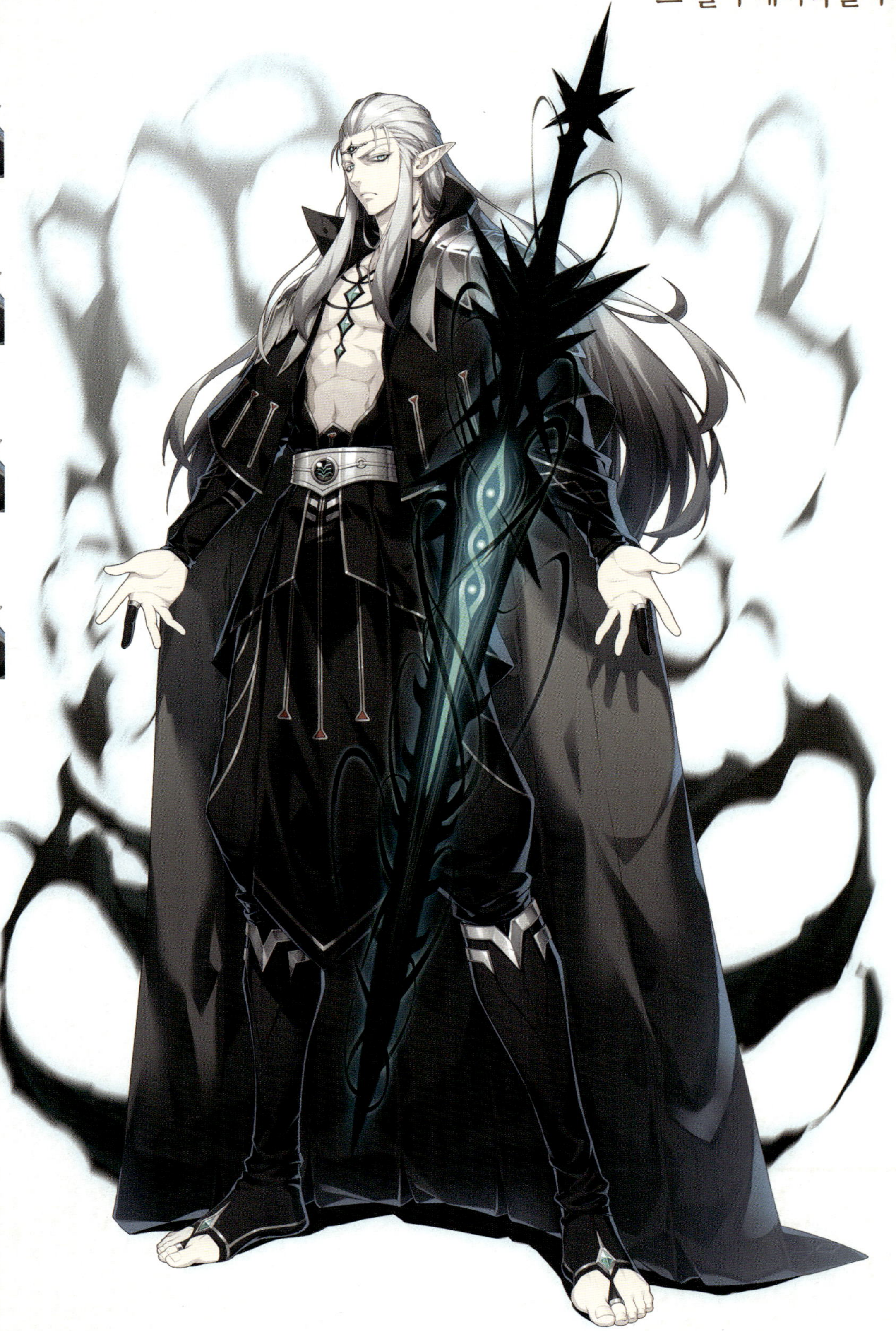

᪥᎒᪥ Comment

어린 시절부터 간섭받는 삶, 폐쇄적인 삶을 살았던 브리그가 조금 안쓰럽기도 합니다.
그래서인지 만약 브리그가 평범하게 제사장 아버지 아래에서 자라면 어떨지 상상해 보게 되네요.

애니메이션이나 영화에서 이런 긴 은발의 멋진 남성 엘프 캐릭터들을 보면
한번 그려보고 싶다고 생각했었습니다. 차갑고 무거운 분위기면서도
진중함과 격식을 겸비한 캐릭터를 표현하는 것이 조금 어려웠습니다.

엘리고스
Eligos

★★★★★

단검 시카를 이끌고 있는
위험한 사나이

"나에 대해 알고 싶나? 흠… 모르는 편이 좋을 텐데."

CV.최낙윤

⤝⟡⤞ Comment

엘리고스는 가족애가 강한 인물입니다. 뒷세계를 전전해 냉소적인 성격을 갖게 됐지만,
그가 소중히 여기는 이들과 관련된 문제라면
누구보다 적극적으로 나서는 멋진 형으로 기억되길 바랍니다.

엘리고스의 권총

헤이스트
Haste

★★★★★

Comment

생존본능을 따라 살아온 뱀파이어로,
헤이스트는 엘리고스의 지도 아래 암살 기술을 익히고 있습니다.
가족에 대한 정의는 막연하다고 생각하지만, 사람 사이의 끈끈한 유대에 대한 동경을 품고 있죠.

제뉴아

Jenua

★★★★★

워낙 원본 NPC 캐릭터가 잘 뽑혀있어서
오히려 포트레이트 작업에 부담이 된 캐릭터.
주변 분의 도움을 많이 받았습니다. 퇴폐 미남 어렵네요..

**불가사의한 매력을 가진
들개단의 단장**

"그래~ 깔끔한 일 처리라면
바로 우리 들개단이지. 잘 찾아왔어!"

CV.이호산

아메리스

⟡ Comment

제뉴아의 이야기를 오랫동안 기다려주셨던 분들께 감사드립니다.
애틋했던 사랑, 치열했던 과거를 지나 들개단에서 행복하게 지내고 있는 제뉴아 단장.
앞으로도 많이 사랑해 주세요!

흑기사 필리스
Shadow Knight Phyllis

★★★

소중한 사람들을 지키겠다고
맹세한 수호기사

"다시는 소중한 사람을 잃지 않을 거야."

CV.조경이

❧ Comment

제뉴아에게 선물 받은 흑기사 갑옷을 입은 필리스입니다.
흑기사 갑옷은 뱀파이어 로드를 경호하는 기사에게 하사했던 것이라,
[지키는 자]의 의미를 담고자 했습니다.

아비게일

Abigail

★★★★★

"삶은 고통이죠. 제가 끝내 드리겠어요."

CV.송하림

⟡ Comment

아비게일은 수많은 고난을 겪으며 냉소적인 성격으로 변하게 되었습니다.
하지만 자신을 떠났던 언니, 멜리사를 다시 만나며
이전의 순수함과 사랑스러움이 조금씩 되살아나는 모습을 담고자 했습니다.

뱀파이어 자매 캐릭터 중 한 명.
엘비라와 동시 작업했습니다.
실루엣을 세로보단 가로를 조금이라도 더 강조하려고
했습니다. 어깨의 털 장식과 치마의 프릴 볼륨 등...

한쪽으로 땋아내린 머리카락을
어깨 앞에 걸쳐두고 있습니다

팔찌
허벅지
겉
안감

엘비라

Elvira

일족을 배신하고 다시 태어난
치명적인 뱀파이어

"나에 대해 궁금한 게 많은 표정이네?
후훗, 귀엽기는~"

CV.김성희

보통	화남
슬픔	웃음
당황	특징1

특징2

❧ Comment

엘비라는 사실 아비게일이 [말하지만 않는다면 참 예쁜 뱀파이어]라고 생각한답니다.

뱀파이어 자매 캐릭터 중 한 명.
아비게일과 동시 작업했습니다.
아비게일과는 반대로 세로 실루엣을 강조하고자 했습니다.
시원하게 쭉쭉 뻗은 이미지와 다리를 부각하고 싶었네요.

반투명(시스루st)

아비게일과 똑같이 허리의 작은 날개가 커집니다.

멜리사

Melissa

★★★★★

**사랑의 배신에 복수하기 위해
바다를 건너는 뱀파이어**

*"복수를 위한 여정에, 함께하겠어?
블러드로즈 가문의 부흥을 위해서 말이야."*

CV.정혜원

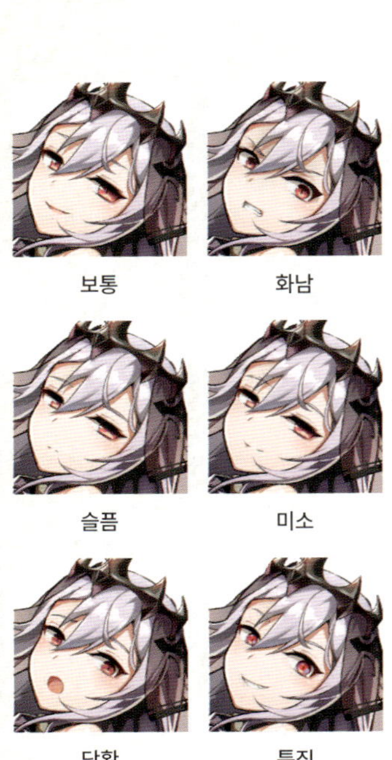

보통	화남
슬픔	미소
당황	특징

✦— Comment

사랑에 빠져 뱀파이어가 된 멜리사는,
사랑 앞에서는 자신조차도 내던질 수 있는 캐릭터입니다.
하지만 그 사랑이 배신으로 돌아오면서,
지금은 어린 날의 자신을 증오하고 있죠.

반투명

수면 위에 떠있는 보트에
앉아있는 듯한 느낌입니다

머리카락과 악세사리들
위 아래로 천천히 부유합니다

바닥면 일렁거리는 포탈 이펙트 재생됩니다

케인
Kane

보통 전투

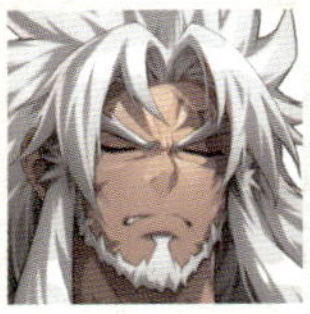

슬픔 기쁨

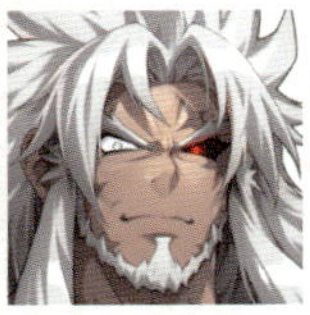

당황 특징1

특징2 특징3

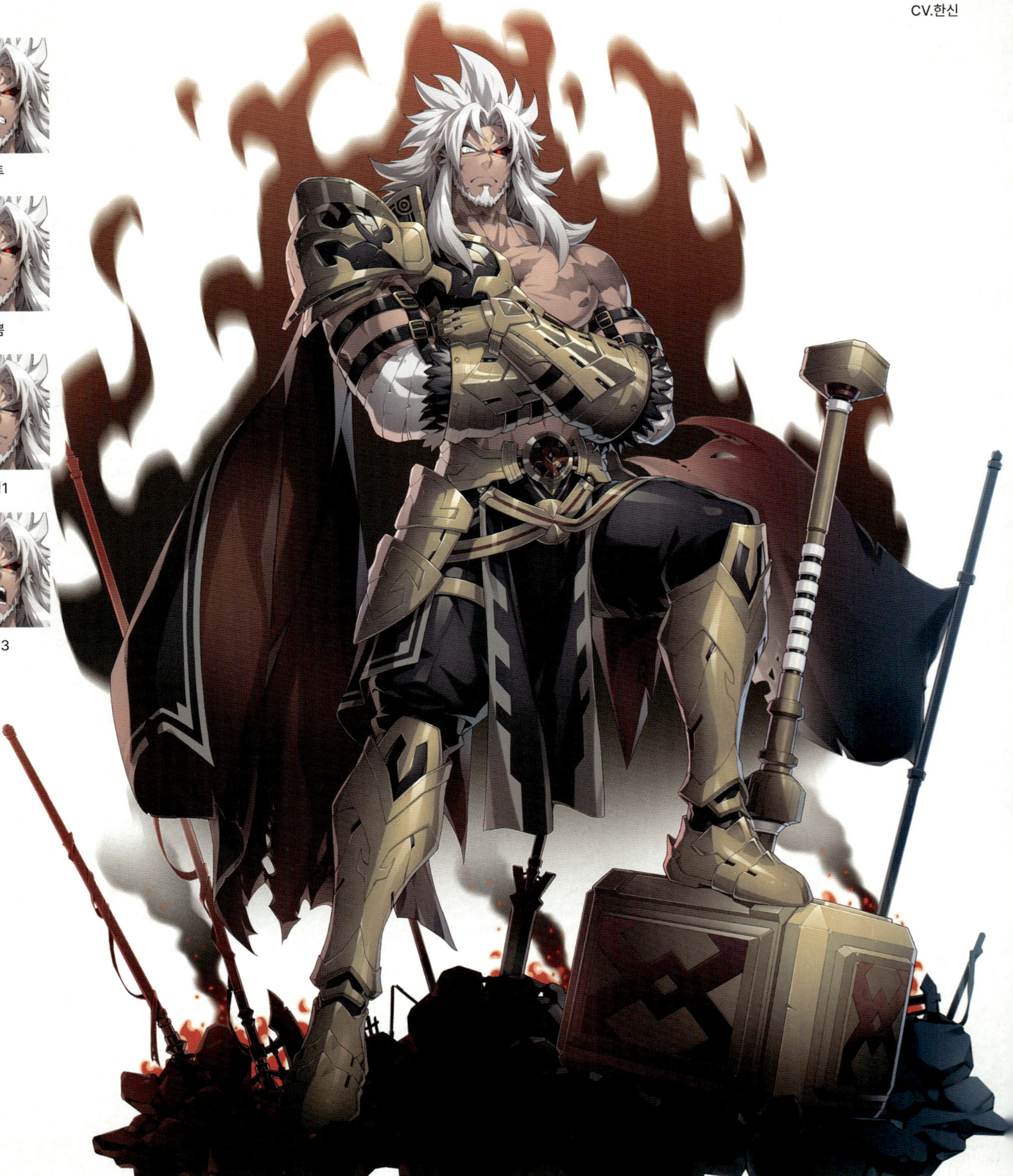

> "나는 케인이다.
> 이제 날 알게 된 걸 후회하게 만들어 주마."
>
> CV.한신

⟜✦⟞ Comment

암흑가에서 살아남아, 이제는 무언가를 파괴하는 법만 알고 있는 뱀파이어 로드를
그리고자 했습니다. 그가 드레이크 가주의 갑옷을 흐트러진 채 착용한 데에는,
자신의 가문을 조롱하려는 의도가 담겨 있습니다.

뱀파이어 로드가 되었지만 군주가 가져야 할 권위와 품위가 없는
케인입니다. 흉터가 가득하고 항상 분노한 듯한 험악한 얼굴의
캐릭터를 표현했고, 생존을 위한 싸움의 연속으로 다져진
근육질의 큰 덩치를 강조했습니다. 어나더 캐릭터가 나올 기회가
있다면 더 강해 보이게 디자인해 보고 싶네요.

Chapter 2.
Another Stories

월광극장 : 런웨이 파이터
Runway Fighter

'꿈이 사라진 곳엔 어둡고, 피곤하고,
지루한 현실만이 남았다.'

어린 시절, 잡지를 보며 함께 꿈을 키운 루루카와 로앤나.
시간이 흘러 로앤나는 중학생때 데뷔해 톱모델로 우뚝 선 반면, 루루카는 입시에 번번이
실패하고 생계를 위해 아르바이트를 전전하며 꿈과 멀어진 삶을 살아간다.
그러던 어느 날, 로앤나의 실종 소식을 듣게 된 루루카는 외면했던 친구와의 마지막 연락을
떠올리며 뒤늦은 후회를 안고 그녀를 찾기 위한 여정을 시작한다.
그 여정의 끝에서 만난 괴짜 디자이너 릴리벳. 그녀는 진실에 다가가기 위해선 '모델'이
되어야 한다고 말하고, 루루카는 결국 무대에 서기로 결심한다. 빛나는 이들을 동경하던
자신이 무대의 중심에 설 수 있을까? 꿈, 열등감, 질투, 그리고 우정이 교차하는 패션배틀의
세계가 열린다.

일편고월 벨로나
Lone Crescent Bellona

★★★★★

고고하고 외로운
무림 세가의 아가씨

"무례, 무식, 무도…
상대할 가치가 없군요."

CV.이새아

⤙⤚ Comment

동양풍 의상에 대사를 맞추다 보니, 사자성어를 남발하게 되었네요.
대사 작성 때마다 고민하게 만드는 캐릭터입니다.

벨로나가 동양풍 의상을 입게 된다면 어떤 모습일까?부터 시작했던 것 같습니다.
디자이너라는 설정이 있어서 그냥 동양풍 의상보다는
현대 느낌이 가미된 퓨전의상이면 좋을 것 같았습니다.
라이더 재킷 같은 가죽 재질에 지퍼와 장식을 추가해 주었고요.
기존 벨로나의 메인 디자인은 만두머리에서 흘러나오는 웨이브와 프릴이라고 생각해서
월광 벨로나 역시 두 가지를 포인트를 주었습니다.

진혼의 로앤나

Requiem Roana

★★★★★

"자아... 천천히 눈을 감고,
제게 안기세요."

CV.김현심

보통

전투

슬픔

웃음

당황

특징1

특징2

특징3

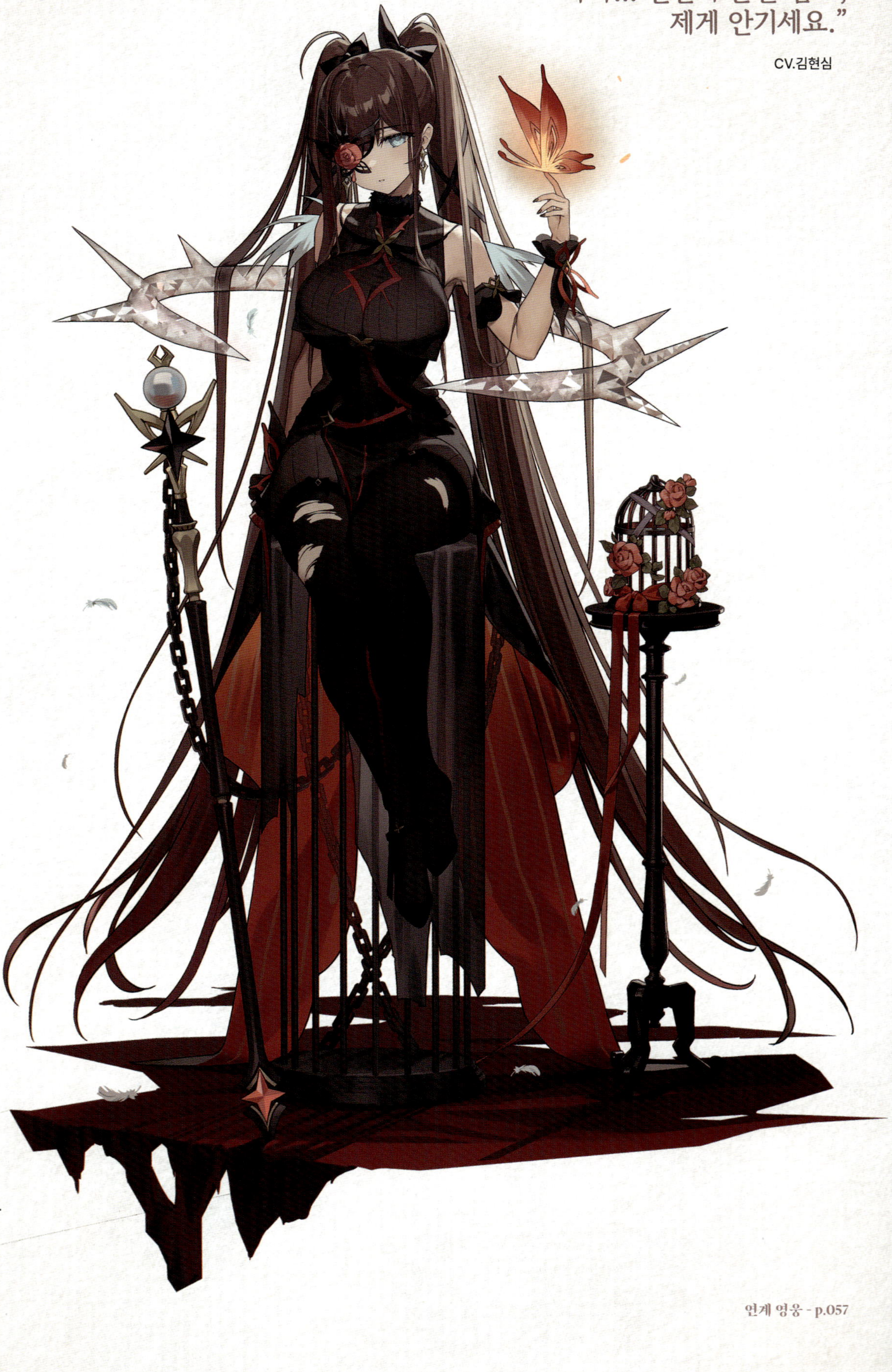

Comment

자신이 사랑하는 것에 대한
굉장한 집착이 있는 캐릭터로 생각했습니다.
그래서 원하는 걸 향한 집요함이나,
자신만의 방식으로 그것을 지키려는 태도를
보여주는 데에 집중했습니다.

연계 영웅 - p.057

나른하고 우울한 인상의 란제리룩 혹은 가벼운 홈웨어를 입은 인형 같은 소녀를
떠올리며 디자인했습니다. 스트라제스 원본 캐릭터의 눈 형상을 다시 활용할 수 있다면
이것으로 나비 심벌을 제작하고 싶었지만 맞지 않아서 생략되어서 아쉬운 마음도
있었습니다. 만약에 가능했다면 나비는 '현혹'스킬을 썼으면 좋겠다고 생각했어요.
최종적으로는 새장 속의 나른한 나비 같은 캐릭터가 되었습니다.

디자이너 릴리벳
Designer Lilibet

★★★★★

"날 찾았어?
입고 싶은 옷이 있는 거구나!"

CV.여민정

릴리벳의 작업실에 사는 고양이
주인 닮아 성격은 까칠하다

릴리벳이 원래도 가위를 들고 있지만
이번에는 재단용 가위를 들고 있는
디자이너 콘셉트의 캐릭터입니다.
의상은 패셔너블한 스타일을
강조하려고 노력했습니다.

큰 별모양 장식은
옷에 고정되지
않고 떠다님

반투명
우주적인
느낌의 문양

오른팔에만
리본 끈이
길게 내려옴

펄럭이는 망토

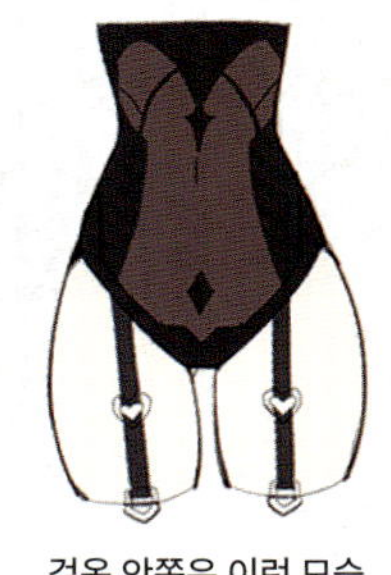

겉옷 안쪽은 이런 모습

릴리벳이 애용하는
재단용 가위
전투시엔 쌍검으로 변한다

검날 부분은
은은하게 발광

쌍검이 합쳐져
대검화

❧ Comment

릴리벳과 루루카 모두 성격이 불같은 면이 있지만, 막상 루루카의 추진력 앞에서
릴리벳이 당황하는 모습을 떠올리며 기획했습니다.
엉성한 모델과 겉만 프로인 디자이너의 삐걱대는 팀워크가 유쾌하게 느껴졌으면 했습니다.

연계 영웅 - p.056

배드캣 아밍
Bad Cat Armin

★★★★

귀염둥이 악당!
오만방자한 아가씨

> "잘 봐둬, 촌뜨기.
> 이게 바로, 클라스의 차이야."
>
> *CV.박신희*

괜히 시비를 걸어오는 장난꾸러기지만 미워할 수
없는 소악마 여동생의 이미지로 시작했습니다.
마스코트 인형을 만들어서 아밍과 비슷하게 의복을
입히는 과정이 즐거웠네요. 다양한 표정을 그릴 수
있어서 즐거운 캐릭터였습니다.

⚜ Comment

조금 얄밉긴 해도 정이 가는 캐릭터.
늘 귀걸이를 사느라 돈을 쏟아붓던 캐릭터가
월광에선 재벌 3세라니. 인생 역전이네요.

최강모델 루루카
Top Model Luluca

★★★★★

"왜 불러? 설마 내 싸인을 받고 싶어서..가
아니라 옷에 뭐가 묻었다고?
안돼! 새 옷인데!

CV.이용신

✦ Comment

실종된 친구를 찾기 위해 마음 한쪽에 묻어두었던 꿈을 꺼내는,
최강 모델 루루카의 당찬 여정을 보여주고 싶었습니다.

연개 영웅 - p.058 | p.059

토라미
Tori

★★★★★

자신의 망상에 속아 넘어간
은퇴한 모델

"할 수 있어, 토라미...!
으으... 떨려..."

CV.박시윤

Comment

어딘가 짓궂지만 정이 가는, 앙증맞고 얄미운 캐릭터를 떠올리며 기획했습니다.
재밌는 상황과 대사를 쓸 수 있어서 작업 당시 즐거웠습니다.

기계와 인간이 공존하는 도시, 타라노르. 그곳의 엘리트 요원이었던 '크라우'는 과거
친구들의 희생 끝에, 한 안드로이드 실험체 '세크레트'를 회수하게 된다. 수년 후 도시는
정체불명의 기술로 인해 위협받고, 크라우는 다시 세크레트와 함께 전장에 선다.
그 과정에서 세크레트는 기억 속 프리드리히의 유산, 그리고 '호문클루스'의 그림자가
다시 떠오르며, 이들의 앞엔 감춰진 진실과 로스트 테크놀로지의 비밀이 서서히 모습을
드러낸다. 세크레트를 둘러싼 금지된 기억, 그리고 그녀를 지키려는 '설계자' 라이카의 개입.
무너진 윤리와 감정 사이에서, 크라우는 과거의 선택을 마주하고 미래를 지키기 위한
싸움을 시작한다. 믿음과 회의, 명령과 자유의 경계에서, 인간과 인공생명이 함께
써내려가는 또다른 타라노르의 이야기. 그 끝에 기다리는 건 구원일까,
아니면 또 다른 파멸일까.

무결점 도시
"중앙 관리국 소속 특수 7반, 코드 넘버 [00].
라스트 라이더 크라우,
관리자 등록 절차를 진행합니다."

라스트 라이더 크라우
Last Rider Krau

★★★★★

보통 　 화남

슬픔 　 웃음

당황 　 특징

Comment

무결점 도시의 상남자 라스트 라이더 크라우입니다.
과거의 비극적인 사건 때문에 헬멧을 쓰지 않고 얼굴을 드러내고 있다는 설정입니다만...
크라우가 본인 얼굴에 매우 만족하며 자신감이 넘치는 것도 사실입니다.

연계 영웅 - p.018 | p.045

블랙 앤
화이트
← 방패
← 어깨갑주
포인트컬러-블루
← 망토 착용
← 회색 헤어
다크 그레이 앤
라이트 그레이
레이저
블레이드 →
블랙 앤
그레이
포인트컬러-오렌지
사이드 미러 대신
카메라 센서가 달림
(AI탑재)
퍼포먼스 : 1500 마력
배기구 없음
마력을 이용하여
전기처럼 사용
망토 및 어깨
갑주 해제 →
← 무릎길이
생머리
← 올백 스타일
← 허리길이
생머리
메카닉
블레이드
카라깃 추가
레이저
블레이드 →
← 숏컷
바이크 네임 : 블랙 유니콘
무선 통신 이어셋
전투 시 안구 글로우
* 인공 안구로
동체 시력 증가 및
주변 정보 스캔
왼쪽 눈 앞머리 추가
← 뒷머리 추가
전투 시 전자
배리어 전개
카본 섬유
손가락 파츠
주황색 부분에서
물리 홀로그램 시스템으로
양쪽으로 전자 배리어를 전개한다

오퍼레이터 세크레트
Operator Sigret

인간을 이해하고 진화하는
미지의 힘을 품은 안드로이드

★★★★★

"오퍼레이터 세크레트,
지금부터 당신을 서포트 합니다."

CV.김영은

세크레트의 로봇 인체를 드러내는
쪽으로 의상을 디자인했습니다.
손, 다리뿐 아니라 얼굴에도 기계요소를
넣어서 포인트를 주었습니다.
결론적으로 디테일이 세크레트의 기계 몸에
쏠리게 되었는데요. 그래서 의상은 최대한
간결하게, 지적인 이미지를 줄 수 있도록
디자인했습니다.

⤙❖⤚ Comment

라스트 라이더 크라우와 함께하는 여정을 통해
무감정한 안드로이드에서 점차 인간을 이해하고 변화해 가는 세크레트의 모습을 그리고 싶었습니다.

설계자 라이카
Architect Laika

★★★★★

목적을 알 수 없는
도시의 불청객

"변수를 제거하고 사명을 완수합니다.
그것이 존재의 이유."

CV.김현신

부유형
무선 충전 단자

❧ Comment

설계자 라이카는 기계적이고 차가워 보이지만...
귀여움을 연구하기 위해 [도시의 그림자 슈]의 슈크림 빵 군단을
체포하여 분석할 계획을 갖고 있습니다.

연계 영웅 - p.081

라스트 피스 카린

Last Piece Karin

★★★★

⟜⟶ Comment

호전적인 검사, 라스트 피스 카린의 숨겨진 취미는
로맨스 영화나 소설을 혼자서 몰래 보는 것입니다.

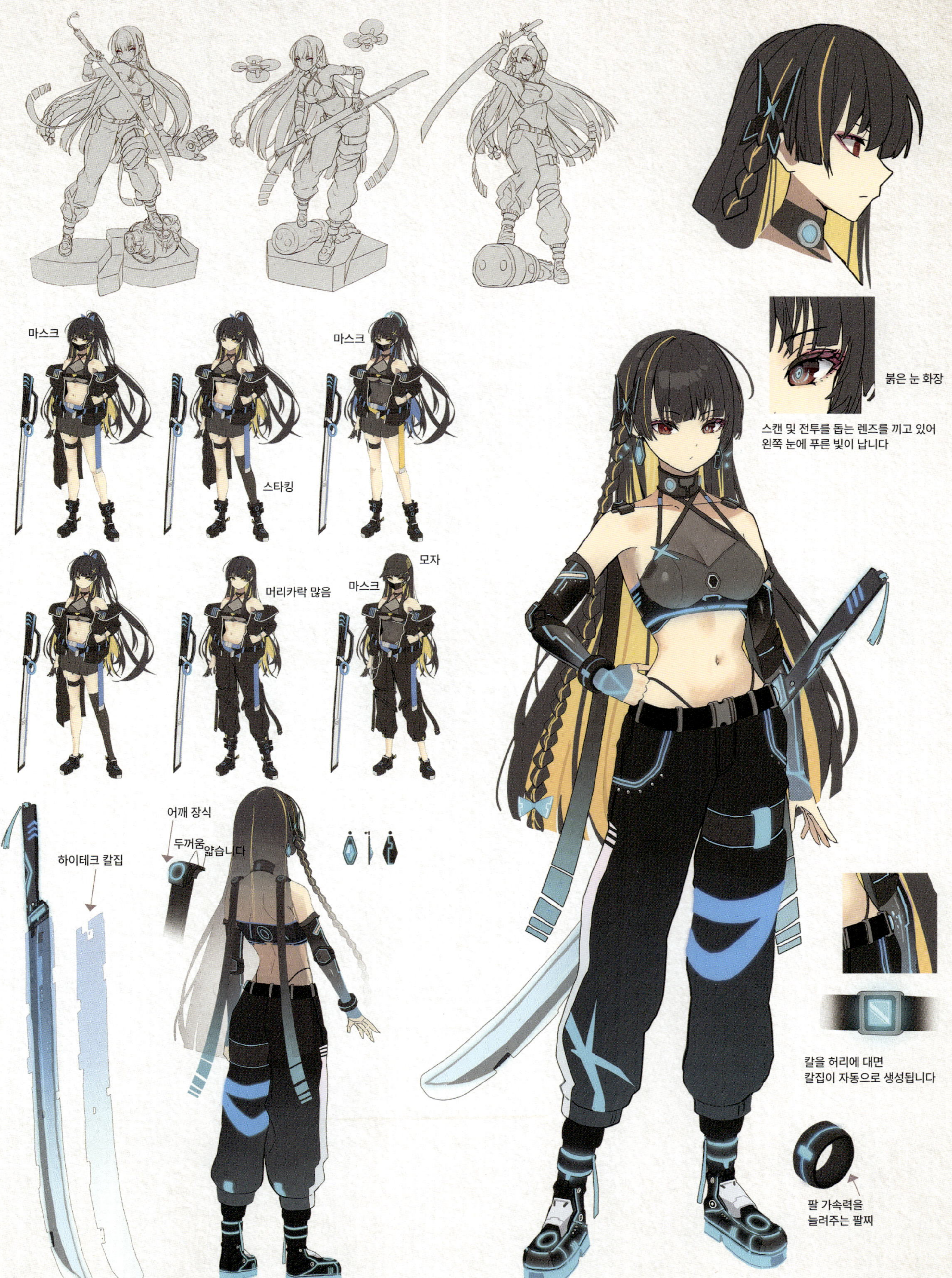

마스크
마스크
스타킹
머리카락 많음
마스크
모자
하이테크 칼집
어깨 장식
두꺼움얇습니다
붉은 눈 화장
스캔 및 전투를 돕는 렌즈를 끼고 있어
왼쪽 눈에 푸른 빛이 납니다
칼을 허리에 대면
칼집이 자동으로 생성됩니다
팔 가속력을
늘려주는 팔찌

뒤틀린 망령 카일론
Twisted Eidolon Kayron

★★★★★

혼도을 불러오는
잊힌 과거의 재앙

"살아있는 모든 것들은…
내 앞에서 평등하게 쓰러지리라."

CV.정재헌

보통   화남

슬픔   웃음

당황   특징1

특징2

⟶ Comment

자기 이외의 모든 존재를 무시하고 하대하는 뒤틀린 망령 카일론.
그런 그의 가장 큰 적은 타인이 아닌 새로운 자아와 검에 깃든 본래의 의지입니다.

언계 영웅 - p. 048 | p.049

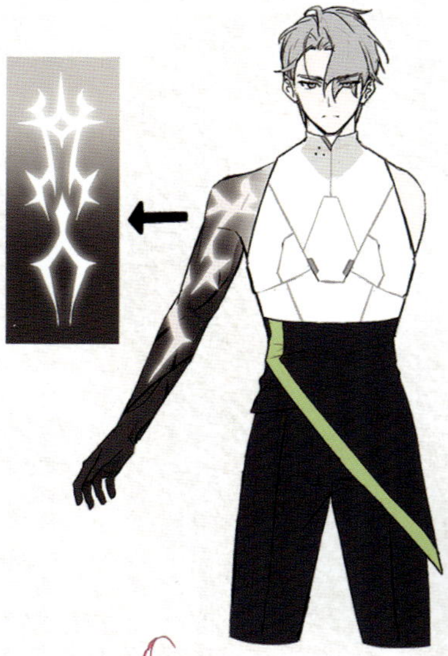

월광 카일론 역시 원본 카일론과 마찬가지로 잘생기게 그리기 위해 애를 썼습니다.
그 외에는 어쩐지 피곤해 보이는 인상을 유지하려고 노력했던 기억이 납니다.
SF 세계관에 떨어진 카일론은 제복을 입지 않을까 했네요.
흰 의상을 입고 전투에 임하지만 옷에는 티끌 하나 없을 것 같은 느낌입니다.

영겁의 표류자 루트비히

Eternal Wanderer Ludwig

★★★★★

**지식의 정점에 서있는
시건방진 천재 소년**

"날 실제로 보니 어때?
막 설레고 그래?"

CV.이명희

보통	화남
슬픔	웃음
당황	특징1
특징2	특징3

❧ Comment

겉으로는 나태한 나르시시즘의 소년입니다.
그러나 영겁의 표류자 루트비히는 사실 타인의 관심을 갈구하며 외로움을 느끼고 있습니다.

나태함. 여유로워 보이는 분위기를 위해
디폴트로 오른쪽 재킷이
살짝 흘러내려 가 있는 느낌

개인적으로 애정하는 캐릭터인데요.
어린 나이의 천재+거만함의 요소를 싫어하기는
쉽지 않다고 생각합니다. 귀여운 의상을 입고 있지만,
어른스러운 성격이기 때문에 성숙함을 표현하기 위해
깊게 파인 이너를 입혀주었습니다.

크롬(미니미)과
1:1 사이즈

뚫려있음. 터치 됨.

투명한 방울 안에
들어있는 검은 구슬 느낌

기본으로 몸체가 부유하고 있어서
날개는 가끔씩 천천히 살랑이는 정도

자석처럼 붙어있음

이런식으로 흔들리거나
움직일 수 있음

도시의 그림자 슈

Urban Shadow Choux

도시의 이면을 감시하는
제멋대로인 정보상

★★★★★

"궁금한 건 뭐든 물어봐,
내가 다 알려줄 테니까.
아, 물론 값을 치를 능력은 있겠지?"

CV.여윤미

Comment

버릇은 좀 없지만, 도저히 미워할 수 없는 슈크림 빵 군단의 귀여운 보스입니다.

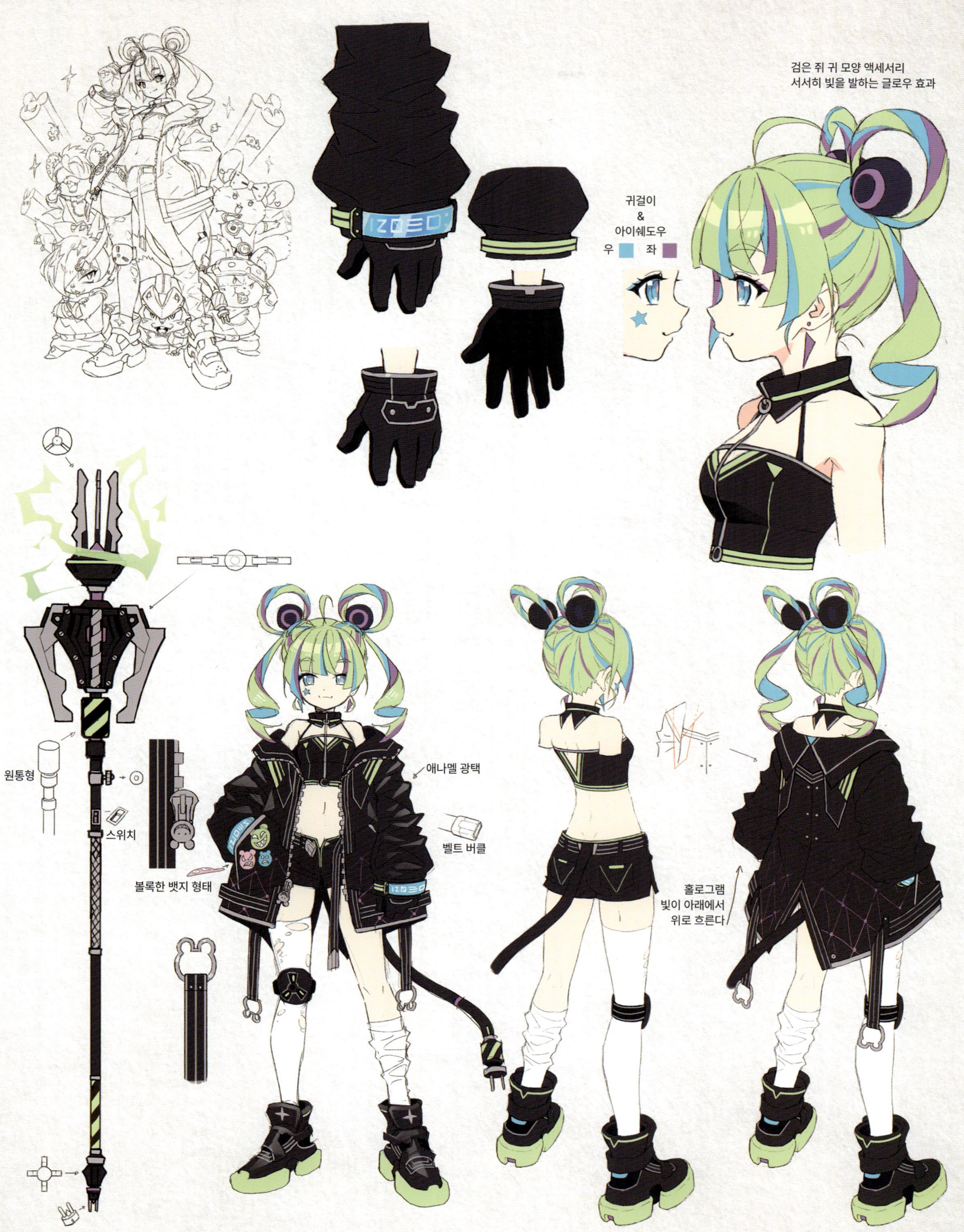
검은 쥐 귀 모양 액세서리
서서히 빛을 발하는 글로우 효과
귀걸이
&
아이쉐도우
우 좌
원통형
스위치
볼록한 뱃지 형태
애나멜 광택
벨트 버클
홀로그램
빛이 아래에서
위로 흐른다

미지의 가능성 아카테스
Infinite Horizon Achates

★★★★

스스로를 부정하는
기적의 파편

"모두가 제 능력을 축복이라고 말했죠...
하지만 제 생각은 달라요."

CV.김현지

특정 표정에서 나타나는 장치

피부 톤 알비노

Comment

저주와 같은 운명을 가지고 태어난 아카테스.
그런 그녀이기 때문에 카일론과의 만남이 구원과도 같이 느껴졌을지 모르겠습니다.

서풍의 처형자 슈리
Westwind Executioner Schuri

★★★★

SF 세계관의 슈리입니다.
성격은 여전히 오만방자해
그 부분이 특히 좋았습니다.
총을 쏜 뒤 후드에 살짝 숨어서
'후... 또 해냈군.' 할 법한 의상입니다.
(※시나리오 팀과 소통되지 않은
개인의 감상입니다.)

도시의 죄를 쓸어내는
고결한 심판자

월광극장 : 무결점 도시

"느껴지나?
서풍에서 부는 심판의 손길이."

CV.신용우

Comment

아마도 총을 쏜 뒤 후드에 살짝 숨어서 '후... 또 해냈군.'하고
이야기할 것 같습니다. 고출력의 빔 병기를 사용하기 위해
스스로의 몸을 기계화했습니다.
고도로 기술이 발달한 사회가 온다면,
서풍의 처형자 슈리처럼 자진해서 몸을 기계화할 수 있을지 고민하게 되네요.

월광극장 : 대양의 정복자
Conqueror of the Oceans

'잠든 모습을 보면 영락없는 어린애인데.
정말 네가, 내가 그동안 증오하던 용왕이야?'

각지를 떠돌며 이야기를 수집하는 떠돌이 왕자 시더는 한 마을에서 바다의 보석에 관한
일화를 들려주기 시작한다. 바다의 분노를 달래기 위해, 어린 소녀들을 용왕의 제물로
바치던 마을이 있었다. 재물로 발탁된 소녀, 용의 반려 세나는 깊은 바다 아래에 사는
용왕을 물리치고, 이 비극을 끝내고자 한다. 하지만 그곳에서 마주한 용왕 샤룬은
상상과 달랐다. 샤룬에게 재해의 진실과 제물로 바쳐진 소녀들의 행방을 듣게 된 세나.
안도하는 세나에게 샤룬은 여의주를 찾아와준다면 마을에 대한 복수를 도와주겠다는
제안을 한다. 그러던 중, 시더는 바다의 보석을 노리는 해적 선장 플랑에게 납치된다.
시더는 플랑에게 마저 이야기를 들려주지만, 플랑은 시더를 놓아주지 않는다.
시더는 은밀히 해적선을 탈출할 계획을 세운다.

해군 대령 랑디

Navy Captain Landy

★★★★★

거대 전함을 통솔하는
바다의 지배자

"제군은 한 명의 병사 이상도,
이하도 아니다. 알겠나?"

CV.김새해

보통　　화남

슬픔　　웃음

당황　　특징1

특징2　　특징3

⚓ Comment

오리지널 랑디와 흡사한 부분이 많은 월광 캐릭터 해군 대령 랑디입니다.
동생 해적 선장 플랑을 바다의 쓰레기라고 부르고 있습니다.

연계 영웅 - p.080

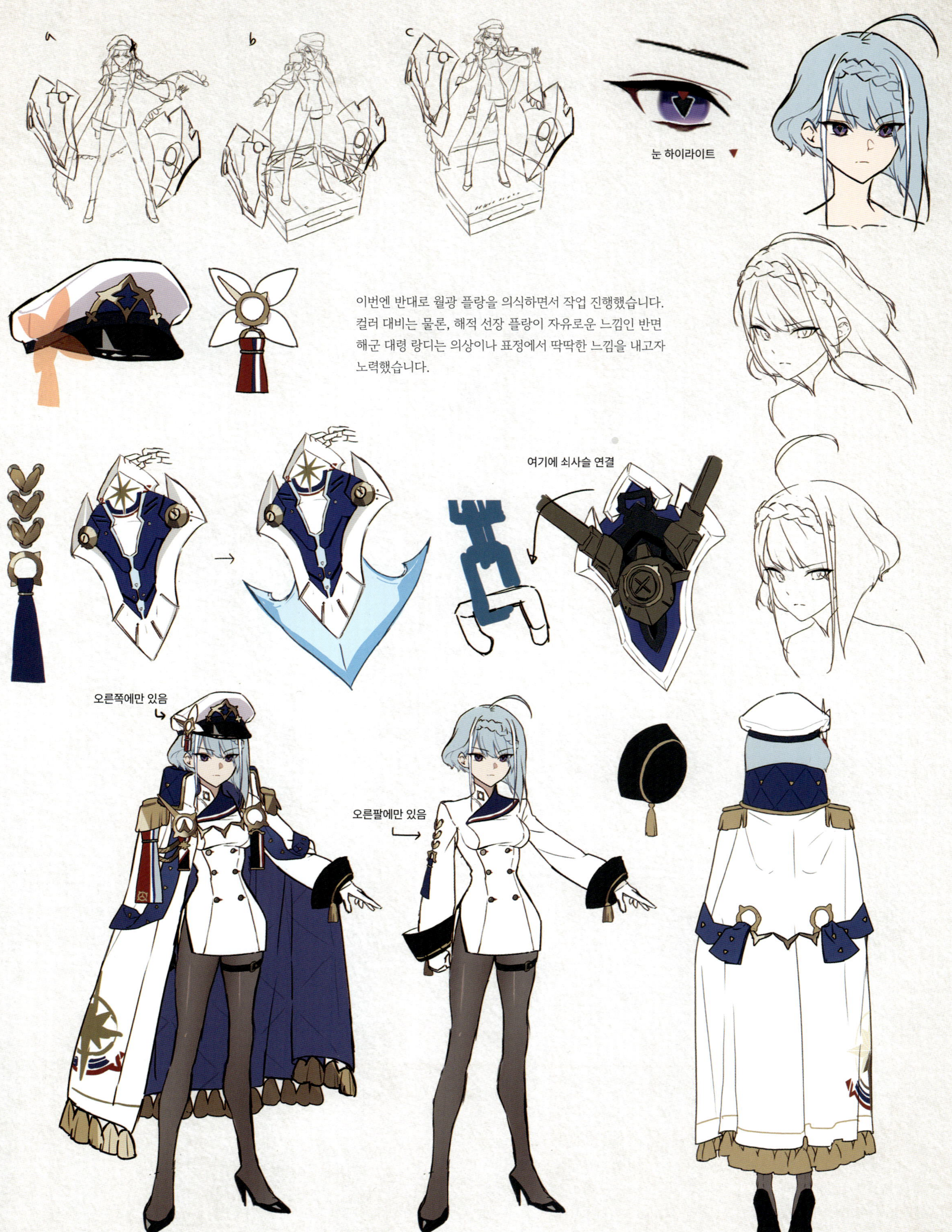
눈 하이라이트 ▼
이번엔 반대로 월광 플랑을 의식하면서 작업 진행했습니다.
컬러 대비는 물론, 해적 선장 플랑이 자유로운 느낌인 반면
해군 대령 랑디는 의상이나 표정에서 딱딱한 느낌을 내고자
노력했습니다.
여기에 쇠사슬 연결
오른쪽에만 있음
오른팔에만 있음

해적 선장 플랑
Pirate Captain Flan

★★★★★

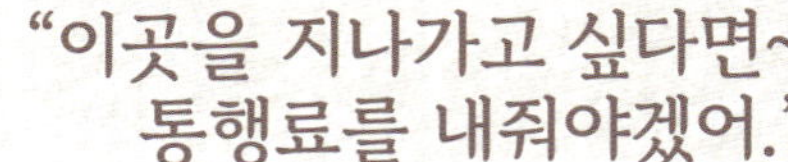

"이곳을 지나가고 싶다면~
통행료를 내줘야겠어."

CV.박고운

돈을 굴리는 솜씨가 남다른 해적이라는 설정에 맞춰,
과감한 컬러와 금화 색 장식, 화보에서 볼 법한
부츠를 채용했습니다. 껄렁하고 다채롭게 연출한 게
단정하고 청량한 랑디와 대비돼서 좋았어요.

❦ Comment

오리지널 플랑이라면 상상할 수도 없는, 언니 랑디와 앙숙 관계인 해적 선장 플랑입니다.
여성스러운 이미지인 플랑에서 해적으로 변화 폭이 커서 세심한 기획 작업이 필요했습니다.
외형적으로는 많이 달라졌지만, 플랑의 뛰어난 두뇌를 기반으로 한
실리주의적인 성향은 동일하답니다.

연계 영웅 - p.078 | p.079 | p.181

바다 마녀 : 해적 선장 플랑
Pirate Captain Flan: Sea Witch

★★★★★

◑ ⚔ Ⅱ

시안 단계에서 검은 스타킹은 무조건 넣어야 한다!고
주장했던 디자인입니다. 여러 장식과 디자인에서
바다 생물 특유의 우아한 곡선을 많이 차용했었습니다.

안대 안쪽 안감 깔려있음

안대 줄과 같은 형태
가운데 부분의 작은 원은
금속입니다

파란 아이섀도&꽃 모양 안대

무기

✦ Comment

뱃사람들 사이에서 구전으로 내려오는, 소원을 이루어주는 바다 마녀가
심해에 살고 있다면 어떨까...라는 생각에서 출발했습니다.
심해의 마녀를 모티브로 이미지를 잡았고,
특유의 신비롭고 나른한 분위기를 표현하기 위해 단어 하나하나 고심했습니다.

떠돌이 왕자 시더
Wandering Prince Cidd

★★★★

⟶❧ Comment

이야기꾼이 된 시더입니다.
타고난 이야기꾼이라 이야기로 사람을 매료시키는 능력이 있는 시더가
기획자로서 부럽다는 생각이 들 때가 많네요.

영안의 셸린
Spirit Eye Celine

★★★★

"내 이제 그대를 어떤 이름으로 부르면 되겠소이까.
나만이 아는 특별한 이름으로 그대를 담고 싶소."

CV.이명희

호위 무사지만 혼령을 이용해 싸우는
캐릭터 특성을 살리기 위해 왼손에는
영을 다루는 특별한 장갑을 끼고 있습니다.

⚔ Comment

무사가 된 셸린입니다.
기존의 셸린과 달리 본인이 맡은 일에 철두철미하고 꼼꼼한 스타일이지만,
다정한 성격만큼은 변함이 없습니다.

달토끼 도미니엘
Moon Bunny Dominiel

★★★★

미래를 예견하는 능력을 지닌
동방의 거대 상단주

"무얼 원하시나요? 선녀가 만든 비단옷?
용궁의 산호 노리개? 전부 아니라면...
소녀의 간을 노리고 오셨습니까?"

CV.박신희

Comment

월묘족이자 상단 주인인 도미니엘.
상냥하고 침착한 모습이지만, 실상은 감정적이고 제멋대로인 소녀의 모습도 있답니다!

용왕 샤룬
Dragon King Sharun

★★★★★

설정을 보고 원안보다 조금 더 어려 보이게
그려보자 싶었습니다. 폭신폭신한 이미지의
미소녀지만 사실은 최강자 라는 컨셉으로
진행했습니다.

모든 것을 순환시키는
푸른 바다의 청룡

"하늘이 내리는 재앙은 피할 수 있지만,
스스로 뿌린 재앙의 씨앗은 반드시 거두게 되는 법이지."

CV.방시우

❖ Comment

아름다운 신부를 얻은 대양의 정복자 시즌 1의 최고 수혜자 용왕 샤룬입니다.
원래 해파리를 좋아해서 용의 반려 셰나에게 해파리를 닮았다고 한 건 나름의 애정표현 일지도...?

안개 영웅 - p.111

용의 반려 셰나

Dragon Bride Senya

★★★★★

"당신은 저와 모든 기쁨과 모든 슬픔을,
모든 선행과 모든 죄악을 나눠가질 것을,
맹세합니까?"

CV.박리나

Comment

자신의 운명을 거부하는 소녀 용의 반려 셰나입니다.
오리지널 셰나의 비극적인 서사에서 벗어나,
복수 대상과 행복한(?) 한때를 그릴 수 있어 즐거웠습니다.

연계 영웅 - p.101 | p.238

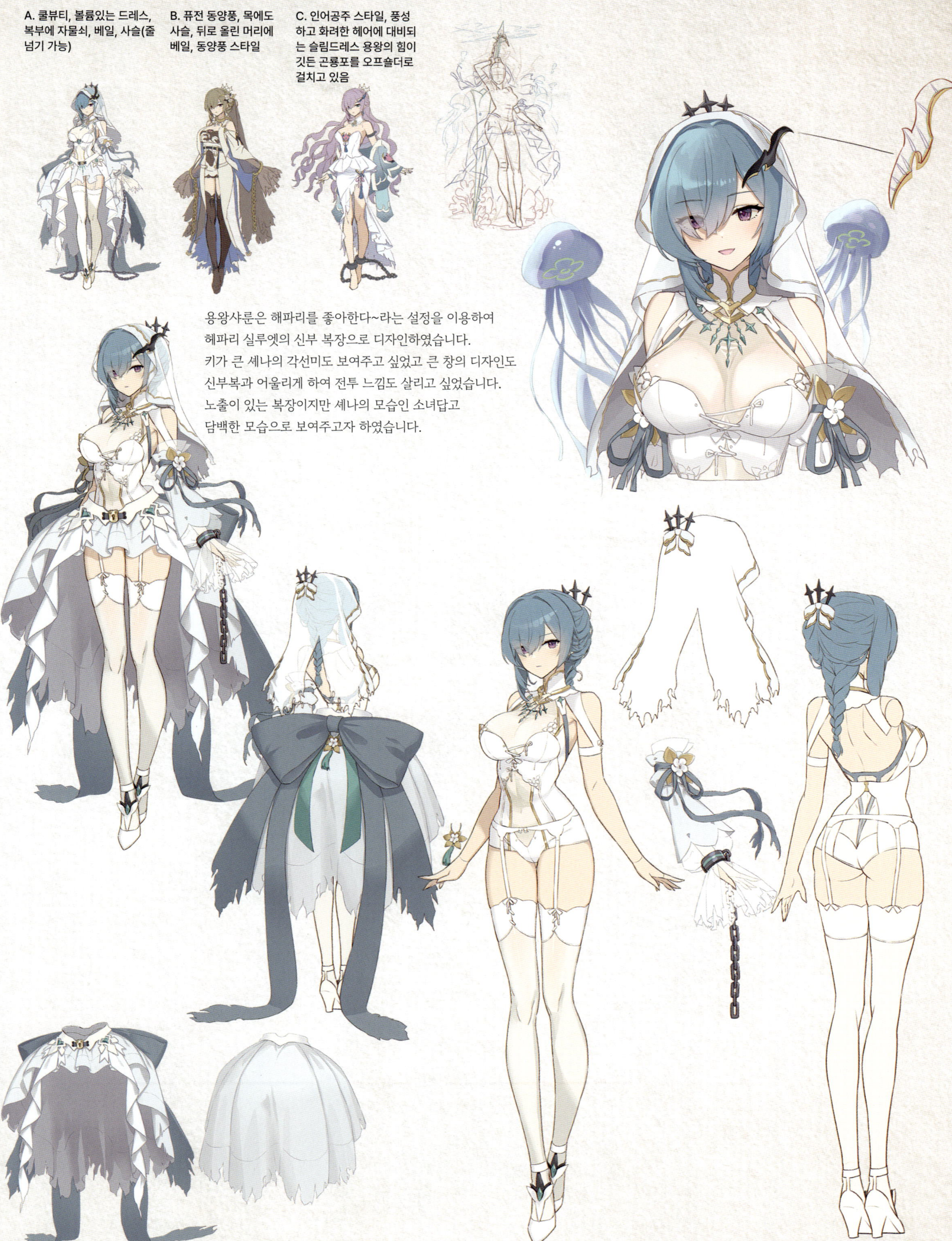

A. 쿨뷰티, 볼륨있는 드레스, 복부에 자물쇠, 베일, 사슬(줄 넘기 가능)

B. 퓨전 동양풍, 목에도 사슬, 뒤로 올린 머리에 베일, 동양풍 스타일

C. 인어공주 스타일, 풍성하고 화려한 헤어에 대비되는 슬림드레스 용왕의 힘이 깃든 곤룡포를 오프숄더로 걸치고 있음

용왕샤룬은 해파리를 좋아한다~라는 설정을 이용하여 헤파리 실루엣의 신부 복장으로 디자인하였습니다. 키가 큰 셰나의 각선미도 보여주고 싶었고 큰 창의 디자인도 신부복과 어울리게 하여 전투 느낌도 살리고 싶었습니다. 노출이 있는 복장이지만 셰나의 모습인 소녀답고 담백한 모습으로 보여주고자 하였습니다.

바다의 유령 폴리티스

Sea Phantom Politis

★★★★★

우아하게 손짓하는
바다의 그림자

"저와 함께 춤춰 주시겠어요?
검은 바다가 모두 마르고,
소금은 별이 될 때까지."

CV.이지영

⊶ Comment

매일 밤 무도회가 펼쳐지는 파라디아호의 유령입니다.
여러 종류의 춤의 전문가이지만, 바다의 유령 폴리티스가 가장 잘 추는 춤은 발레입니다.

언개 영웅 - p.076 | p.077

원본 폴리티스보다
눈매가 처지고 창백한 낯빛
살짝 퇴폐적인 인상입니다
눈 아래를 살짝 어둡게 강조
등불 / 허리를 한바퀴
두르는 형태
은은하게 빛남
겉에 살짝 금이 간 듯
깨져있습니다
하단만 반투명한 재질
옷 소매 끝이
은은하게 빛나는 느낌
시스루 패턴
투명하지 않음
(안비치는 재질)
찢겨져서 발이 드러남
마치 반투명한 느낌 연출
(실제로 뒤가 비쳐보이진 않음)
창백하고 퇴폐적인 이미지를 주고 싶었습니다.
바다 생물과 뼈를 닮은 하얀 산호를 모티브로
장신구를 디자인했습니다.
여러 시행착오가 많았는데,
결과적으로 마음에 들게 완성이 되어 기뻤던 디자인입니다.
은은하게 빛나는 메이드/집사 유령
폴리티스 주변을 동동 떠다닙니다

월광극장 : 혹한의 날들
Days of Piercing Cold

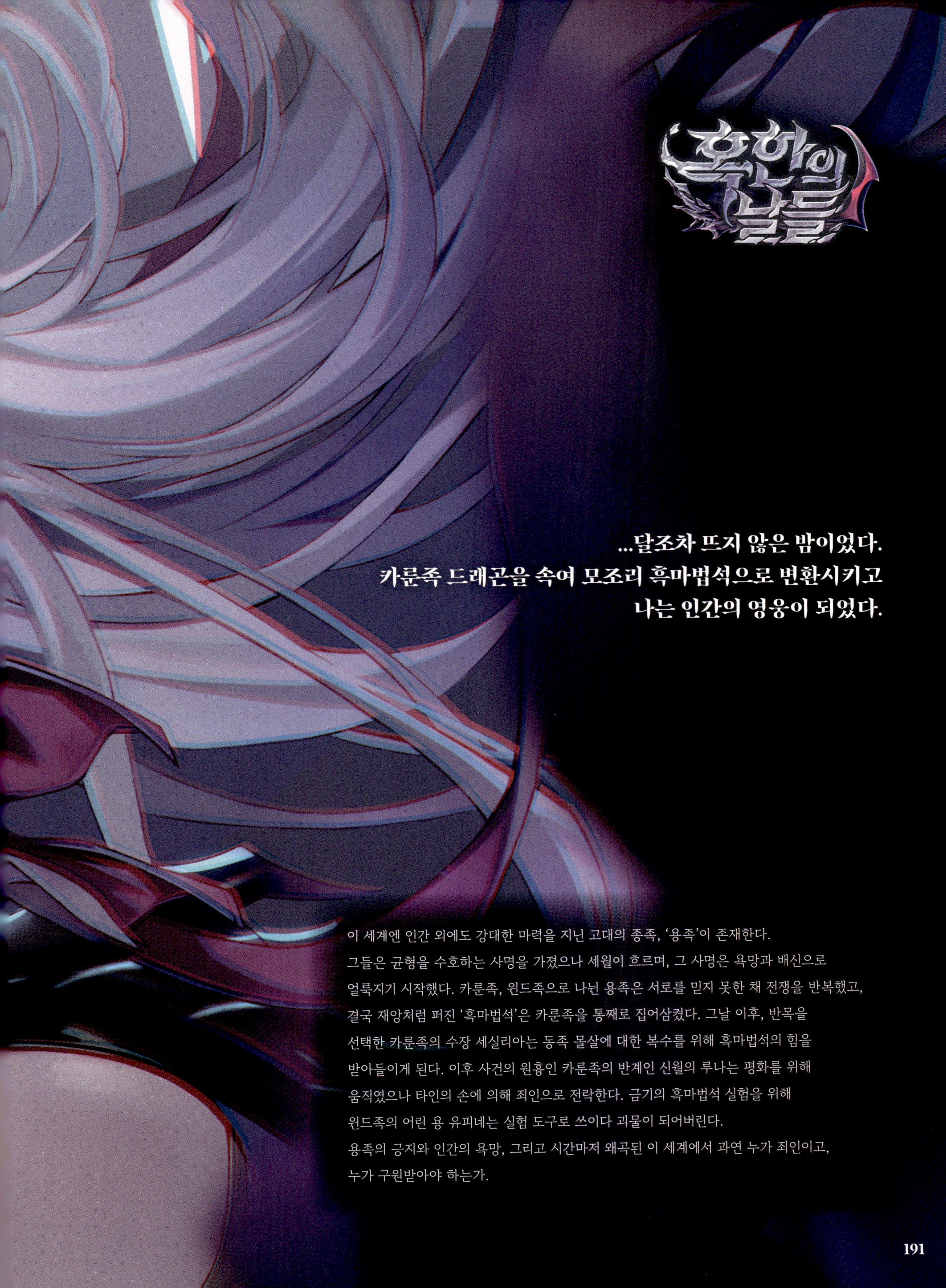

...달조차 뜨지 않은 밤이었다.
카룬족 드래곤을 속여 모조리 흑마법석으로 변환시키고
나는 인간의 영웅이 되었다.

이 세계엔 인간 외에도 강대한 마력을 지닌 고대의 종족, '용족'이 존재한다.
그들은 균형을 수호하는 사명을 가졌으나 세월이 흐르며, 그 사명은 욕망과 배신으로
얼룩지기 시작했다. 카룬족, 윈드족으로 나뉜 용족은 서로를 믿지 못한 채 전쟁을 반복했고,
결국 재앙처럼 퍼진 '흑마법석'은 카룬족을 통째로 집어삼켰다. 그날 이후, 반목을
선택한 카룬족의 수장 세실리아는 동족 몰살에 대한 복수를 위해 흑마법석의 힘을
받아들이게 된다. 이후 사건의 원흉인 카룬족의 반계인 신월의 루나는 평화를 위해
움직였으나 타인의 손에 의해 죄인으로 전락한다. 금기의 흑마법석 실험을 위해
윈드족의 어린 용 유피네는 실험 도구로 쓰이다 괴물이 되어버린다.
용족의 긍지와 인간의 욕망, 그리고 시간마저 왜곡된 이 세계에서 과연 누가 죄인이고,
누가 구원받아야 하는가.

신월의 루나

New Moon Luna

★★★★★

어두운 진실을 숨긴
다정한 반룡

"거짓말이 늘 나쁜 건 아니죠.
진실이 언제나 좋은 건 아니듯."

CV.김보영

보통	화남
슬픔	웃음
당황	특징1
특징2	

❖ Comment

신월의 루나는 [혹한의 날들]에서 온갖 비극의 원흉이
되는 사건을 일으킨 존재이나, 그것은 루나가 아닌
타인의 악의에 의한 것이었습니다. 그렇기에 위대한
업적에 대한 찬사조차 원망을 듣는 듯 괴로워했고,
그에 책임을 지기 위해 고뇌하는 인물입니다.

연계 영웅 - p.094

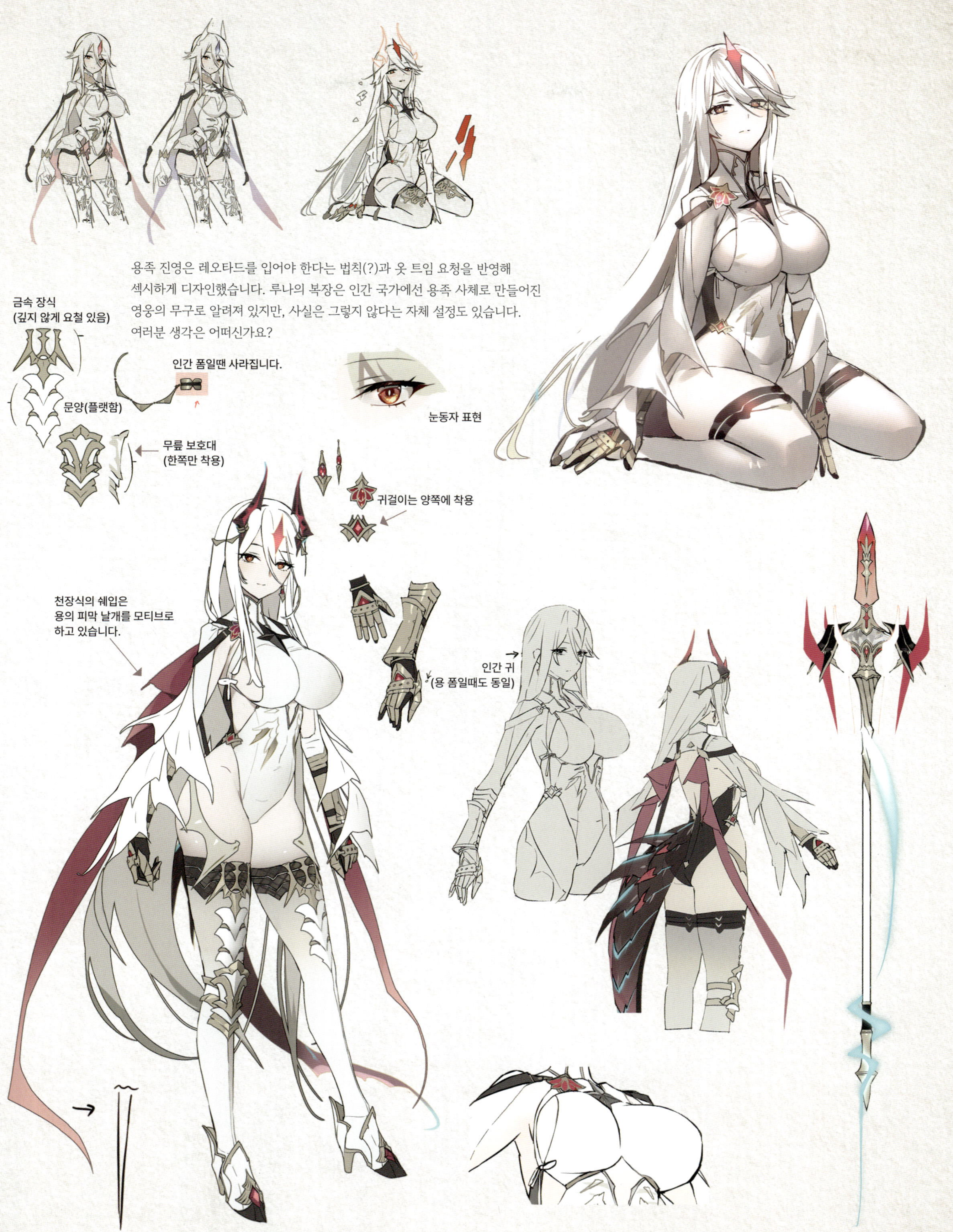
용족 진영은 레오타드를 입어야 한다는 법칙(?)과 옷 트임 요청을 반영해
섹시하게 디자인했습니다. 루나의 복장은 인간 국가에선 용족 사체로 만들어진
영웅의 무구로 알려져 있지만, 사실은 그렇지 않다는 자체 설정도 있습니다.
여러분 생각은 어떠신가요?
금속 장식
(깊지 않게 요철 있음)
문양(플랫함)
인간 폼일땐 사라집니다.
무릎 보호대
(한쪽만 착용)
눈동자 표현
귀걸이는 양쪽에 착용
천장식의 쉐입은
용의 피막 날개를 모티브로
하고 있습니다.
인간 귀
(용 폼일때도 동일)

심연의 유피네

Abyssal Yufine

★★★★★

보통	화남
슬픔	웃음
당황	특징1
특징2	특징3

변해가는 자신의 모습에 괴로워하는
이중인격 드래곤

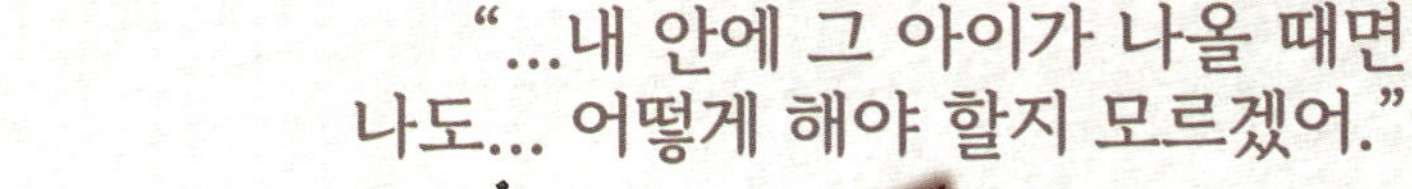

> "...내 안에 그 아이가 나올 때면
> 나도... 어떻게 해야 할지 모르겠어."

CV.조경이

❖ Comment

온갖 끔찍한 실험을 당해서 불안정하지만 강력한 힘을 지니게 된 유피네.
원망과 고통 속에서도 타인을 해치고 싶지 않은 그녀가 바라는 것은,
마음 놓고 쉴 수 있는 가족의 따뜻한 품뿐. 그러나 오랜 전쟁 끝에 태어난 광기는 유피네의 유일한 소원마저도 들어줄 생각이 없습니다.

연계 영웅 - p.096 | p.097

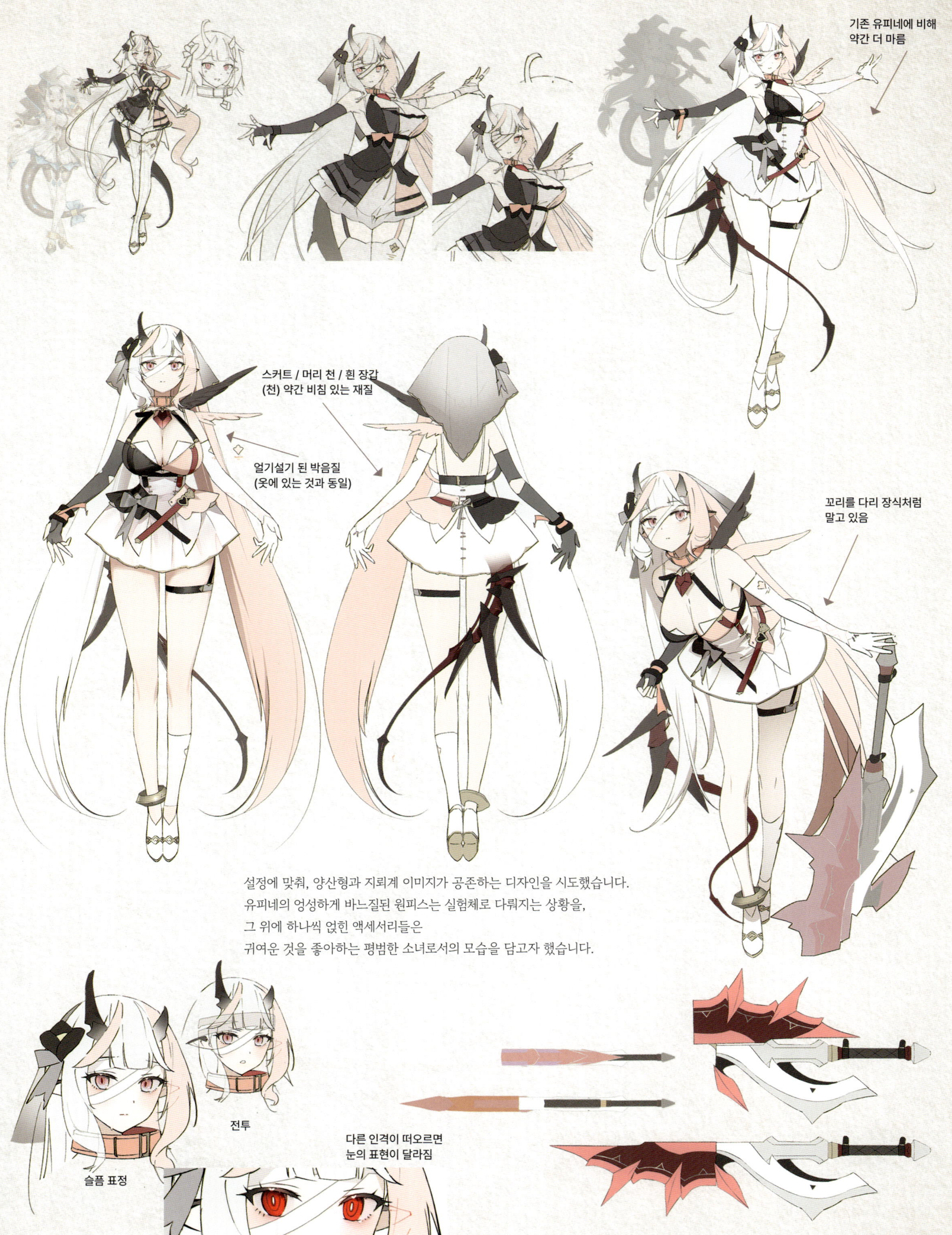

설정에 맞춰, 양산형과 지뢰계 이미지가 공존하는 디자인을 시도했습니다.
유피네의 엉성하게 바느질된 원피스는 실험체로 다뤄지는 상황을,
그 위에 하나씩 얹힌 액세서리들은
귀여운 것을 좋아하는 평범한 소녀로서의 모습을 담고자 했습니다.

나락의 세실리아
Fallen Cecilia

★★★★★

복수에 대한 열망과
끝없는 원념에 속박된 검은 용

"당신은
제가 믿을 수 있는 사람인가요."

CV.최덕희

온몸을 감싸고 있는 타이트한 의상의
흑 마법석으로 몸이 망가지고 있는
세실리아입니다.
복수로 분노 어린 표정 등,
시리어스한 배경 설정을 녹여 내려
노력했습니다.

연계 영웅 - p.099

⟡ Comment

나락의 세실리아는 소중한 모든 것을 잃어버린 비극을 계기로 복수귀가 된 드래곤입니다.
하지만 복수의 대상을 착각하여 또 다른 불행을 낳는 그녀의 운명은,
어떤 초월적인 존재에 의해 뒤틀려 있습니다.

비탄의 로제
Wretched Rose

★★★★

"...너도 내가 이상하다고 생각해?
그래, 맞아. 난 텅 비어있거든."

CV.곽규미

멜빵 후면은 Y자 형태

꼬리 때문에
벨트의 뒷면은 절단하여 부착

죽은 연인의 드래곤 혈액
이 담긴 목걸이 장식

기존 로제와 전혀 다른 모습인
매드 사이언티스트(안경이 포인트)의 비주얼을
보여드리고 싶었습니다. 주사기를 칼로 형상화하고
방패에 시계를 어레인지 한 디자인을 차용하여
비탄의 로제가 사용하는 스킬들을 외적으로도
나타내고 싶었습니다.
특이한 성격을 외모에 나타내기 위해
상어 이빨 요소도 그랬고 볼륨감 있는 박사 가운과
대비되는 타이트한 복장으로 디자인 했습니다.

드래곤 혈액 앰플을 장전
주사기 기능이 있는 검

평소에는 쿨하거나
약간 우울한 표정

그을린 흔적

타이즈 여러 부분이
헐어서 구멍이 난 상태

실험 진행 중
각종 사고로 붕대

입을 열면 상어 이빨 형태

뾰족 머리

왼쪽 안경에 금
같은쪽 눈 홍채 색이 다름
과격한 실험으로 인한 부상

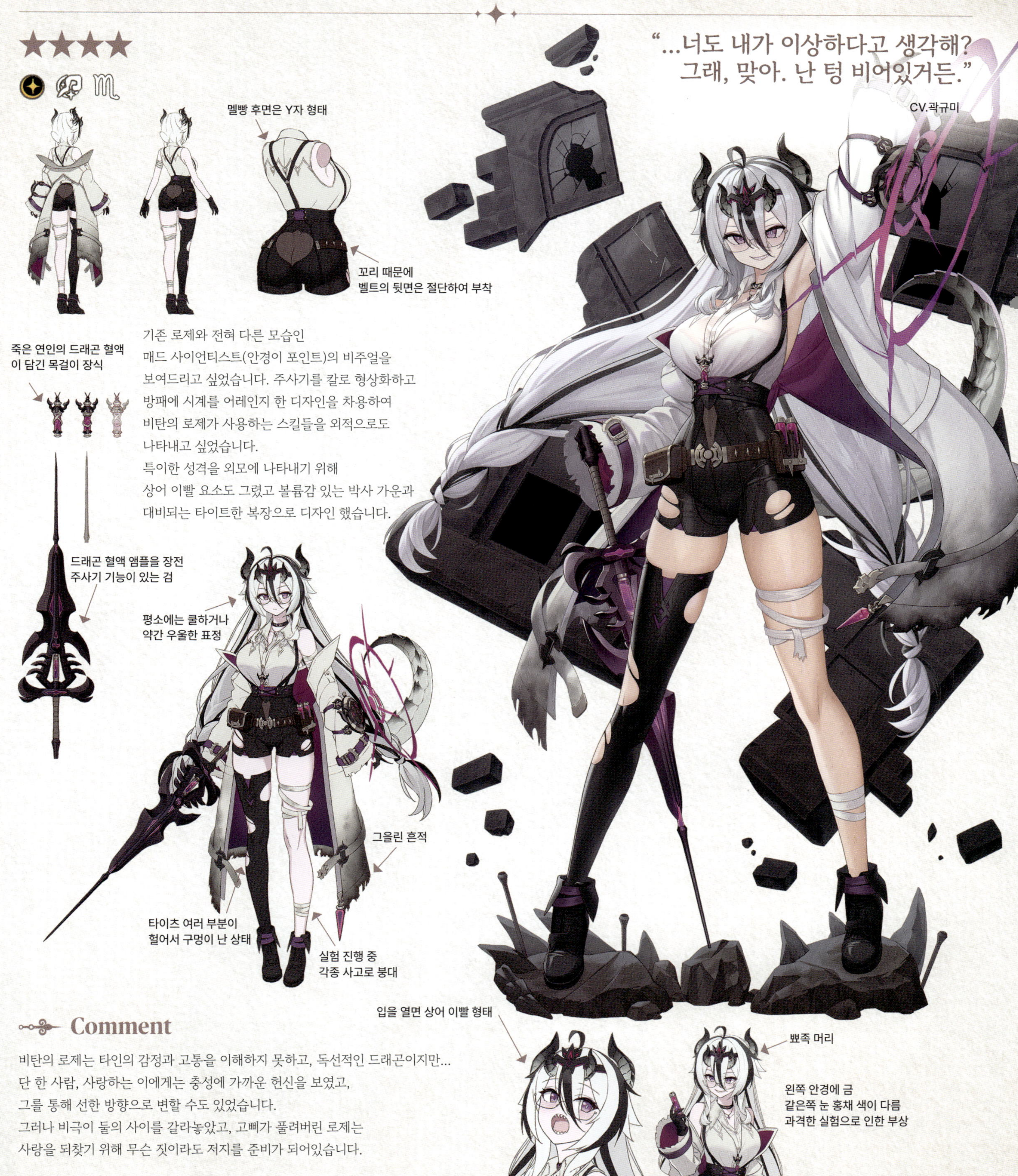

⚜ Comment

비탄의 로제는 타인의 감정과 고통을 이해하지 못하고, 독선적인 드래곤이지만...
단 한 사람, 사랑하는 이에게는 충성에 가까운 헌신을 보였고,
그를 통해 선한 방향으로 변할 수도 있었습니다.
그러나 비극이 둘의 사이를 갈라놓았고, 고삐가 풀려버린 로제는
사랑을 되찾기 위해 무슨 짓이라도 저지를 준비가 되어있습니다.

멜빵이 셔츠 가슴부를
압박하고 있는 형태

창공의 일리나브

Empyrean Ilynav

★★★★★

보통	전투

슬픔	웃음

당황	특징1

특징2	특징3

윈드족을 지도하는
강하고 정의로운 원로

> "두려워 말라.
> 창에 새겨진 피는 기억하고 있으니."

CV.정선혜

⤚⤙ Comment

타고난 힘과 카리스마로 윈드족의 지도자 자리까지 올라간 정의로운 드래곤.
원본 일리나브가 온갖 상실을 겪고 분노에 몸을 맡기지 않았다면 어땠을까 하는 상상을 하게 만드는 영웅입니다.

언개 영웅 - p.093

월광극장 : 혹한의 날들
투구
귀걸이
가슴에 점
마법 날개 망토
<앞>
갑주가
타이즈에
붙어 있음
(일체형)
팔
창 Ver.
쌍검 Ver.

호반의 마녀 테네브리아
Witch of the Mere Tenebria

★★★★★

설산의 악몽을 조율하며
조소하는 호반의 마녀

"여기까지 오셨으니…
세계의 이면을 보여드리죠."

CV.정혜원

보통

전투

슬픔

웃음

당황

특징1

특징2

특징3

Comment

온갖 사건의 배후에서 악몽과 절망을 이용해 사람들을 조종하는 테네브리아.
그런 그녀가 시간과 공간을 뛰어넘는 초월적인 힘을 손에 넣었을 때… 무슨 일이 벌어지게 될까요?

인게 영웅 - p.030 | p.031 | p.046 | p.047

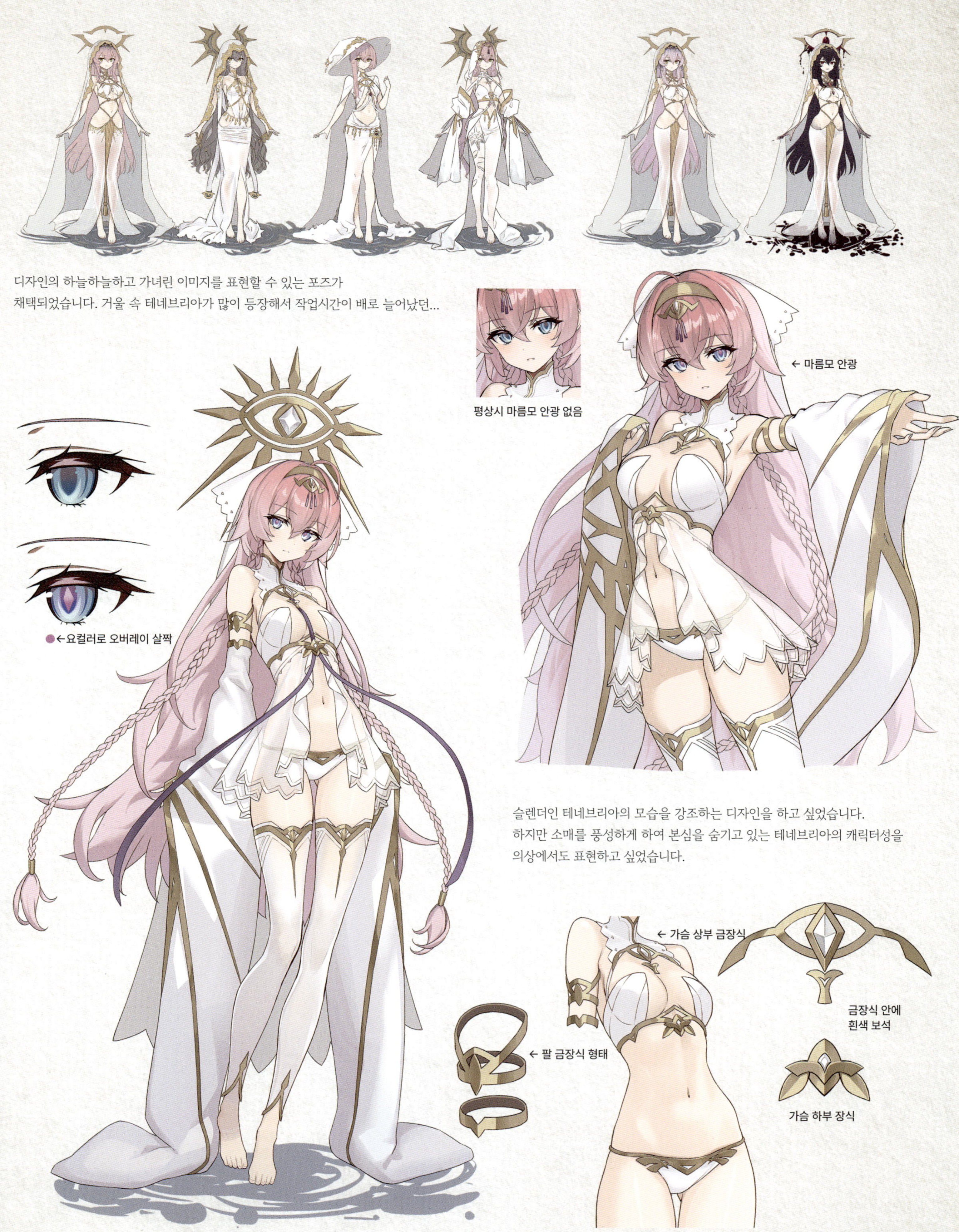

디자인의 하늘하늘하고 가녀린 이미지를 표현할 수 있는 포즈가
채택되었습니다. 거울 속 테네브리아가 많이 등장해서 작업시간이 배로 늘어났던...

슬렌더인 테네브리아의 모습을 강조하는 디자인을 하고 싶었습니다.
하지만 소매를 풍성하게 하여 본심을 숨기고 있는 테네브리아의 캐릭터성을
의상에서도 표현하고 싶었습니다.

월광극장 : 나탈론 학원
Natalon Academy

"켄, 헛소리하지 말고 뒤로 물러나 있어.
아룬카의 눈앞에서 [식구]를 건드리면
그 순간 협상 가능성 같은 건 영원히 사라질 거야."

나탈론
학원

갑자기 종적을 감춘 소꿉친구 태유를 찾아 가안 고교로 전학 온 소녀, 아딘.
그런데 가안 고교에는 아딘의 중학교 시절 일화가 과장된 채로 퍼져있다.
소문과 다르게 아딘은 싸움을 지양하는 평화주의자. 아딘은 할아버지의 가르침에 따라
결코 먼저 주먹을 들지 않으려 한다. 그런 아딘에게 가안 고교의 인기인, 루아가 접근하고
태유에 얽힌 믿기 어려운 이야기를 전하면서 상황은 복잡해진다.

후계자 태유
Successor Taeyou

★★★★★

흉흉한 소문을 몰고 다니는
가안 고교의 명목상 1인자

"너도 내 실력이 의심된다면 언제든지 덤벼라.
수준 차이를 보여주지."

CV.김민주

보통

화남

슬픔

웃음

당황

특징1

특징2

특징3

Comment

차가워 보이는 겉모습과는 다르게
어린 시절부터 따뜻하고 다정했던 태유의 면모를 보여드릴 수 있어서 행복했습니다.

언개 영웅 - p.106

<앞>
<뒤>
트임
밸크로
손잡이쪽
걸옷 안감 문양
넥타이핀
= 아딘의 헤어핀

전학생 아딘
New Kid Adin

★★★★

열혈 무드의 아딘! 할아버지의 예절 교육이 없었다면,

소꿉친구를 지키기 위해
수라장에 뛰어든 소녀

"두근두근하네요!
한 수 부탁드리겠습니다!."

CV.문유정

Comment

열혈 무드의 아딘! 할아버지의 예절 교육이 없었다면,
아딘의 내면에 숨어 있는 폭력성이 어떻게 발휘되었을지 상상만 해도 재미있었던 친구입니다.
아마... 나타현 최고의 폭주족은 아딘이 되었을지도?

언계 영웅 - p.107 │ p.108

소악마 루아
Hellion Lua

★★★★★

귀여운 외모와 다르게 어느 정도 잔혹한 면도 가지고 있는 것을 표현하기 위해
디자인하였습니다. 하지만 귀여운 모습을 더 보여주고 싶었습니다.

❖ Comment

미운 짓만 골라 하지만, 얼굴만 보면 미워할 수 없는 캐릭터가 바로 루아입니다.
겉으로는 놀기 좋아하고 아무 생각 없어 보이지만, 진정한 권력을 차지하기 위해
매일같이 노력하고 계획을 세우는 걸 보면... MBTI는 완전 J 같죠?

연계 영웅 - p.110

방관자 화영
Bystander Hwayoung

★★★★★

"하아... 귀찮아.
질질 끌지 말라고."

CV.김율

Comment

자신의 과거를 후회하고 그 결과 모든 것을 내려놓았지만,
자신을 둘러싼 사건과 동료들을 통해 한 걸음 한 걸음 성장하는 화영의 모습을 보여주고자 했습니다.
자신에게 실망하고, 도망치고, 하지만 다시 돌아와 정면으로 맞서 싸우는 모습을 그려 청춘 활극을 표현했습니다.

연계 영웅 - p.219 | p.242

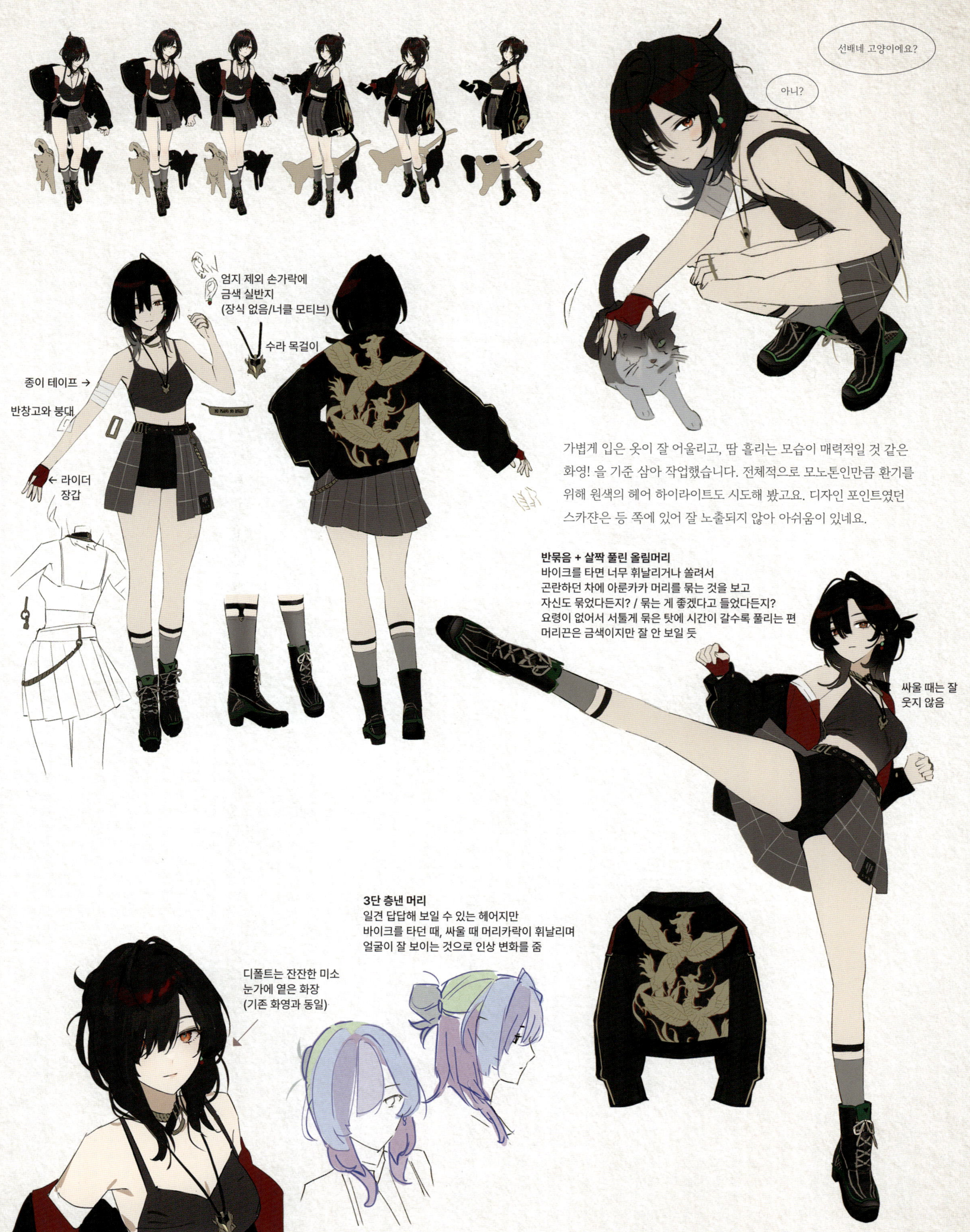

가볍게 입은 옷이 잘 어울리고, 땀 흘리는 모습이 매력적일 것 같은
화영! 을 기준 삼아 작업했습니다. 전체적으로 모노톤인만큼 환기를
위해 원색의 헤어 하이라이트도 시도해 봤고요. 디자인 포인트였던
스카쟌은 등 쪽에 있어 잘 노출되지 않아 아쉬움이 있네요.

반묶음 + 살짝 풀린 올림머리
바이크를 타면 너무 휘날리거나 쏠려서
곤란하던 차에 아룬카카 머리를 묶는 것을 보고
자신도 묶었다든지? / 묶는 게 좋겠다고 들었다든지?
요령이 없어서 서툴게 묶은 탓에 시간이 갈수록 풀리는 편
머리끈은 금색이지만 잘 안 보일 듯

싸울 때는 잘
웃지 않음

3단 층낸 머리
일견 답답해 보일 수 있는 헤어지만
바이크를 타던 때, 싸울 때 머리카락이 휘날리며
얼굴이 잘 보이는 것으로 인상 변화를 줌

디폴트는 잔잔한 미소
눈가에 옅은 화장
(기존 화영과 동일)

고독한 늑대 페이라

Lone Wolf Peira

★★★★★

모든 명예와 인연을 잊고
홀로 폭주하는 고독한 늑대

"감히 날 가로막아?
흥, 굼벵이들 같으니."

CV.김은아

연계 영웅 - p.121

❧ Comment

페이라는 의외로 [효녀]입니다.
쉬는 날, 손이 비는 날 종종 부모님의 정비소에서 일하는 페이라의 모습을 볼 수 있습니다.
고등학교에 입학할 때부터 스스로 개조한 바이크를 타고 다닐 만큼 실력자이기도 합니다.

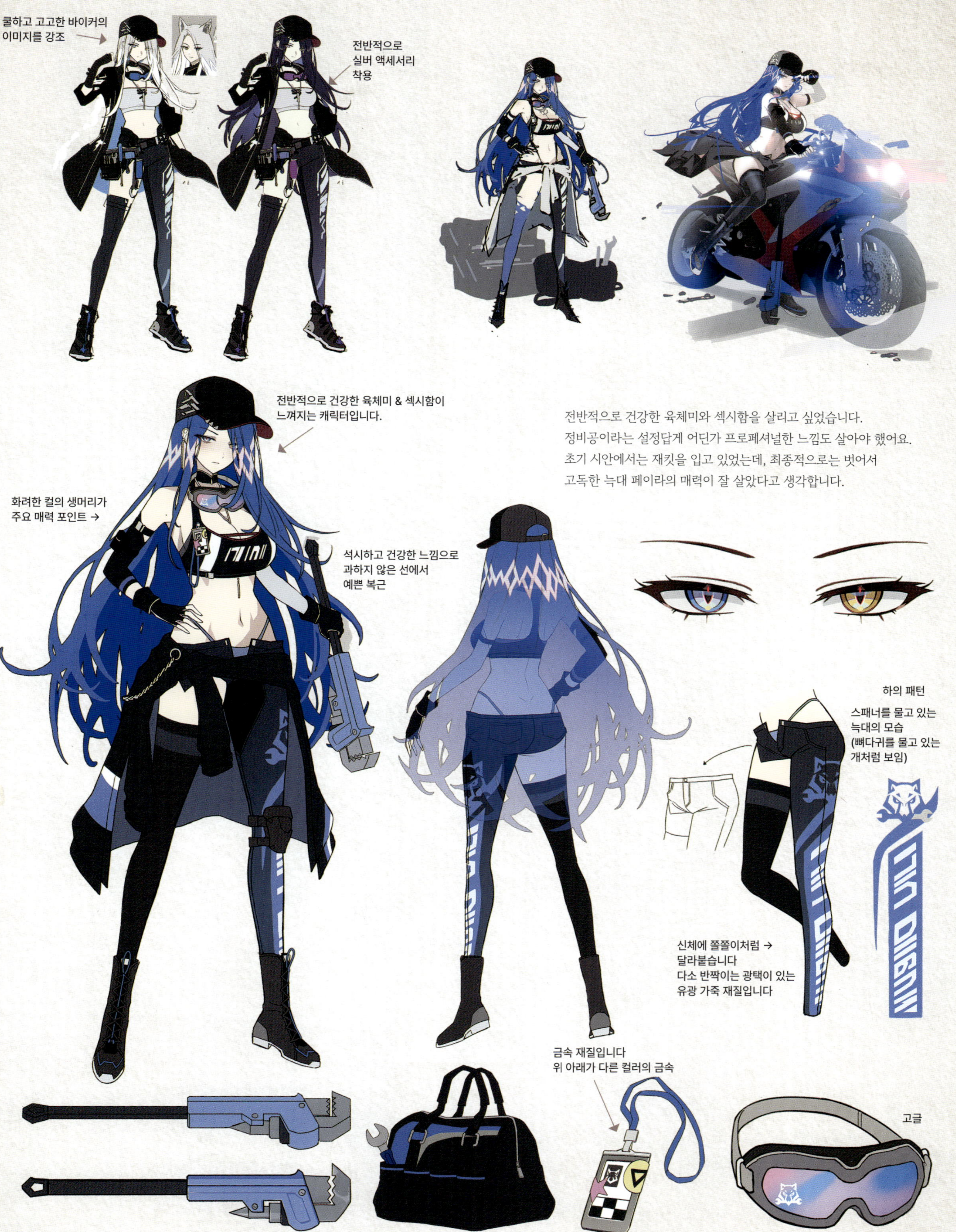

전반적으로 건강한 육체미와 섹시함을 살리고 싶었습니다. 정비공이라는 설정답게 어딘가 프로페셔널한 느낌도 살아야 했어요. 초기 시안에서는 재킷을 입고 있었는데, 최종적으로는 벗어서 고독한 늑대 페이라의 매력이 잘 살았다고 생각합니다.

조장 아룬카
Boss Arunka

★★★★★

⟡ Comment

[폭주족 리더]라고 했을 때 떠오르는 중성적인 무드보다는, 좀 더 쿨하고 섹시한 느낌을 가진 캐릭터를 만들고 싶었어요.
걸리시한 무드와 화끈한 모습을 동시에 표현하기 위해 길거리 표지판을 뽑아 든, 긴 머리 누님을 떠올렸습니다.
아룬카의 의리와 리더십을 보면서, 가끔 제 주변에 진짜 있었다면 재미있을 것 같다는 생각을 종종 합니다.

연계 영웅 - p.120

완장 패턴

폭주족 조장이라는 거친 이미지에 화려한 아름다움을
담고 싶어 고민을 많이 했습니다. 피안화의 형태에서
아이디어를 얻어 장신구와 패턴에 녹여 내려고 노력했습니다.
앞서 제작된 화영과 페이라가 블랙이 메인 컬러였기 때문에
대비되는 화이트를 핵심 컬러로 선정했습니다.

그라데이션

머리카락 안쪽
진한 분홍색 시크릿 투톤

눈 아래에 붉은 화장
눈 빛 라인 중앙에 푸른 포인트

모든 단추 동일

땋은 머리 길이는
전체 머리 길이와 동일

머리카락 하단
은은한 분홍색
그라데이션

의상 하단
분홍색 그라데이션

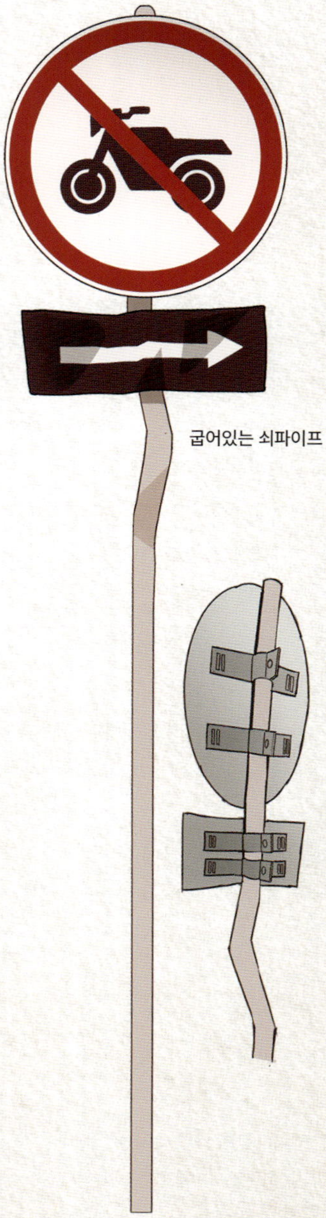

허리 매듭

굽어있는 쇠파이프

풍기위원 아리아
Disciplinary Prefect Aria

은림 고교의 풍기와 성적을 책임지는
문무겸비의 풍기위원

★★★★★

"학업 분위기를 망치다니...
체벌이 필요해 보이는군요."

CV.방연지

보통 · 전투
슬픔 · 웃음
당황 · 특징1
특징2 · 특징3

Comment

아리아의 못 말리는 동생 사랑은 영원할 겁니다.
차갑고 냉소적인 외모에, only 동생 한정 팔불출 면모는,
나탈론 학원 캐릭터들 중 최고의 반전 캐릭터가 아닐까 합니다.

인게 영웅 - p.112

← 레드카드
헤어 하이라이트
각성하거나 →
진심으로 임할 때
외투를 벗음
단추 사이에
벌어짐 표현
치마 안감 컬러
<은림고교 완장>
외투 안주머니에
레드카드
바닥면

서브스토리 : 나탈론 악괴전

나탈론 대륙은 수인과 인간과 그림자 엘프, 요괴들의 치열한 전쟁이 이어져 왔다.
하지만 수면 위로 드러나지 않는, 누군가는 우스운 농담으로 치부할 싸움을 하며
살아가는 이들이 있었다. 오랜 전쟁과 풍토병으로 세상에는 악한 기운과 원한에 찬
영혼들이 넘쳐났고, 그들은 사물과 동물, 인간에까지 깃들어 수많은 생명을 해치는
'악괴'로 변해갔다. 나탈론의 도사들은 그러한 악괴와 귀신을 봉인하며 세상을 지켜왔으나,
시간이 지나 도사들이 걸어둔 술법은 약해져 갔다. 도사들의 업적은 점점 미신이 되어갔고,
도사의 명맥은 끊긴다. 결국 약해진 기운을 틈타 봉인이 풀린 악괴가 다시 눈을 뜨게 된다.

켄
Ken

★★★★★

나는 더 강해질 거야!
활발한 격투 소년

"이제부턴 나한테 다 맡기면 돼!"

CV.박성태

파멸의 글러브

스트랩

〜◈〜 Comment

열혈! 언제나 씩씩한 켄이지만, 관심과 칭찬이 항상 고픕니다.
의외로 섬세한 면이 있어, 칭찬이라는 연료가 없으면 금세 풀이 죽는다고 하네요.

화영
Hwayoung

★★★★★

자신의 한계를 넘어서려는
방랑 격투가

"분하다면 다시 덤벼도 좋아.
결과는 같겠지만."

CV.김율

3인조 중 붉은색 큐트 속성을
담당하는 화영입니다. 성숙한
외모의 격투가로, 대전 게임을
해보신 분들이라면
익숙할 캐릭터 C를 오마주해
디자인했습니다. 단련으로
만들어진 육체미를 표현하는 데
신경을 썼고, 길게 땋은 머리를
풀면 무협물에 나올 법한 미인이
된다는 비하인드도 있네요.

붕대

❧ Comment

사람을 편하게 만드는 분위기를 가진 화영입니다.
켄의 뜨거운 기세와는 상극처럼 보이지만, 오히려 한데 어우러져
화영 또한 의욕에 불타오르는 관계를 생각했습니다.

연계 영웅 - p.208 | p.242

율하
Yulha

★★★★★

"마지막 한순간까지...
저를 위해 움직여 주실 거죠?"

CV.손선영

소녀스러운 체형을 살리고자
노력했습니다.
의상으로는 가벼운 천을 차용해
하늘하늘한 느낌을 주지만,
속은 어두운 캐릭터여서
재미있었던 기억이 납니다.

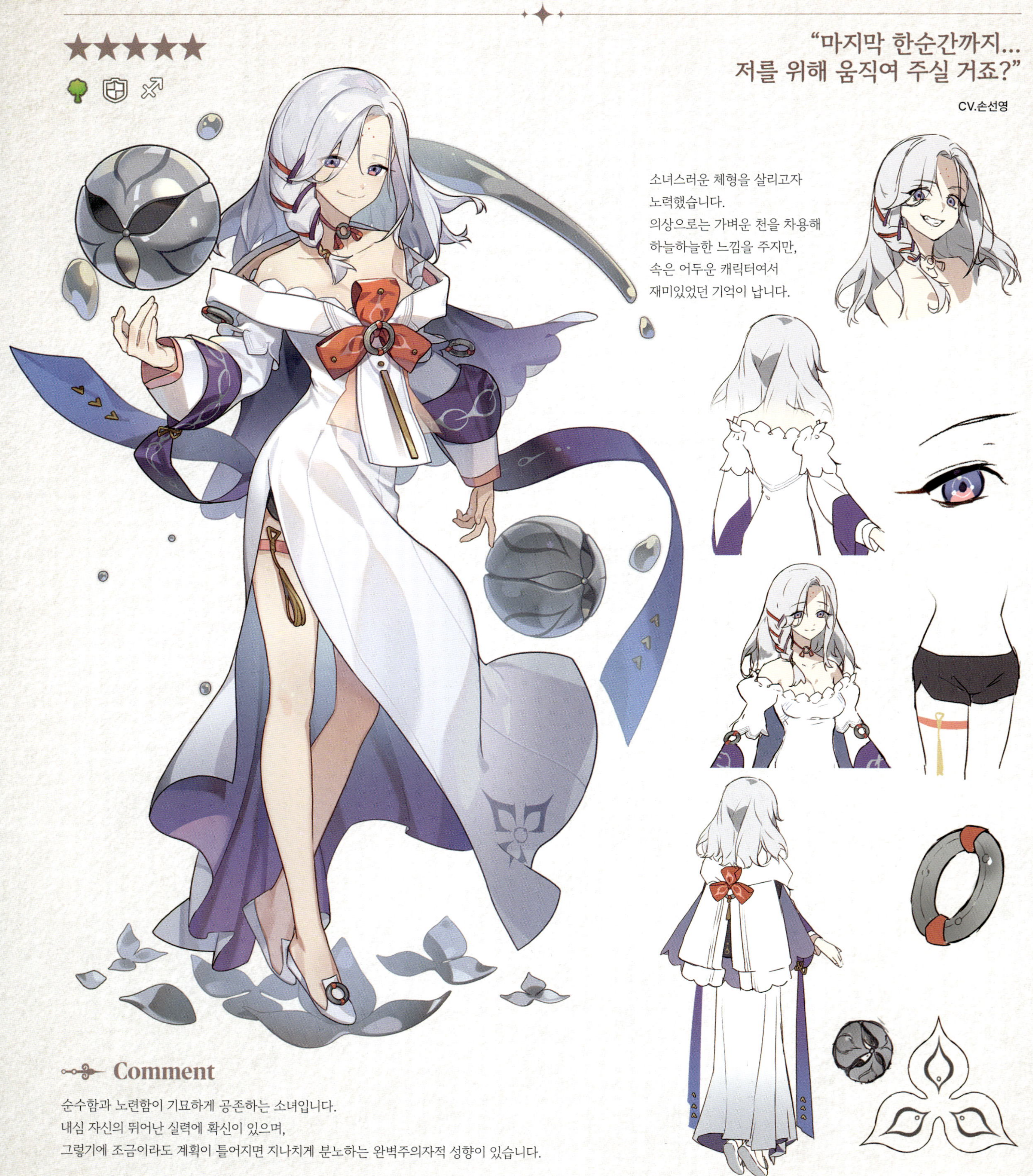

Comment

순수함과 노련함이 기묘하게 공존하는 소녀입니다.
내심 자신의 뛰어난 실력에 확신이 있으며,
그렇기에 조금이라도 계획이 틀어지면 지나치게 분노하는 완벽주의자적 성향이 있습니다.

낙월

Nahkwol

★★★★★

⟿ Comment

낙월의 이름은 사실 음식 이름을 조합해 지어질 뻔했습니다.
살리고 싶었던 이를 살리지 못했다는 의미에서 낙월이 되긴 했지만요.

서브스토리 : 한여름의 파라다이스!
A Midsummer Paradise!
222

향수병에 걸린 비올레토를 위해 루루카가 준비한 특별한 여름휴가.
하지만 도착한 타레브 섬 리조트에는, 평범한 휴양지와는 다른 '무언가'가 숨어 있었다.
사라진 숙박권, 기니 피그가 되어버린 비올레토, 감춰진 공간과 기억의 단서들과
섬 곳곳에 얽힌 불길한 기운이 루루카를 진실을 향해 끌어당기는데...
누군가가 간직한 아픔과 죄책감, 그리고 잃어버린 시간.
모든 퍼즐 조각은 '레테'라는 이름으로 향한다.
한여름의 리조트, 그곳에서 펼쳐지는 조용하고도 기묘한 이야기.
과연 루루카는 이 여행을 '추억'으로 끝낼 수 있을까?

레테

Lethe

★★★★★

푸른 바다 한가운데
홀로 피어난 얼음꽃

"네가 무엇을 하든 신경 쓰지 않겠다.
단, 내 눈에 거슬리지 않도록 주의해라."

CV.박지윤

보통　　　전투

슬픔　　　웃음

당황　　　특징1

특징2　　　특징3

❧ Comment

사람과 어울리는 데 서툰 캐릭터, 레테입니다.
차갑고 단호해 보이지만, 사실은 사람들을 대하는 방법을 몰라 그럴 수밖에 없었죠.
레테는 어두운 밤이면 하늘을 올려다보며 자신만의 별자리를 찾는다고 하네요.

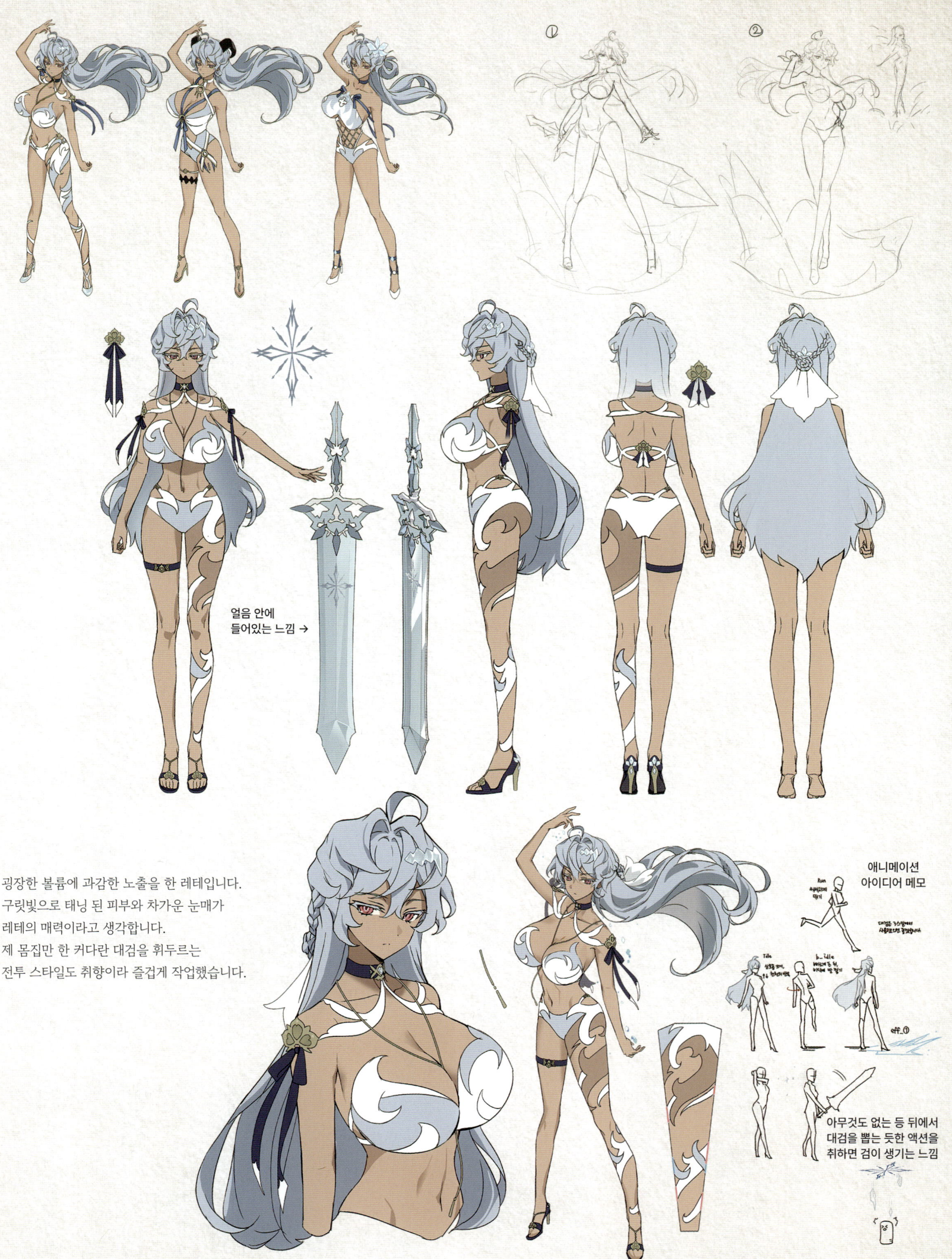
①
②
얼음 안에
들어있는 느낌 →
굉장한 볼륨에 과감한 노출을 한 레테입니다.
구릿빛으로 태닝 된 피부와 차가운 눈매가
레테의 매력이라고 생각합니다.
제 몸집만 한 커다란 대검을 휘두르는
전투 스타일도 취향이라 즐겁게 작업했습니다.
애니메이션
아이디어 메모
아무것도 없는 등 뒤에서
대검을 뽑는 듯한 액션을
취하면 검이 생기는 느낌

서브스토리 : 비밀의 정원과 기묘한 밤
Eerie Night in the Secret Garden

이제라는 여신교의 본산지로, 매년 겨울 푸른 성십자회의 주도로 소원을 비는
행사가 개최된다. 예년보다 더 규모가 커진 신년 축제를 준비하기 위해
아카테스와 동료들은 꽃과 나무를 조달하기로 한다.
그렇게 도착한 라룬다 가문에서, 아카테스의 언니이자 저택의 주인 '비브리스'를 만난다.
'지켜야 할 다섯 가지 규칙'이 있는 기묘한 저택에 머물게 된 아카테스 일행.
완벽하지만 어딘가 기이한 분위기의 저택에는, 반드시 지켜야 할 다섯 가지 규칙이 있었다.
열려 있는 문을 닫을 것, 달콤한 향기가 나면 노래를 부를 것,
그리고 인영을 보면 반드시 돌아설 것. 단순한 노파심같았던 경고는 점점 현실이 되어간다.
정체불명의 식물과 꽃에 숨겨진 비밀, 묘하게 뒤틀린 자매의 기억, 그리고 서서히 모습을
드러내는 위험한 유혹. 화원에서 피어나는 기묘한 공포와 진실의 향연이 지금, 시작된다.

비브리스
Byblis

★★★★★

보통　전투

슬픔　웃음

당황　특징1

특징2　특징3

Comment

비브리스 꽃은 실제로 존재하는 식충 식물의 이름이란 것을 아시나요?
청순하고 가녀린 외모지만 상처 주는 말을 내뱉는 독설가에게 딱 어울리는 네임이라고 생각했습니다.
그녀의 알 수 없는 표정과 말투에 동생 아카테스를 생각하는 마음이 대조되어 더욱 매력적인 캐릭터가 완성되었습니다.

꽃 모양 머리핀으로
금속처럼 반사가 센 재질이 아니라
합성 섬유같은 매트한 재질로 표현
뒷부분
반투명
옷 구조
옷 안쪽에 공간 여유가 있지만 분리되는 형태라기 보다는
일체형입니다.
귀족가 장녀 이미지를 살릴 수 있도록
청순하고 우아한 모습 강조했고,
온실을 가꾸는 것이 취미지만 정말 농사할 것 같은
투박한 느낌은 덜어냈습니다.
몸에 걸치고 있는 형태
물뿌리개
어린 비브리스
붙어있음
원예용 가위

화원의 리디카
Blooming Lidica

★★★★★

피를 갈구하는
광기에 찬 식물

> "꽃 피고 열매 맺는 황홀함을
> 당신도 알면 좋을 텐데."
>
> CV.이유리

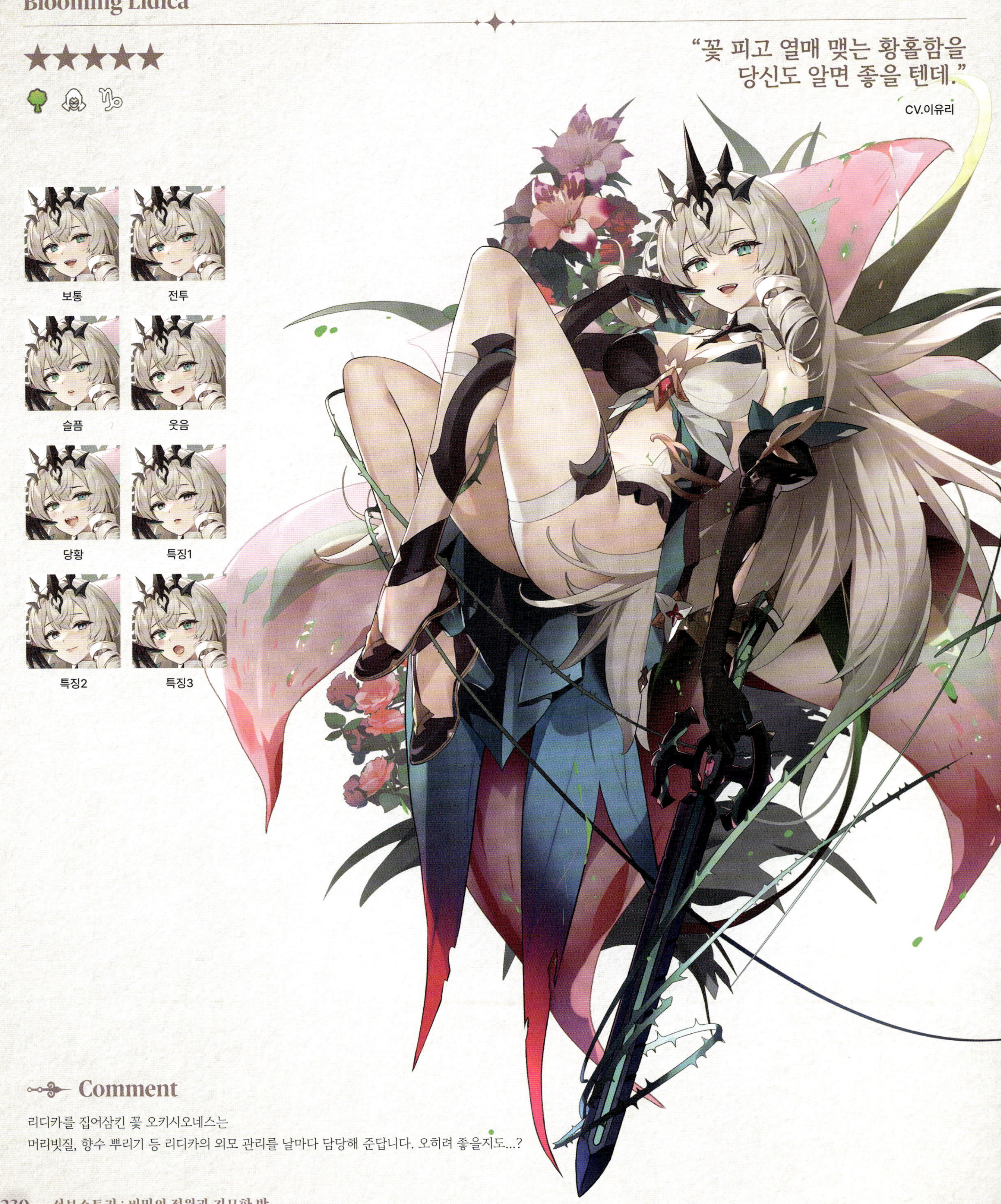

보통   전투

슬픔   웃음

당황   특징1

특징2   특징3

⟡ Comment

리디카를 집어삼킨 꽃 오키시오네스는
머리빗질, 향수 뿌리기 등 리디카의 외모 관리를 날마다 담당해 준답니다. 오히려 좋을지도...?

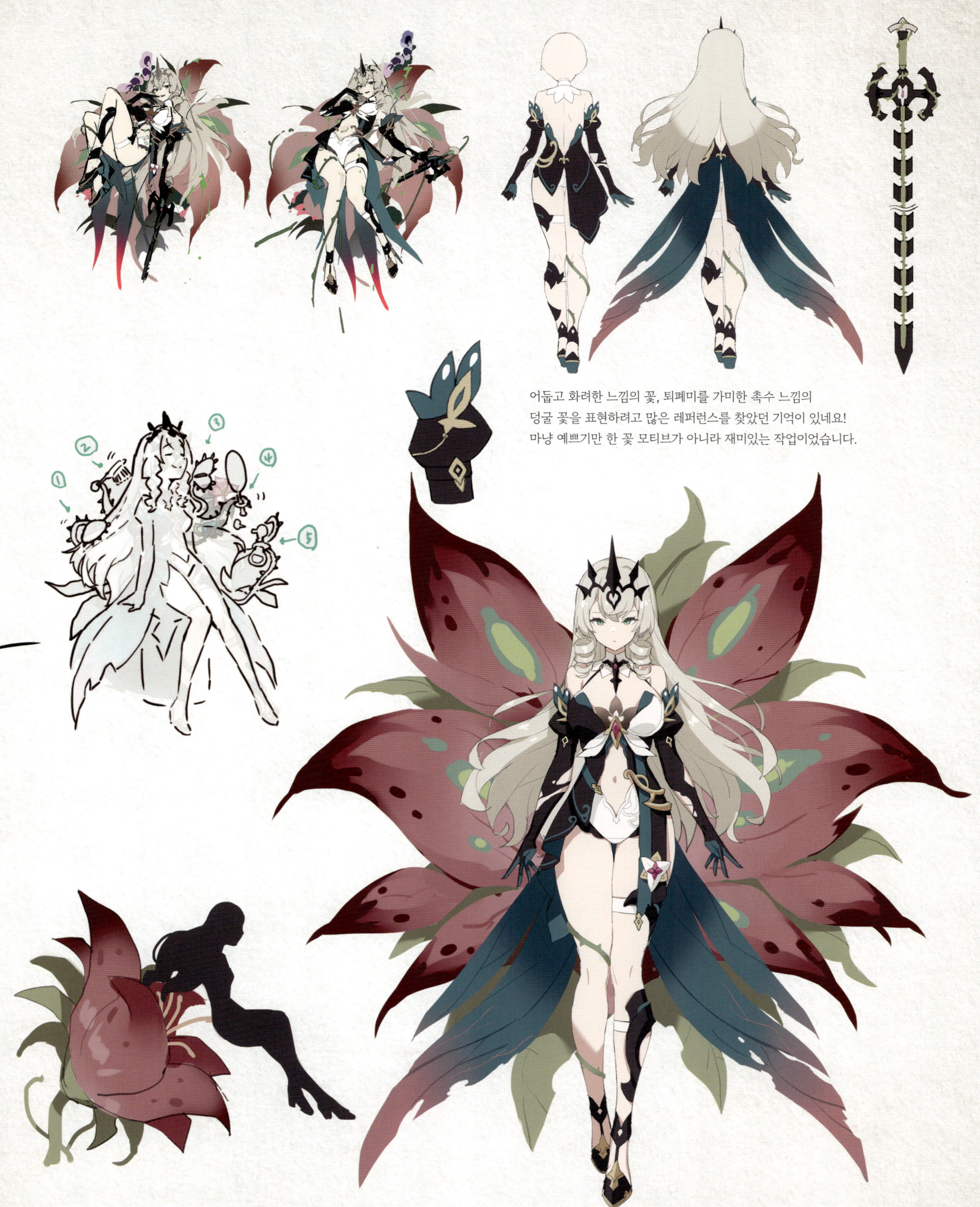

어둡고 화려한 느낌의 꽃, 퇴폐미를 가미한 촉수 느낌의
덩굴 꽃을 표현하려고 많은 레퍼런스를 찾았던 기억이 있네요!
마냥 예쁘기만 한 꽃 모티브가 아니라 재미있는 작업이었습니다.

서브스토리 : 미라클 메이드 킹덤
Miracle Maid Kingdom

Our Miracle
두근! 떨리는 맘
혹시 너에게 들릴까 심쿵
아주 잠깐 시간 내 줄래?
깜짝 준비한 선물이 있어
I promise 약속해 잊지 않을게
내 손 잡아준 너의 온기를
마음속 상자에 가득히 담아
달콤한 sweets, let's play the music on
우리 함께 만들 기적에 너를 초대해 um~
We shine a sweet miracle
너와 나의 멜로디
하늘빛에 새겨진 일곱 개 기적의 주문
Shine a sweet miracle
네 맘에 모두 전해지도록
아련한 바람을 싣고서
너의 맘 Epic me up!

미라클 메이드 킹덤
똑같은 everyday
그 안에서 특별한 널 만났던 거야
내가 너에게 힘이 돼 줄게
달콤한 sweets, let's play the music on
언제나 준비돼 있어 우리만의 miracle
We shine a sweet miracle
너와 나의 멜로디
저 하늘 가득 수놓을 기적의 주문
Shine a sweet miracle
간절히 네게 닿을 때까지
언젠가 나를 찾아온 너의 모습에
숨길 수 없던 작은 설레임 woo~
잊고 있던 소망을 다시 가르쳐 준 너에게
이젠 내가 그 손 잡아 줄 테니 oh~
We shine a sweet miracle
너와 나의 멜로디
일곱 빛깔 하늘에 가득한 우리의 추억
Shine a sweet miracle
너에게 모두 전해 줄 거야
언제나 내 곁에 있어줘
Our Miracle!

미라클 메이드 킹덤 : 타마린느
Tamarinne: Miracle Maid Kingdom

★★★★★

새로운 무대의상을 입은 타마린느가 빛나는
모습을 표현하고 싶었습니다. 팬들을 향해
짓는 표정이라고 생각하며 표정 전부 애정을
담아 열심히 그린 기억이 납니다.

Comment

미라클 메이드 킹덤의 엉망진창 메이드들을 만나 새롭게 탄생한 타마린느의 또 다른 모습입니다.
되고 싶었던 이상의 자신에게 다가가기 위한 노력을 멈추지 않는 타마린느의 열정이 담긴 스킨입니다.

라이아
Laia

★★★★★

찰랑거리는 긴 생머리가 작은 신장을 더욱 작게 보이게 하며,
인간이 아닐 수도 있다는 인상을 주는 것이 핵심이었습니다.
글래머와 가냘픈 체형을 모두 살리기 위해 등을 드러냈고, 컷씬에서도
매력적으로 표현되어 기뻤습니다. 또한 얇게 묶은 투사이드업은
귀여운 동생 같은 이미지를 더해주었습니다.

❧ Comment

밸런타인인 만큼, 달콤한 것에 끌리는 뱀파이어 캐릭터를 준비했습니다.
갈증을 느낄 때마다 예상치 못한 상황이 생겨서 현재는 빵을 더 좋아하고 있습니다.

**신비로운 매력을 가진
유망한 신인 뮤지션**

"미라클 메이드 킹덤,
신규 멤버 라이아입니다!"

CV.장예나

서브스토리 : 라즈베리 파이 굽는 날

A Day for Raspberry Pie

평화롭던 마을 아리멜카에 한 소녀와 용의 운명적인 만남이 시작된다. 장난기 가득한
아이 셰나와 마을의 수호룡 알렌시아. 우연한 인연은 소중한 우정으로 자라나고,
어린 시절의 추억은 둘만의 세계를 채워간다. 그러나 마을을 삼킨 화마와 부모를 잃은
비극, 그날 이후 셰나는 웃음을 잃고 복수를 좇는 차가운 전사가 된다.
알렌시아는 멀어진 셰나를 향한 그리움을 안고, 언젠가 다시 손을 맞잡을 수 있을지
고민한다. 서로를 향한 그리움이 눈 덮인 설원을 넘어 다시 이어지기를 바라며 시간이
멈춰버린 우정의 나무 아래에서 아름다웠던 둘의 추억을 회상하게 된다.

어린 셰나
Young Senya

★★★★★

보통

전투

슬픔

웃음

당황

특징1

특징2

특징3

천진난만하고 해사한
어린 시절의 셰나

"이 소식,
알렌시아도 좋아하겠죠?"

CV.손정민

⟡ Comment

세상의 슬픔을 아직 다 알지 못하는, 지켜주고 싶은 아이.
셰나는 비극을 겪었지만, 적어도 어린 시절만큼은 행복했으면 하는 바람이 담겨 있습니다.

연계 영웅 - p.101 | p.186

서브스토리 : 열혈! 트로피칼 데이즈!!
Intense! Tropical Days!!

화영이 수라의 리더로 복귀하자, 몸이 달아오른 부단장 켄이 팀 전력 강화를 위한
여름 합숙 훈련을 제안한다. 그렇게 도착한 파도 명소 풍운 해변에서, 화영은 파도에
휩쓸린 고양이를 구출하려다 수상한 섬에 고립되고 만다.
실종된 화영을 따라 켄과 아룬카, 페이라가 속속 섬에 상륙한다. 그리고 그곳은,
사디스틱한 미소녀 아람이 왕처럼 군림하고 있는 지옥의 섬이었다.

은빛 해일 화영
Argent Waves Hwayoung

★★★★★

다시 수라의 길로 들어선
나탈론 학원의 은빛 해일

"넘지 못할 파도란 건
절대로 없어."

CV.김율

⟜⟐ Comment

새로운 시도가 많았던 서브 스토리이니만큼,
화영에게도 트라우마 극복이라는 새로운 전환점을 주고 싶었습니다.

언게 영웅 - p.208 | p.219

방관자 화영의 '젖은 모습이 매력적인 캐릭터'라는 개인적인 설정을
살릴 기회가 왔습니다. 수영복은 스포티하고 레이싱걸 느낌이 나도록
디자인했으며, 현대 배경임을 어필할 만한 메이커 로고도
여러 개 제작해 붙여줬네요!

아람
Aram

★★★★★

**혜성처럼 나타난
풍운 해변의 붉은 수호자**

"지옥에 온 것을 환영한다.
나쁜 아이는 벌을 받아야지."

CV.김순미

Comment

보이는 모습과 내면의 갭이 큰 캐릭터로 설계되었으나,
스토리에서 펑펑 울게 할 예정은 없었습니다. 어쩌다 보니...

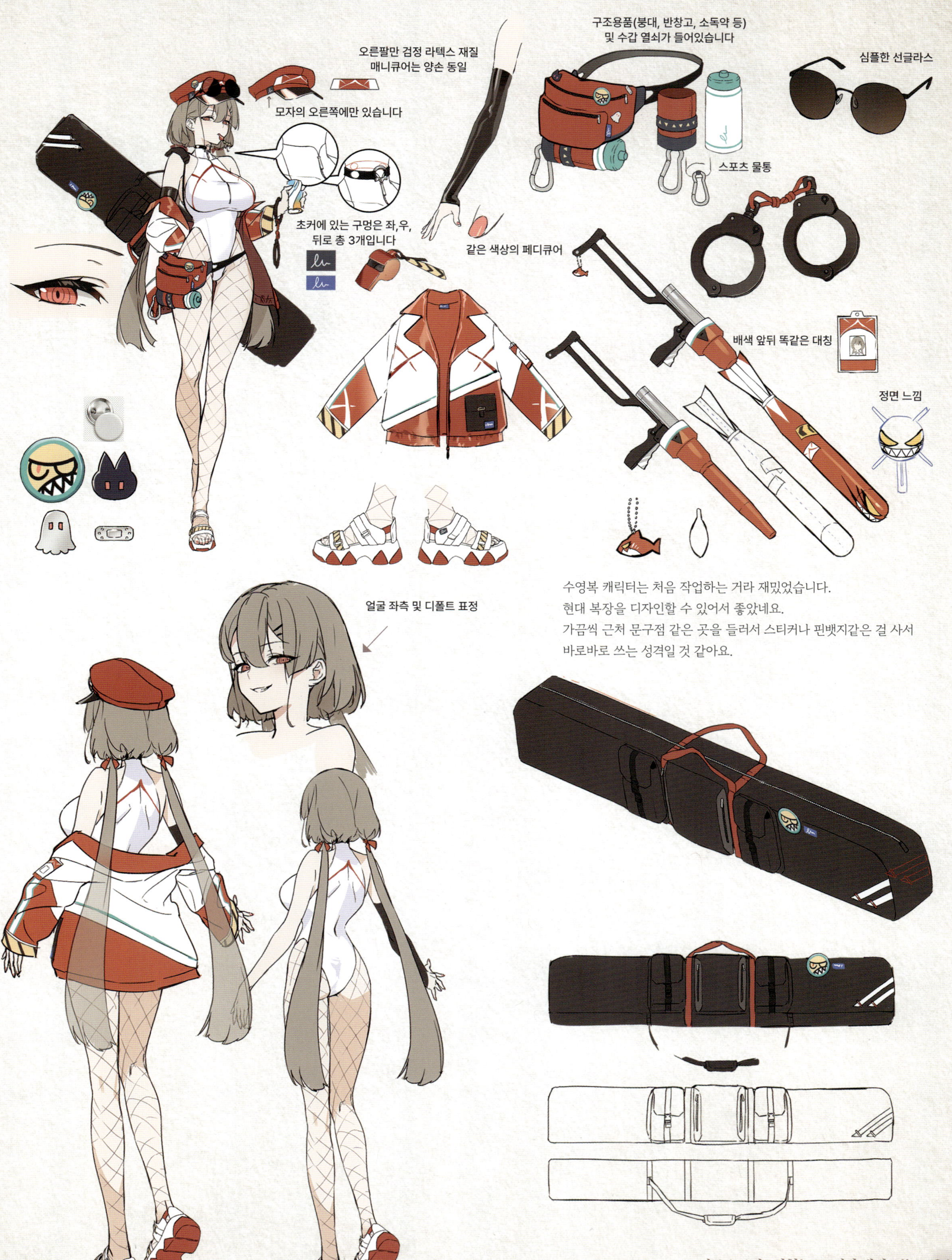
오른팔만 검정 라텍스 재질
매니큐어는 양손 동일

구조용품(붕대, 반창고, 소독약 등)
및 수갑 열쇠가 들어있습니다

심플한 선글라스

모자의 오른쪽에만 있습니다

스포츠 물통

초커에 있는 구멍은 좌,우,
뒤로 총 3개입니다

같은 색상의 페디큐어

배색 앞뒤 똑같은 대칭

정면 느낌

얼굴 좌측 및 디폴트 표정

수영복 캐릭터는 처음 작업하는 거라 재밌었습니다.
현대 복장을 디자인할 수 있어서 좋았네요.
가끔씩 근처 문구점 같은 곳을 들러서 스티커나 핀뱃지같은 걸 사서
바로바로 쓰는 성격일 것 같아요.

Chapter 3.
Guardian & NPC & Boss

알카서스 & 알키

Arkasus & Arky

크롬크루스

Kromcruz

제온 (신수)

Zeaon (Guardian)

카즈란

Kazran

카즈란 신수버전

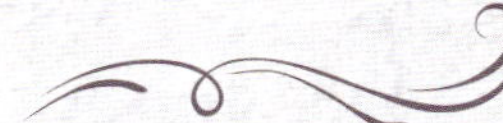

몸 전체가 금속의 느낌으로 바뀝니다. 반신수 버전의 특징들은 유지됩니다.
헤어는 끝이 붉은 백발의 느낌입니다. 헤어 부분의 질감 역시 금속입니다.

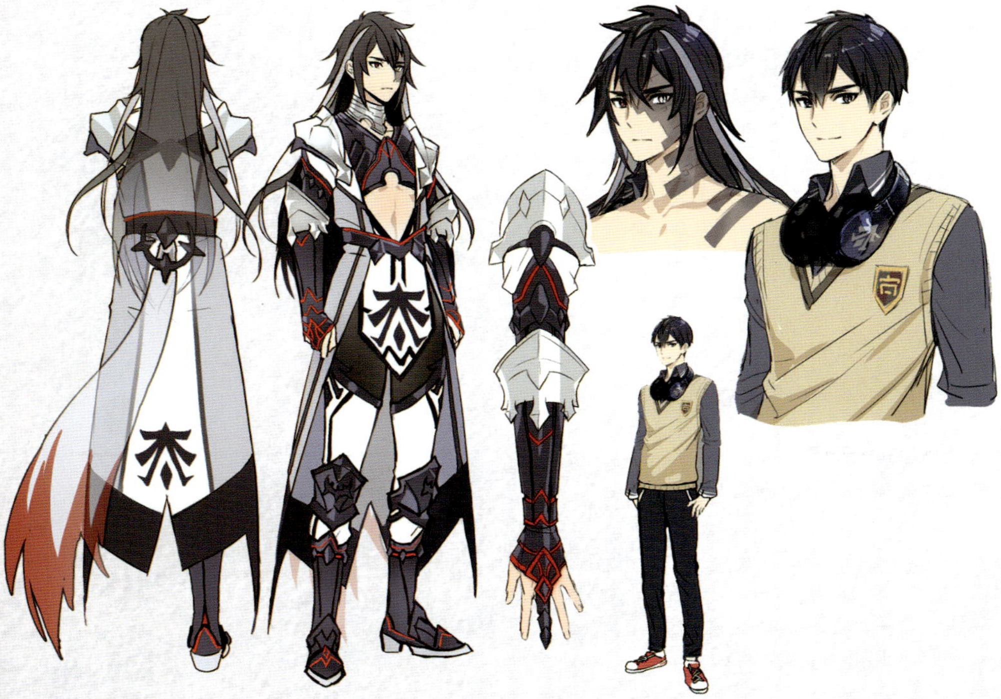

일반 버전의 카즈란

변신

날개
접기

청년 빌트레드의 신수
카즈란

가슴에서
광선발사

중심의 코어를
기준으로 떠 있다.

적의 위치 파악 및
정보 수집을 위한
레이더 역할을 한

일반 ver.　강철 ver.

지크프리트 & 지크
Ziegfried & Zieg

보통 전투 슬픔 특징1

기쁨 당황 특징2 특징3

하니앤
Hanien

파스투스
Fastus

데무토 지오
Demuto-possessed Zio

스트라제스 (보스)
Straze (Boss)

집행자 빌트레드 (보스)
Arbiter Vildred (Boss)

벨리안 (보스)
Belian (Boss)

하르세티 (보스)
Harsetti (Boss)

앙그라프

Anghraf

← 앙그라프의 수하

심연의 대행자 라헬
Scion of the Abyss Rahel

빙해의 대행자 에르퀴나
Scion of Frosttide Aquina

업화의 대행자 마그나
Scion of Hellfire Magnar

삼림의 대행자 헤레이스
Scion of the Verd Herais

광휘의 대행자 에델
Scion of Aurelight Ethel

니르갈
Nilgal

제온 (보스)
Zeaon (Boss)

크라켄
Kraken

아칼립톤
Akalypton

NPC

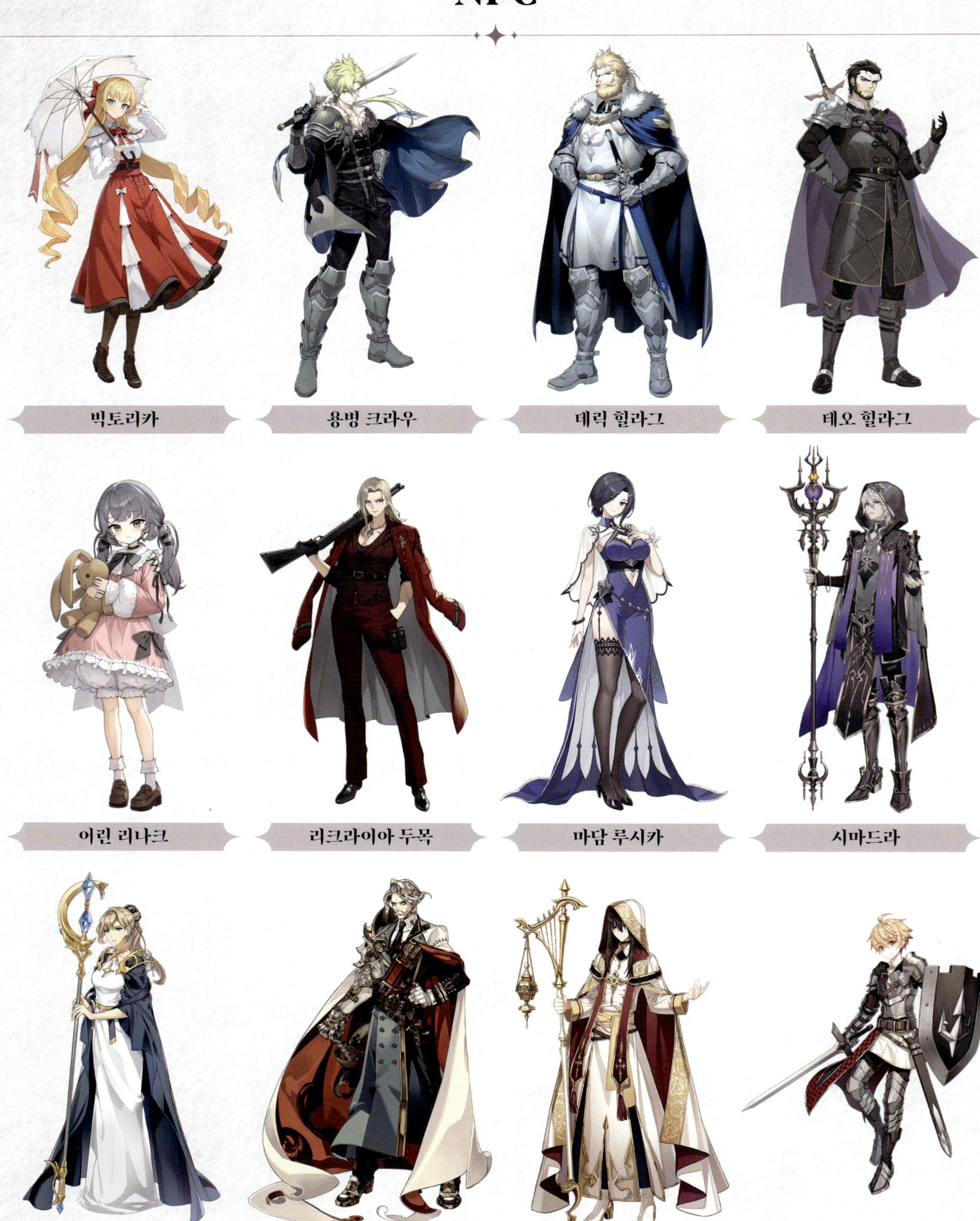

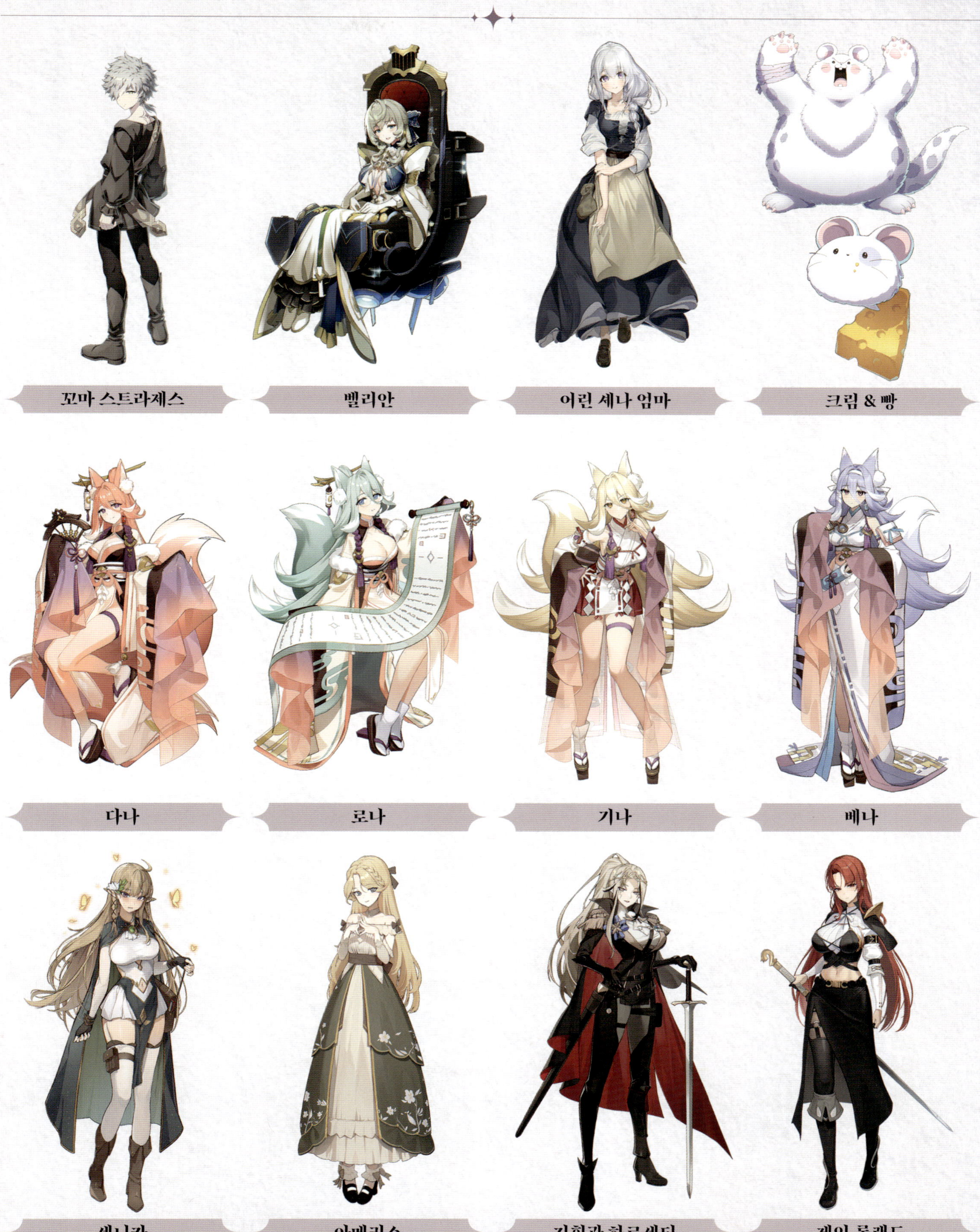

꼬마 스트라제스

뻴리안

어린 셰나 엄마

크림 & 빵

다나

로나

기나

베나

세니카

아메리스

지휘관 하르세티

제인 롤랜드

NPC

썸머 베케이션 아룬카

썸머 베케이션 페이라

썸머 베케이션 아딘

썸머 베케이션 켄

부단장 켄

춘배

유진

환자 오르테

평상복 타마린느

미라클 메이드 타마린느

평상복 라이아

케이스

수영복 메르세데스
수영복 슈
수영복 몽모랑시
수영복 아카테스
수영복 세리스
수영복 파벨
어린 아카테스
어린 비브리스
에메트
메이
후줄근한 루루카
스트리머 토라미

Chapter 4.
Visual Art Gallery

아티팩트
Artifact

소중한 인연

힐라그 랜스

푸른 장미의 가시

은밀한 손길

윈드라이더

암살자의 가호

시들지 않는 추억

첼레스티스

알렉사의 바구니

친구를 위한 마법

하야섬도

붉은 악몽의 달

악몽을 위한 동화

무위의 인도자

창조의 포 & 파괴의 송

레코스의 손길

정령의 숨결

고독의 기도

단 하나의 위로

보랏빛 탈리스만

둑스 녹티스

인도하는 빛

퍼루티아의 보루

디그누스오브

여신의 검은 손

응급구조키트

스텔라 하르파

지식의 씨앗

보이지 않는 관찰자

꿈결 같은 휴일

질서의 방벽

글로윙즈21

공대지 미사일 : 미샤

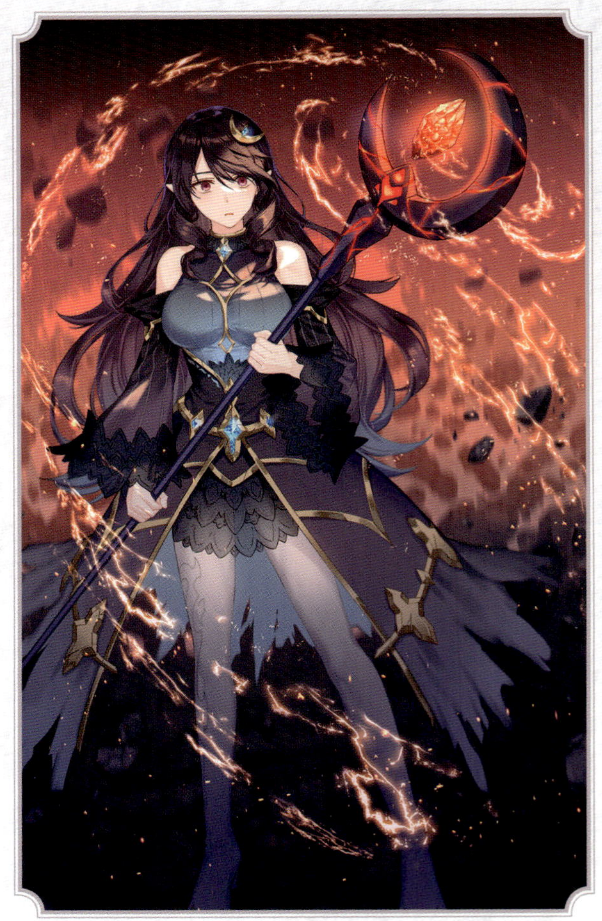

낙조의 재앙

매직 버블 메이커

점박이쥐 머리끈

오마주 투 타르만

영광의 관

디크레센트

명암의 쌍익

유베리우스의 어금니

무자비한 대식가

챔피언 트로피

고룡의 유산

왕의 탄생

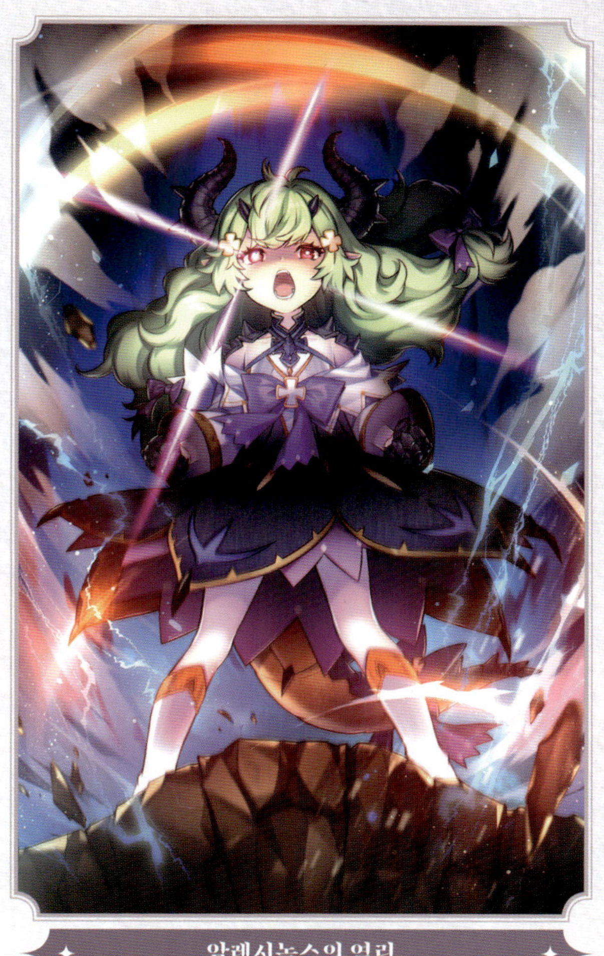

알렌시녹스의 역린

개벽의 창

파사의 창

순환의 검

시공의 접선

신목의 가지

그림자의 서

순백의 신뢰

동귀절도

혼명의 부채

추단염도

맹세의 잔

기화의 구

밀화의 구

금강각반

순환의 염주

위령의 촛불

포박의 인

보완된 의지

관조자의 눈

그림자의 근원석

부서진 제사장의 의지

거절할 수 없는 제안

산타무에르테

검은 피의 수호자

골든 로즈

현혹의 날개

폭군의 혈통

비난의 창

낡은 원예용 가위

유혹하는 꽃

달콤한 기적

우정의 증표

여름의 포토제닉

퀸즈 휘슬

시간의 물질

III. The Empress

IV. The Emperor

VI.The Lovers

XIII. Death

XVI. The Tower

XII. The Hanged Man

XVIII. The Moon

배경 아트 : 비밀의 정원과 기묘한 밤
Environment Art : Eerie Night in the Secret Garden

배경 아트 : 라즈베리 파이 굽는 날
Environment Art : A Day for Raspberry Pie

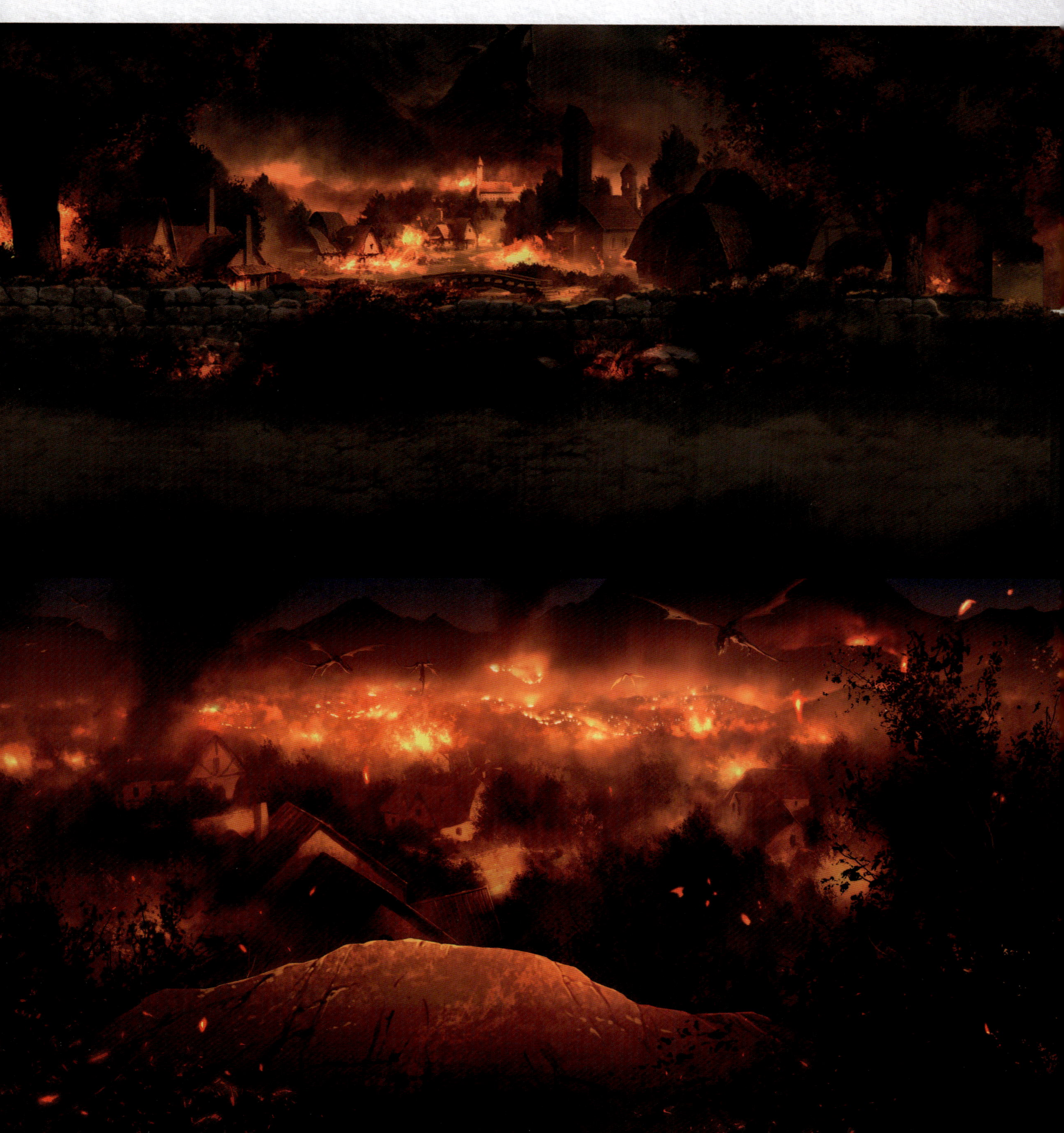

배경 아트 : 열혈! 트로피칼 데이즈!!

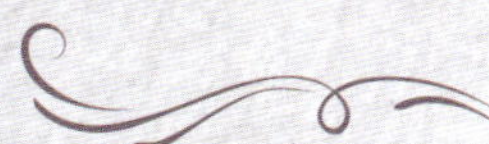 

Environment Art : Intense! Tropical Days!!

배경 아트 : 나탈론 악괴전
Environment Art : A Fable of the Demons of Natalon

배경 아트 : 한여름의 파라다이스!
Environment Art : A Midsummer Paradise!

배경 아트 : 미라클 메이드 킹덤
Environment Art : Miracle Maid Kingdom

에픽세븐 아트북 Vol.3

2025년 11월 11일 1판 1쇄 인쇄
2025년 12월 7일 1판 1쇄 발행

지음, 편집 스마일게이트

발행인 황민호
전략콘텐츠사업본부장 박정훈
편집기획 신주식 김선림 최경민 윤혜림
마케팅 이승아
제작 최택순 성시원

발행처 대원씨아이(주)
주소 서울특별시 용산구 한강대로 15길 9-12
전화 (02)2071-2018
팩스 (02)797-1023
등록 제3-563호
등록일자 1992년 5월 11일

www.dwci.co.kr

ISBN 979-11-423-3846-5 07810